BESTSELLER

John Boyne (Dublín, 1971) se formó en el Trinity College y en la Universidad de East Anglia. *El niño con el pijama de rayas* (Salamandra, 2007), una novela que obtuvo dos Irish Book Awards y fue finalista del British Book Award, se tradujo a más de cuarenta idiomas, vendió más de cinco millones de ejemplares y fue llevada al cine en 2008. En España, fue galardonada con el Premio de los Lectores 2007 de la revista *Qué Leer* y permaneció más de un año en las listas de libros más vendidos. Entre su amplia obra narrativa destacan *Motín en la Bounty*, *La casa del propósito especial*, *La apuesta*, *El ladrón de tiempo*, *En el corazón del bosque*, *El pacifista*, *El secreto de Gaudlin Hall*, *El niño en la cima de la montaña* y *Las huellas del silencio*. Su última novela es *Todas las piezas rotas* (2023), la conmovedora continuación de *El niño con el pijama de rayas*.

JOHN BOYNE

Todas las piezas rotas

Traducción de
Gemma Rovira Ortega

DEBOLS!LLO

Papel certificado por el Forest Stewardship Council®

Título original: *All the Broken Places*

Primera edición en Debolsillo: marzo de 2024

© 2022, John Boyne
© 2023, 2024, Penguin Random House Grupo Editorial, S.A.U.
Travessera de Gràcia, 47-49. 08021 Barcelona
© 2023, Gemma Rovira Ortega, por la traducción
Diseño de la cubierta: adaptación de Penguin Random House Grupo Editorial
basada en el diseño de Marianne Issa El Khoury / TW
Imagen de la cubierta: © Getty Images / Alamy

Printed in Spain – Impreso en España

ISBN: 978-84-663-7486-6
Depósito legal: B-710-2024

Impreso en Black Print CPI Ibérica
Sant Andreu de la Barca (Barcelona)

P 3 7 4 8 6 6

A Markus Zusak

PRIMERA PARTE

La hija del diablo

Londres, 2022 – París, 1946

1

Si el ser humano es culpable de todo el bien que no ha hecho, como sugería Voltaire, yo me he pasado la vida tratando de convencerme de que soy inocente de todo el mal. Ha sido una forma práctica de soportar décadas de exilio voluntario del pasado, de verme como víctima de amnesia histórica, absuelta de cualquier complicidad y exonerada de cualquier culpa.

Mi relato final, sin embargo, empieza y acaba con un objeto tan trivial como un cúter. El mío se había roto hacía poco y, como me parecía una herramienta muy útil que no debe faltar en ninguna cocina, fui a la ferretería del barrio a comprar uno nuevo. A mi vuelta me esperaba una carta de un agente inmobiliario, similar a la que habían recibido todos los vecinos de Winterville Court, donde se me informaba educadamente de la puesta a la venta del piso de abajo. Su anterior ocupante, el señor Richardson, había vivido en el número 1 cerca de treinta años, pero había fallecido poco antes de Navidad y desde entonces el piso estaba vacío. Su hija vivía y trabajaba de logopeda en Nueva York y, que yo supiera, no tenía intención de regresar a Londres, así que ya me había mentalizado para interactuar en breve con algún desconocido en el vestíbulo. Quizá incluso tuviese que fingir interés por la vida de los nuevos propietarios, o aguantar que éstos intentasen sonsacarme detalles de la mía.

Desde 2008 el señor Richardson y yo habíamos mantenido la típica relación de buenos vecinos; es decir, no habíamos intercambiado una sola palabra. Al principio de su llegada al edificio, y en realidad durante unos cuantos años, nos llevamos la mar de bien. A veces incluso subía a jugar al ajedrez con Edgar, mi difunto marido; sin embargo, por alguna extraña razón, nosotros dos nunca fuimos más allá de las meras formalidades. Él siempre se había dirigido a mí como «señora Fernsby», y yo lo llamaba «señor Richardson». Cuatro meses después de fallecer Edgar entré por última vez en su piso; había aceptado su amable invitación a cenar, pero me encontré siendo objeto de sus insinuaciones amorosas, que por supuesto decliné. El señor Richardson se tomó mal mi rechazo y a partir de entonces nos convertimos en lo más parecido a dos desconocidos que puedan ser dos personas que viven en el mismo edificio.

Mi residencia de Mayfair está registrada como piso, pero eso sería como describir el castillo de Windsor como un refugio de fin de semana de la reina. Cada vivienda de nuestro edificio (cinco en total: una en la planta baja y dos en cada una de las superiores) ocupa ciento cuarenta metros cuadrados de excelente bien inmueble londinense y cuenta con tres dormitorios, dos cuartos de baño completos, un servicio y vistas a Hyde Park, lo que ha incrementado su valor hasta una cifra que ronda los tres millones de libras (y mi información proviene de fuentes fiables). Edgar recibió una cuantiosa suma de dinero pocos años después de casarnos, una herencia inesperada de una tía soltera, y aunque él habría preferido mudarse a un barrio más tranquilo, lejos del centro de Londres, yo había investigado por mi cuenta y no sólo estaba decidida a vivir en Mayfair, sino, a ser posible, en aquel edificio en concreto. Eso siempre había parecido inviable económicamente hasta que tía Belinda pasó a mejor vida y, como un *deus ex machina*, de pronto todo cambió. Siempre quise explicarle a Edgar por qué me había empeñado en vivir aquí, pero por una razón u otra nunca llegué a hacerlo, y ahora me arrepiento.

A mi marido le gustaban mucho los niños, sin embargo yo accedí a tener sólo uno y en 1961 di a luz a nuestro hijo

Caden. En los últimos años, a medida que ha ido aumentando el valor de mi propiedad, Caden me ha animado en varias ocasiones a venderla y comprarme un piso más pequeño en algún barrio no tan caro de la ciudad. Sospecho que empieza a temer que su madre llegue a los cien años y ansía recibir parte de su herencia mientras todavía es lo bastante joven para disfrutarla. Caden se ha casado tres veces y ahora se ha comprometido por cuarta vez, pero yo ya he renunciado a trabar amistad con las mujeres de su vida. Tengo la teoría de que, en cuanto las conoces un poco, las despacha e instala otro modelo, y entonces debes volver a tomarte la molestia de descifrar su idiosincrasia, como harías con una lavadora o un televisor nuevos. De niño trataba a sus amigos con una crueldad parecida. Caden y yo hablamos por teléfono con regularidad y cada dos semanas viene a cenar a casa, pero la nuestra es una relación complicada, en parte dañada porque me ausenté de su vida durante un año cuando él sólo tenía nueve. La verdad es que no me siento cómoda entre criaturas, y los niños pequeños me resultan especialmente difíciles.

No me preocupaba que mis nuevos vecinos me molestaran con sus ruidos (estos pisos están muy bien aislados, y además, aunque hay algunos puntos débiles aquí y allá, con el tiempo me había acostumbrado a los diversos sonidos que atravesaban el techo del señor Richardson), lo que me fastidiaba era que el orden de mi mundo pudiese verse alterado. Confiaba en que llegara alguien que no tuviese el más mínimo interés en conocer a la mujer que vivía en el piso de arriba. Un anciano inválido, por ejemplo, que apenas saliera de su casa y todas las mañanas recibiese la visita de una empleada doméstica; o una joven ejecutiva que se fuera todos los viernes por la tarde a su segunda residencia y no regresase hasta el domingo por la noche y luego se pasara el resto del tiempo en la oficina o el gimnasio. Por el edificio se había extendido el rumor de que un famoso cantante de música pop que había triunfado en los ochenta se había interesado por el piso como posible lugar donde retirarse, pero por suerte no se había sabido nada más de él.

Mis cortinas se movían ligeramente siempre que el agente inmobiliario aparcaba su coche y entraba con un cliente para enseñarle el piso mientras yo tomaba notas sobre cada vecino en potencia. Había un matrimonio de setenta y pocos muy prometedor: los dos hablaban con voz suave e iban cogidos de la mano, pero preguntaron si en el edificio aceptaban mascotas (yo estaba escuchando por el hueco de la escalera) y se llevaron un buen chasco cuando el agente les dijo que no. También vino una pareja de treintañeros homosexuales que, a juzgar por su ropa gastada y su desaliño general, debían de ser extraordinariamente ricos, pero, según dijeron, el «espacio» se les quedaba un poco pequeño y no se identificaban del todo con su «relato». Una joven de rasgos feúchos no dio detalles sobre sus intenciones y sólo comentó que a un tal Steven le encantarían aquellos techos tan altos. Como es lógico, yo apostaba por los gais (acostumbran a ser buenos vecinos y hay pocas probabilidades de que procreen), pero resultaron ser los menos interesados.

Y entonces, al cabo de unas semanas, cuando el agente inmobiliario dejó de traer visitas y el anuncio desapareció de internet, deduje que la agencia habría cerrado un trato. Tanto si me gustaba como si no, un buen día me encontraría un camión de mudanzas en la calle y a alguien introduciendo una llave en el portal e instalándose en el piso de abajo.

¡Ay, cuánto temía ese momento!

2

Madre y yo huimos de Alemania a principios de 1946, pocos meses después de acabar la guerra; viajamos en tren desde lo que quedaba de Berlín hasta lo que quedaba de París. Con quince años y sabiendo muy poco de la vida, yo todavía no había asimilado que el Eje había sido derrotado. Padre siempre hablaba con tanta convicción de la superioridad genética de nuestra raza y las incomparables dotes del Führer como estratega militar que yo había dado por hecho que nuestra victoria estaba garantizada. Sin embargo, sin saber aún cómo, habíamos perdido.

El viaje de más de mil kilómetros por el continente no hizo aumentar mi optimismo respecto al futuro. Las ciudades por las que pasábamos estaban asoladas por los estragos de los últimos años, y las caras de la gente que veía en las estaciones y los vagones no reflejaban alegría por el final de la guerra sino que mostraban las cicatrices que ésta les había causado. Se respiraba por todas partes una atmósfera de agotamiento, la certeza cada vez mayor de que Europa no sólo nunca volvería a ser como antes de 1938, sino que necesitaba reconstruirse por completo, igual que el ánimo de sus habitantes.

Mi ciudad natal había quedado reducida a escombros y sus ruinas se las habían repartido cuatro de nuestros conquistadores. Para protegernos, permanecimos escondidas en el sótano de los escasos verdaderos creyentes cuyas casas todavía se tenían en pie hasta que nos consiguieron la documentación falsa necesaria para salir de forma segura de Alemania. En nuestro nuevo pasaporte figuraba el apellido Guéymard, cuya pronunciación practiqué sin cesar para que mi acento sonase lo más auténtico posible, y a Madre tenía que llamarla Nathalie (como mi abuela), pero yo seguía llamándome Gretel.

Todos los días salían a la luz nuevos detalles de lo que había pasado en los campos, y el nombre de Padre se estaba convirtiendo en sinónimo de los crímenes más espantosos. A pesar de que nadie insinuaba que nosotras fuésemos tan culpables como él, Madre creía que revelar nuestra identidad a las autoridades significaría el desastre más absoluto para las dos. Yo estaba de acuerdo, porque tenía tanto miedo como ella, aunque me costaba pensar que alguien pudiese considerarme cómplice de aquellas atrocidades. Es cierto que desde los diez años había sido miembro de la Jungmädelbund, pero como todas las niñas alemanas; al fin y al cabo, era obligatorio, del mismo modo que pertenecer a los Deutsches Jungvolk para los niños a partir de los diez años. Y a esa edad no me interesaba la ideología del partido, sino participar en las competiciones deportivas con mis amigas. Además, cuando llegamos a aquel otro sitio, sólo pasé al otro lado de la alambrada una vez: el único día que Padre me llevó al campo para que viera cómo trabajaba. Pero, en el fondo, sólo intentaba convencerme de que había sido una mera observadora y de que tenía la conciencia tranquila, aunque ya había empezado a cuestionarme cuál había sido mi implicación en los sucesos que había presenciado.

Sin embargo, cuando el tren en que viajábamos entró en Francia, tuve miedo de que nuestra pronunciación nos delatara, consciente de que los ciudadanos de París, recientemente liberados y avergonzados por su rápida capitulación en 1940, reaccionarían de forma agresiva hacia cualquiera con el más mínimo acento alemán. Mis temores no resultaron infundados: pese a poder demostrar que llevábamos encima suficiente dinero para sufragar una estancia larga, nos negaron habitación en cinco pensiones. No encontramos sitio donde vivir hasta que una mujer de la Place Vendôme se compadeció de nosotras y nos dio la dirección de un establecimiento cercano donde la casera, dijo, no hacía preguntas. De no ser por ella, tal vez habríamos sido las sintecho más adineradas de las calles de París.

La habitación que alquilamos estaba en la zona este de la Île de la Cité. Aquellos primeros días, yo prefería no alejarme de nuestro domicilio, así que me limitaba a recorrer la escasa distancia que separaba el Pont de Sully del Pont Neuf en ambas direcciones, trazando bucles infinitos y sin atreverme a cruzar otros puentes, que me habrían llevado a terreno desconocido. A veces pensaba en mi hermano, que siempre había querido ser explorador, y en lo mucho que habría disfrutado deambulando por aquellas calles por descubrir, pero entonces apartaba rápidamente ese recuerdo de mi mente.

Madre y yo ya llevábamos dos meses viviendo en la Île de la Cité cuando por fin me atreví a llegar hasta los Jardines de Luxemburgo, donde la abundante vegetación me hizo sentir como si hubiera entrado en el paraíso. Me sorprendió el contraste con nuestra llegada a aquel otro sitio que tanto me había impresionado por su carácter árido e inhóspito. Aquí respirabas el perfume de la vida; allí te asfixiaba el hedor de la muerte. Paseé como hechizada del Palais a la fuente Medici, y de allí al estanque, de donde no me marché hasta que vi a un grupito de niños colocando en el agua unos barcos de madera que la brisa impulsaba hasta la orilla opuesta, donde los esperaban sus amigos. Sus risas y su animada conversación componían una música sobrecogedora que contrastaba con el angustioso silencio al que yo me había acostumbrado. Me costaba entender que un mismo continente pudiese albergar aquellos extremos de belleza y fealdad.

Una tarde me resguardaba del sol sentada en un banco cerca de la pista de petanca cuando me invadió un sentimiento de pena y culpa arrollador y rompí a llorar. Un chico atractivo, quizá un par de años mayor que yo, se acercó con gesto de preocupación y me preguntó qué me pasaba. Lo miré y noté un cosquilleo de deseo, el anhelo de que me abrazara o me dejase apoyar la cabeza en su hombro, y al contestarle se me escaparon los viejos hábitos verbales y el acento alemán afloró en mi francés. El chico retrocedió y me miró fijamente sin disimular su desprecio; reunió toda la ira que sentía hacia mis paisanos, me escupió en la cara y se marchó. Aunque parezca extraño, su actitud no hizo disminuir mi deseo de que me tocara, sino que lo aumentó. Me enjugué las lágrimas, corrí tras él, lo agarré por el brazo y lo invité a llevarme entre los árboles; le dije que allí estaríamos escondidos y dejaría que me hiciera lo que se le antojara.

—Puedes hacerme daño si quieres —murmuré, y cerré los ojos pensando que me daría un bofetón, me soltaría un puñetazo en la barriga o me rompería la nariz.

—¿Por qué me pides eso? —me preguntó, y su tono reveló una inocencia poco acorde con su atractivo físico.

—Porque así sabré que estoy viva.

El chico parecía excitado y, al mismo tiempo, asqueado; miró alrededor por si había alguien observándonos y luego al bosquecillo que yo le había señalado. Se pasó la lengua por los labios y me miró los pechos, pero cuando le cogí la mano mi tacto lo ofendió. Se apartó de mí, me llamó «puta» —*une putain*—, echó a correr y desapareció por la rue Guynemer.

Los días en que hacía buen tiempo me plantaba en la calle a primera hora de la mañana y no regresaba a nuestra pensión hasta que Madre ya estaba demasiado borracha para preguntarme dónde había estado. Su elegancia de antaño había comenzado a deteriorarse, pero todavía era una mujer atractiva y yo me preguntaba si se buscaría otro marido, alguien que pudiese cuidar de nosotras, aunque no parecía interesada en buscar amor ni compañía. Lo único que quería era estar sola con sus pensamientos y deambular de bar en bar. Era una bebedora tranquila. Se sentaba en un rincón oscuro con una botella de vino y trazaba marcas invisibles en el tablero de madera de la mesa, procurando no montar ninguna escena por la que pudiesen echarla a la calle. Una vez nos cruzamos cuando el sol estaba poniéndose detrás del Bois de Boulogne; ella se me acercó con paso vacilante, me cogió del brazo y me preguntó la hora. Me pareció que no se daba cuenta de que estaba hablando a su propia hija. Cuando le contesté, me sonrió aliviada (estaba oscureciendo, pero los bares aún tardarían horas en cerrar) y siguió caminando hacia las luces brillantes y seductoras que salpicaban la Île de la Cité. Si me esfumaba por completo, ¿olvidaría mi madre que yo había existido?, me pregunté.

Dormíamos en la misma cama y yo detestaba despertar a su lado respirando su aliento apestoso, envenenado por el alcohol. Cuando abría los ojos, se incorporaba y se quedaba un momento desconcertada, pero entonces la asaltaban los recuerdos y los cerraba otra vez, como si pudiera borrar aquellas escenas de su memoria. Cuando por fin aceptaba la crudeza de la luz matutina y salía de debajo de las sábanas, se aseaba un poco en el lavamanos, se ponía un vestido y salía a la calle sin otro objetivo que hacer lo mismo que el día anterior y el anterior y el anterior.

Madre guardaba nuestro dinero y nuestros objetos de valor en una vieja cartera en el fondo del armario, así que yo veía cómo esa pequeña fortuna empezaba a menguar. Nuestra situación era relativamente holgada —los verdaderos creyentes se habían encargado de eso—, pero Madre se resistía a invertir más dinero en el alojamiento y negaba con la cabeza cada vez que yo le proponía que alquiláramos nuestro propio piso en un barrio más modesto de la ciudad. Realmente parecía que su único objetivo en la vida era ahogar sus penas en alcohol: sólo le preocupaba tener una cama donde dormir y una botella que vaciar. Madre estaba a años luz de la mujer que me abrazaba de pequeña, de la sofisticada esposa de la alta sociedad con porte de estrella de cine que lucía los peinados más modernos y los vestidos más elegantes.

Aquellas dos mujeres no habrían podido ser más diferentes y sin duda se habrían odiado la una a la otra.

3

Todos los martes por la mañana cruzo el pasillo para visitar a mi vecina Heidi Hargrave, que vive en el piso de delante. Heidi cumplirá sesenta y nueve a finales de año. Celebra su cumpleaños el día de la Inmaculada Concepción, una coincidencia paradójica, dado que no conoció a sus padres biológicos y fue adoptada nada más venir al mundo. Heidi es la única residente de Winterville Court que lleva aquí toda su vida: la trajeron a Mayfair directamente de la maternidad y el Hyde Park se convirtió en su parque infantil. Se quedó embarazada siendo adolescente y nunca se casó, así que heredó la propiedad de sus padres adoptivos cuando éstos fallecieron.

Pese a ser veintitrés años más joven, es bastante menos ágil que yo, tanto física como mentalmente. Durante tres décadas participó en la maratón de Londres, pero dejó de correr después de padecer un grave episodio de fascitis plantar en el talón izquierdo, lo que aún hoy la obliga a llevar una férula por las noches y a ponerse inyecciones de esteroides en el pie. Esa retirada forzosa supuso un golpe terrible para una mujer tan activa como ella y me pregunto si contribuyó al deterioro gradual de sus facultades mentales, pues en otros tiempos era una persona de gran vitalidad, además de una oftalmóloga muy respetada, pero ahora le cuesta mantener una conversación. Por suerte, su situación no es comparable a sufrir demencia o alzheimer; se trata más bien de que a veces se queda ofuscada, no recuerda de qué estábamos hablando, confunde los nombres y los lugares o cambia de tema tan bruscamente que cuesta seguirla.

Esa mañana en particular la encontré mirando unos viejos álbumes de fotografías y confié en no verme obligada a sentarme con ella. Yo no guardo álbumes de ésos y nunca he entendido qué sentido tiene llenar la casa de retratos familiares. De hecho, sólo tengo dos a la vista: una fotografía con marco de plata del día de nuestra boda y otra de Caden del día de su graduación universitaria. Debo añadir que no las exhibo por razones sentimentales, sino porque es lo que se espera de mí.

Dicho esto, en un estante de mi armario, escondido hacia el fondo, hay un joyero Seugnot antiguo que compré en un mercadillo de Montparnasse en 1946; es de madera de frutal, con adornos de bronce, un escudete en la parte delantera y una llave que aún funciona. En su interior guardo una única fotografía y, aunque llevo más de setenta y cinco años sin atreverme a mirarla, creo recordar lo que contiene. Tengo doce años, estoy mirando al fotógrafo y hago lo posible por parecer coqueta, porque quien está detrás de la cámara es Kurt, que tiene un dedo en el disparador y está completamente concentrado en mí, mientras yo intento disimular mi pasión por él. Kurt está muy erguido y lleva su uniforme; me abruman su complexión musculosa, su pelo rubio y sus ojos azul claro. Percibo su prudente interés y estoy desesperada por hacerlo aumentar.

—¿Ves a ese hombre, Gretel? —me preguntó Heidi, señalando la fotografía de un tipo de aspecto inteligente posando de pie en una playa, con los brazos en jarras y una pipa Woodstock en la boca—. Se llamaba Billy Sprat. Era bailarín y espía ruso.

—¿Ah, sí?

Serví el té y me pregunté si aquella historia sería otra de sus fantasías. Quizá Heidi había visto una de esas viejas películas de James Bond la noche anterior y por eso pensaba en cosas de espionaje, aunque a juzgar por la época de la que databa la fotografía, bien podría ser que estuviese diciendo la verdad. Por aquel entonces había muchos espías rusos acechando en Inglaterra.

—Billy era amigo de mi padre y lo descubrieron vendiéndole secretos al KGB —añadió emocionada—. Los cuerpos de seguridad estuvieron a punto de detenerlo, pero él se

21

enteró de que estaba en peligro y huyó a Moscú. Qué emocionante, ¿verdad?

—¡Ya lo creo! —coincidí.

—Deberían haber insistido en que regresara para sentarse ante un tribunal. Es indignante que los culpables huyan de la justicia.

No dije nada y me limité a observar el reloj de mesa y las figurillas de porcelana que había encima de la repisa de la chimenea y que Heidi contaba entre sus tesoros.

—¿Alguna vez simpatizaste con los rusos? —me preguntó, y tomó un sorbo de té—. En los años sesenta yo creía que su filosofía del reparto equitativo no estaba mal. Pero cuando empezaron a apuntarnos con sus bombas nucleares dejó de interesarme. Nadie quiere que haya otra guerra, ¿verdad?

—Yo no me meto en política. —Unté dos *scones* aún calientes con mantequilla y le tendí el suyo—. He visto lo que le hace a la gente.

—Pero entonces tú ya habías nacido, claro, ¿no? —me preguntó.

—¿En los sesenta? Sí. Pero tú también, Heidi.

—No, me refería a antes de eso. A la guerra. A la... ¿cómo se llama?

—La Segunda Guerra Mundial.

—Eso es.

—Sí. Pero por entonces yo era sólo una niña —dije.

Ya habíamos mantenido esa conversación muchas veces, pero yo nunca le daba demasiados detalles sobre mi pasado y, si lo hacía, casi siempre eran inventados. Heidi dejó el álbum y me miró con gesto pícaro.

—¿Se sabe algo de abajo? —me preguntó.

Negué con la cabeza. En momentos como ése me alegraba de que a Heidi le gustara tanto cambiar bruscamente de tema.

—Todavía no —respondí, y me limpié unas migas de los labios con la servilleta—. Sin novedad en el frente meridional.

—Esperemos que no sean morenitos, ¿verdad?

Fruncí el entrecejo. Uno de los aspectos más tristes de su progresiva confusión mental es esta tendencia a emplear expresiones que, con razón, ya no se consideran apropiadas y que ella jamás habría utilizado de haber estado en plenas facultades. Imagino que es el lenguaje de su juventud reclamando su lugar desde esas partes de su cerebro que han empezado a degenerarse lentamente. Es extraño: me cuenta largas historias sobre su infancia, pero cuando le pregunto qué ocurrió el miércoles pasado entre las seis y las nueve desciende la niebla.

—Supongo que podría ser cualquiera —repliqué—. No lo sabremos hasta que aparezcan.

—Había un hombre encantador que vivió en ese piso muchos años. —Su rostro se iluminó—. Era historiador. Daba clases en la Universidad de Londres.

—No, Heidi. Ése era Edgar, mi marido —la corregí—. Vivía conmigo al otro lado del pasillo.

—Es verdad. —Me guiñó un ojo, como si compartiéramos un secreto—. Tienes razón. Edgar era todo un caballero. Siempre iba muy arreglado. Creo que nunca lo vi sin camisa y corbata.

Sonreí. Era cierto que Edgar se preocupaba especialmente por su aspecto; ni siquiera los días festivos se vestía «de estar por casa», como suele decirse. Llevaba un bigote de lápiz y había quien le veía un aire a Ronald Colman. Y era una comparación justificada.

—¿Sabes que una vez intenté besarlo? —continuó Heidi desviando la mirada hacia la ventana, y por su forma de decirlo comprendí que se había olvidado de con quién estaba hablando—. Él era mayor que yo, por supuesto, aunque no me importó. Pero yo no le interesaba. Me apartó y me dijo que era un hombre casado.

—¿Ah, sí? —dije en voz baja mientras trataba de imaginarme la escena. No me sorprendió que Edgar nunca se hubiese molestado en contarme aquel pequeño escándalo.

—Me rechazó muy educadamente y yo lo agradecí. Fue un comportamiento vergonzoso por mi parte.

—¿Ha venido a verte Oberon esta semana? —pregunté.

Ahora me tocaba a mí cambiar de tema. Oberon es el nieto de Heidi, un atractivo treintañero con un nombre ridículo. (A la hija de Heidi, que murió de cáncer hace unos años, le apasionaba Shakespeare.) Trabaja cerca de aquí —creo que tiene un cargo importante en Selfridges— y trata muy bien a su abuela, aunque me molesta su costumbre de hablarme subiendo mucho la voz y vocalizando muy bien cada sílaba, como si diera por hecho que debo de estar sorda. Y no estoy sorda. La verdad es que no tengo ningún problema de salud, lo que es sorprendente a la par que inquietante teniendo en cuenta mi avanzada edad.

—Vendrá mañana por la noche —me contestó Heidi—. Con su novia. Dice que tiene que darme una noticia.

—A lo mejor van a casarse —sugerí, y ella asintió.

—Podría ser —dijo—. Eso espero. Ya va siendo hora de que siente la cabeza. Como tu Caden.

Arqueé una ceja. Caden ha sentado tantas veces la cabeza que debe de contarse entre los hombres más relajados de Inglaterra, pero preferí no preocuparla con el concepto de compromiso, más bien laxo, que tenía mi hijo.

—Cuando lo sepas me lo dirás, ¿verdad? —me soltó inclinándose hacia delante, y yo rebobiné y repasé toda nuestra conversación preguntándome en qué punto habría montado Heidi un campamento provisional.

—¿Cuando sepa qué, querida? —pregunté.

—Lo de los nuevos vecinos. Podríamos prepararles una fiesta.

—No creo que eso les haga gracia.

—O como mínimo hacerles una tarta.

—Eso quizá sería más apropiado.

—¿Y si son judíos? —me preguntó tras una larga pausa—. Antes no aceptaban a judíos en los edificios como éste. A mí no me importa. Estoy abierta a todo. Si quieres que te diga la verdad, siempre me han parecido una gente muy amable. Y asombrosamente alegre, teniendo en cuenta lo mucho que han sufrido.

No dije nada y, poco después, cuando cerró los ojos, le quité la taza de las manos, lavé los platos del fregadero, la besé con suavidad en la frente, salí de allí y cerré la puerta. En el pasillo, me asomé a la escalera y miré hacia el piso de abajo. De momento seguía silencioso como una tumba.

4

Se llamaba Rémy Toussaint y llevaba un parche con la bandera tricolor en el ojo derecho, que había perdido al estallarle la bomba que estaba colocando. Pese a esa desfiguración, era atractivo, aunque su belleza fuese un tanto descarnada; tenía el pelo negro y abundante y en los labios una mueca de desdén que se hacía pasar por sonrisa. Era unos ocho años más joven que Madre y habría podido tener la mujer que hubiera querido, pero la había elegido a ella y, por primera vez desde la muerte de mi hermano, Madre parecía abierta a las posibilidades que le ofrecía la vida, limitó su consumo de alcohol y empezó a cuidar su apariencia. Se sentaba ante el espejo desazogado de nuestra habitación y se cepillaba el pelo con esmero, y un día insinuó que consideraba aquella nueva relación como un regalo del cielo: a través de ella Dios le hacía saber que no la responsabilizaba de los crímenes cometidos en aquel otro sitio. Yo, en cambio, no estaba tan convencida.

—Lo que tienes que entender de monsieur Toussaint —me dijo pronunciando su apellido con extremada precisión, como si la estuviesen entrevistando para entrar en la Académie française— es que se trata de una persona sumamente refinada. Su linaje está lleno de vizcondes y marquesas, aunque él, evidentemente, como *égalitariste* convencido, se burla de esos títulos. Sabe tocar el piano y cantar, ha leído todas las grandes obras de la literatura y el verano pasado expuso sus cuadros en Montmartre.

—¿Y qué quiere de ti?

—No «quiere» nada, Gretel —me contestó, molesta por el tono de mi pregunta—. Se ha enamorado de mí. ¿Tanto te cuesta creerlo? Los franceses siempre han preferido a las mujeres de cierta edad antes que a las jovencitas ingenuas e inexpertas. Saben valorar la experiencia y el buen juicio. No debes estar celosa: dentro de veinte años agradecerás que sea así.

Se volvió hacia el espejo y yo, que la observaba desde la cama, me pregunté si sería cierto. Por ahora mi impresión era que los hombres valoraban el atractivo físico por encima de todo. Y si bien Madre siempre había sido una mujer muy bella, desde que había terminado la guerra parte de su hermosura no había dejado de menguar. Su pelo negro ya no brillaba como antaño y entre los mechones se le colaban las canas, como invitadas no deseadas; además, le habían salido unas venitas en las mejillas que parecían pecas, por culpa de su afición al vino. Aun así, seguía teniendo unos seductores ojos de un azul Saboya que cautivaban a cualquiera que se asomase a ellos. Tuve que admitir que no era imposible que un hombre se hubiera enamorado de Madre. Pero ella no se equivocaba: yo tenía envidia. Si iba a haber un romance, yo quería ser la protagonista.

—¿Es rico? —pregunté.

—Viste bien —me contestó—. Y come en buenos restaurantes. Lleva un bastón Fayet con el escudo familiar en la empuñadura. Así que supongo que sí, que es un hombre con posibles.

—¿Y qué hizo durante la guerra?

Ella ignoró mi pregunta —hizo como si yo no hubiese dicho nada— y fue hasta el armario, de donde sacó un vestido de seda roja que le había regalado Padre la noche que anunció que íbamos a marcharnos de Alemania. Se lo puso y me fijé en que ya no se le ceñía al cuerpo acentuando todas sus curvas, ni la favorecía tanto como antes.

—Necesito un cinturón —dijo examinándose en el espejo. Hurgó en los cajones y encontró uno cuyo color casaba con el rojo del vestido.

—¿Y cuándo lo conoceré? —pregunté mientras miraba por la ventana a la gente que pasaba por la calle.

Frente a nuestro edificio había una tienda, una especie de sastrería donde trabajaba un chico no mucho mayor que yo que me llamaba poderosamente la atención. A menudo lo observaba mientras él se ocupaba de sus cosas. Era rubio, como Kurt, pero llevaba un flequillo que le tapaba la frente y siempre tropezaba con todo, como un niño torpe, y eso hizo que me encariñara con él. Seguro que no era buen bailarín, pero era guapo.

—Cuando él te invite —dijo Madre.

—Pero ¿sabe que tienes una hija?

—Se lo he mencionado.

—¿Le has dicho cuántos años tengo?

Madre vaciló.

—¿Y crees que le importa eso, Gretel? —me preguntó frunciendo el entrecejo—. Resulta que él también tiene una hija. Mucho más pequeña que tú, claro está. Sólo tiene cuatro años y vive con su madre en Angulema.

—Entonces ¿está casado?

—La hija es ilegítima; pero él la mantiene, por supuesto. Es un hombre de honor.

—Bueno, a lo mejor puedo ir contigo alguna noche —propuse mientras ella se ponía un poco de perfume en el cuello y las muñecas.

Aquel último frasco de Shalimar, la fragancia de Guerlain, se lo había regalado la Abuela hacía unos años por su cumpleaños y ya estaba peligrosamente vacía. Su aroma me hizo recordar nuestra fiesta de despedida en Berlín, cuando la victoria parecía segura y el Reich destinado a perdurar muchos siglos. Y vi a mi hermano como si fuera hoy: de pie junto al balaústre, observando a los oficiales y a sus esposas congregarse en los salones; ambos excitados por los uniformes y los vestidos de noche que desfilaban por el vestíbulo creando a su paso una orgía de color. ¿De verdad todo aquello había sucedido hacía sólo cuatro años? Parecía que hubiera pasado una eternidad, pero sólo nos separaban doscientas semanas de aquel momento, doscientas semanas manchadas de sangre.

—Creo que no —me contestó.

Se miró una vez más en el espejo antes de salir de la habitación, preparada para las aventuras que le depararía la noche.

Volví a mirar por la ventana y vi a monsieur Vannier, el sastre, plantado en la acera. Un coche acababa de detenerse frente a su tienda: el chófer abría el maletero mientras el chico que me gustaba salía por la puerta cargado con varias cajas apiladas de forma precaria. Como era de esperar, el chico resbaló nada más pisar la calle y una de las cajas se cayó, seguida rápidamente de las otras. Suerte que esa noche no llovía y no hubo desperfectos; aun así, monsieur Vannier lo regañó y le arreó un cachete en la cabeza. El chico se llevó la mano a la oreja con expresión dolorida, y entonces, quizá notando que alguien lo observaba, miró hacia arriba y me vio; se puso muy colorado y volvió a la tienda justo cuando Madre pasaba entre los paquetes caídos y desaparecía por una callejuela.

5

Le saco un gran partido a la biblioteca de Mayfair, en South Audley Street, que queda a sólo diez minutos a pie de mi casa y de la que soy usuaria desde hace años. Edgar era un gran lector, y si bien muchos de sus libros siguen en los estantes de lo que antaño fue su despacho, ahora convertido en habitación de invitados, nuestros gustos diferían considerablemente. Mi marido era historiador, pero en sus ratos libres le gustaba leer novelas de autores contemporáneos, mientras que yo, en general, prefiero la no ficción, y es a esos libros a los que vuelvo una y otra vez cuando deambulo entre las estanterías. Eso sí, evito todo lo relacionado con la época que corresponde a mi infancia, pero me fascinan los griegos y los romanos. También me interesan especialmente las autobiografías de astronautas; su deseo de abandonar este planeta y su determinación para llevarlo a cabo me parecen rasgos tan excéntricos como encomiables. Yo no soy una lectora tan voraz como Edgar, pero la pasión por los libros se la debo a Padre, que era un bibliófilo entusiasta y fue quien nos la inculcó a mi hermano y a mí.

A mi hermano le encantaban los libros de exploradores, por supuesto, y siempre decía que algún día él también lo sería. Una vez lo oí mientras hablaba con Pavel, uno de los camareros de aquel otro sitio, y le contaba que en nuestra casa de Berlín sus amigos y él se pasaban horas explorando la enorme buhardilla (llena de trastos acumulados a lo largo de los años), el sótano oscuro y laberíntico y todas las plantas del edificio, que parecían haber sido diseñadas para satisfacer la pasión de su arquitecto por los recovecos inescrutables. Supongo que a Pavel no le interesaba nada de todo eso, pero mi hermano hablaba sin parar con su desconsideración característica.

—¿Y aquí no puedes explorar? —le preguntó Pavel en voz baja, porque Kurt estaba sentado fuera, al sol, lustrando sus botas y le había prohibido expresamente que hablara con nosotros. «A ti no se te ocurriría conversar con una rata, ¿verdad?», me había preguntado Kurt, y yo, deseosa de complacerlo, me había echado a reír y había elogiado su sentido del humor.

—No me dejan —contestó mi hermano, compungido.

—¿Y tú obedeces esa regla? —le preguntó Pavel con un deje de cansancio y resignación—. ¿No será que temes lo que podrías descubrir si mirases más allá de la alambrada?

—A mí no me da miedo nada —insistió mi hermano, cada vez más ofendido.

—Pues debería dártelo.

Siguió un largo silencio y luego vi que mi hermano subía a su dormitorio, al parecer reflexionando sobre aquellos comentarios. Desde la mañana de nuestra llegada, Padre y Madre habían hecho mucho hincapié en que no se podía salir de casa. Deberían haberse imaginado que mi hermano no los obedecería. Los niños pequeños casi nunca obedecen.

En cualquier caso, esa mañana, cuando volvía de la biblioteca con una biografía de María Antonieta recientemente publicada bajo el brazo, vi un coche que no conocía aparcado delante de Winterville Court y me quedé un rato observándolo con inquietud. En nuestra calle hay muy pocos sitios para aparcar, y además son tan caros que a nadie se le ocurre utilizarlos. Los vecinos tienen plaza reservada en un garaje cercano. Hoy en día sólo un loco, un millonario o alguien que fuera ambas cosas se atrevería a meterse en Londres en coche. Entré en el vestíbulo, me detuve delante de la puerta 1 y acerqué la oreja a la madera. Oí movimiento dentro, pero no voces.

Di unos golpecitos en la madera debatiéndome entre el deseo de que me oyeran y el de no molestar, y cuando se abrió la puerta me encontré cara a cara con una joven de a lo sumo treinta y cinco años. Llevaba un atuendo que podríamos describir como ecléctico y lucía un mechón rosa en la melena rubio platino. He de admitir que me impresionó su estilo.

—Hola —me saludó con franqueza, y yo le tendí la mano con una actitud similar.

—Me llamo Gretel Fernsby —dije—. Soy su vecina de arriba. Veo que se prepara para mudarse.

—Ah, no. —Negó con la cabeza—. Soy la interiorista. He venido a tomar medidas del espacio.

Otra vez aquella palabra: «espacio». ¿Ya no podíamos llamar a las cosas por su nombre? Tenía la impresión de que nos estábamos cargando la lengua a base de descartar las palabras más elementales por considerarlas ofensivas. Quizá «piso» ya se hubiera convertido en una palabra demasiado burguesa. O demasiado proletaria. Francamente, se diría que a veces lo más seguro era no decir nada. Y en ese caso, tal vez el mundo no había cambiado tanto.

—Alison Small —se presentó la mujer—. De Small Interiors.

—Encantada —dije analizando mis emociones para averiguar si estaba decepcionada o todo lo contrario. Sé juzgar rápidamente el carácter de las personas y aquella mujer parecía simpática; pensé que no me habría importado lo más mínimo que viviese en el piso de abajo. Sólo con sus atuendos ya me habría tenido bien distraída—. Imagino que estará tomando medidas para las cortinas, los sofás y todo eso, ¿verdad?

—Así es —me contestó. Retrocedió un poco y me invitó a entrar—. Pase, si quiere.

Le di las gracias y entré. Supongo que no habría invitado a cualquiera, pero la gente suele confiar en los ancianos. ¿Cómo iba a ser yo peligrosa? Aun así, resultaba extraño estar en casa del señor Richardson ahora que ya se habían llevado de allí todas sus cosas. Como el piso era una copia exacta del mío, tuve la desasosegante visión de cómo quedaría el mío cuando yo ya no estuviera y se llevaran todas mis pertenencias, las pequeñas posesiones que había acumulado a lo largo de los años como prueba de mi existencia, a un contenedor de basura o a una tienda Oxfam: desde el cuadro que me dio Edgar como regalo de boda hasta la espátula de silicona que usaba para freír en la sartén. Estaba segura de que Caden pondría el piso a la venta antes de que hubiesen aparecido los primeros signos de rigor mortis.

—¿Hace mucho que vive arriba? —me preguntó la señorita Small, y asentí con la cabeza sorprendida por cómo resonaban nuestras voces ahora que no había muebles ni cortinas que las amortiguaran.

—Más de sesenta años —contesté.

—¡Qué suerte! —declaró ella—. Daría lo que fuera por vivir en esta parte de Londres.

—¿Puedo preguntarle...? —Hice una breve pausa, pues no sabía cuánta información estaría dispuesta a revelar mi interlocutora—. Su cliente. O sus clientes. ¿Van a mudarse pronto?

—Sí, tengo entendido que muy pronto —me contestó al tiempo que apuntaba hacia una pared con un aparato electrónico.

El aparato hizo aparecer un punto rojo sobre la pintura y la mujer consultó la pantalla. Yo no tenía ni idea de qué significaba aquel punto rojo ni qué información revelaba, pero debía de ser un dato muy importante, a juzgar por cómo la mujer arrugó la frente.

—Mi equipo y yo vamos a tener que ponernos las pilas. Por suerte, ya sé exactamente lo que les gusta. He trabajado con ellos otras veces.

—Con ellos —dije, y me agarré a esa palabra como a un clavo ardiendo—. ¿Son una pareja?

Ella titubeó. Me fijé en que llevaba una capa tan gruesa de pintalabios que sus labios chasqueaban ligeramente al separarse.

—Mire, señora Fernsby, creo que no debo decírselo. Ya sabe, por temas de confidencialidad.

—Ah, pero seguro que a ellos no les importa —repliqué tratando de no parecer la típica entrometida—. Al fin y al cabo, van a vivir justo debajo de mi piso.

—Bueno, aun así... Sé que valoran mucho su intimidad. Como le he dicho, no tardarán en instalarse, así que pronto tendrá ocasión de conocerlos.

Asentí decepcionada.

—Ya sé que puede ser muy estresante —continuó ella al reparar en mi frustración—. Tener que lidiar con vecinos nuevos cuando uno lleva tanto tiempo viviendo en el mismo edificio... Creo que el anterior inquilino también vivió aquí muchos años, ¿verdad?

—No tantos —respondí—. Se mudó en 1992.

Se rió, aunque yo no entendí por qué.

—Bueno, le aseguro que no tendrá ningún problema con mis clientes. Son muy... —Hizo una pausa para buscar las palabras adecuadas—. ¿Cómo se lo diría? Son... Entonces ¿le interesa la Revolución francesa?

Me quedé mirándola, confundida ante aquella incongruencia. Mi cara debió de reflejar mi perplejidad, porque la mujer apuntó con la barbilla hacia el libro que yo llevaba en la mano.

—María Antonieta —aclaró.

—Ah, sí —dije encogiéndome de hombros—. Siempre me han fascinado los hombres y las mujeres poderosos. Me interesa cómo ejercen el poder, si lo utilizan para hacer el bien o el mal, y cómo cambian cuando llegan al poder.

La mujer parecía un poco turbada. Tal vez no esperase una respuesta tan detallada. Volvió a levantar aquel artilugio, apuntó con él a la pared que daba a la calle y en el marco de la ventana apareció otro de esos misteriosos puntos rojos. Me pregunté si la mujer me apuntaría con aquel aparato si continuaba abusando de su paciencia.

—Bueno, será mejor que siga con esto —dijo para zanjar nuestra conversación.

Yo asentí, me di la vuelta y fui hacia la puerta. Sin embargo, antes de salir lo intenté por última vez.

—Sólo una pregunta más —dije con la esperanza de que me tranquilizara como mínimo respecto a eso—. Sus clientes no tienen hijos, ¿verdad?

Ella pareció incómoda.

—Lo siento, señora Fernsby —se limitó a contestar.

Resignada, le dije adiós con la mano antes de volver al piso de arriba. Luego, unos minutos más tarde, mientras me preparaba un té, me di cuenta de que en realidad no estaba segura de qué había significado aquella respuesta. ¿Se había disculpado por no haber podido contestar a mi pregunta, porque los vecinos sí tenían hijos, o porque no los tenían y una anciana como yo tal vez se hubiese hecho ilusiones de que habría un poco de energía infantil en el edificio? Era imposible saberlo.

6

Una soleada mañana, cuando la luz moteaba el suelo bajo los frondosos árboles de la Île, crucé el Pont Marie y me encaminé a la Place des Vosges, donde a veces me sentaba con un libro y observaba a los parisinos más adinerados mientras paseaban elegantemente vestidos. Me fascinaba la descarada hipocresía de aquellos aristócratas anticuados que profesaban su fe en la *égalité* pero llevaban ropa y joyas que clamaban su innata *supériorité*.

Si bien la guerra había contribuido a igualar las clases sociales en Francia, en general se tenía la impresión de que las clases populares habían hecho más para boicotear los esfuerzos del gobierno de Vichy que las clases altas, por lo que había dado comienzo una etapa de rendición de cuentas. En esos tiempos la palabra «colaborador» despertaba el mismo terror que un siglo y medio atrás la de «aristócrata». Y el semblante angustiado de los ricos no debía de ser muy distinto al de sus antepasados después de convocarse los Estados Generales. Ahora era la *épuration légale* lo que los sentaba en el banquillo de los acusados y dictaba las ejecuciones u otras penas más leves, como la *dégradation nationale*.

Era en momentos así, estando a solas con mis pensamientos, cuando más me costaba lidiar con la complicada naturaleza de mi conciencia. Hacía tres años que había muerto mi hermano y seis meses que habían ahorcado a mi padre, y los echaba de menos a los dos, aunque de manera diferente. La desaparición de mi hermano apenas podía ni planteármela, pero en cambio todos los días pensaba en la de mi padre. Poco a poco empezaba a comprender qué era eso a lo que él había pertenecido —mejor dicho, a lo que todos habíamos pertenecido—, y la crueldad de sus actos contrastaba tanto con el hombre al que yo creía haber conocido que se me antojaban dos personas distintas. Me repetía a mí misma que yo no había tenido la culpa de nada, que sólo era una niña... Sin embargo, una vocecita en mi interior se preguntaba por qué seguía viviendo con un nombre falso, si era completamente inocente.

Mientras observaba a los transeúntes, un hombre de estatura considerable vino hacia mí desde el otro lado de la fuente; al acercarse un poco más, reconocí al amante de Madre, monsieur Toussaint. Desvié la mirada con la esperanza de que no se detuviera a hablar conmigo. Todavía no nos habían presentado (sólo lo había visto a través de las ventanas de los bares donde Madre y él iban a beber) y no tenía excesivas ganas de conocerlo. Pero allí estaba: se paró delante de mí, se quitó el sombrero y me saludó con una elegante reverencia. Aquel gesto me pareció ridículo y me molestó. ¿Acaso era tan vanidoso que se creía una especie de mosquetero moderno y me tomaba por una afligida doncella camino de Versalles?

—¿Tengo el honor de dirigirme a madeimoselle Gretel Guéymard?

Yo alcé la vista. Las sílabas de nuestro apellido falso todavía me sonaban extrañas.

—Así es. Y usted es monsieur Toussaint, ¿verdad?

Sonrió y comprendí por qué las mujeres caían rendidas a sus pies. No tenía arrugas, ni barba, sólo un fino bigote que le daba un aire travieso y acentuaba el grosor de sus labios, de un rojo extrañamente intenso. Tenía los ojos de un azul penetrante y me pregunté si sería agradable o inquietante que los clavara en los míos. Pese a estar ya acostumbrada a coquetear visualmente con los jóvenes atractivos con los que me cruzaba por la calle, la mirada de monsieur Toussaint me resultó desconcertante. Era guapo, sin duda, pero, en una especie de inversión del mito, me vi como Perseo y a él como

Medusa, e intuí que podía ser peligroso contemplar su rostro demasiado rato.

—Veo que su madre le ha hablado de mí —dijo.

—Un par de veces —admití, pero enseguida lamenté haber alimentado su narcisismo.

—Madame Guéymard es una mujer encantadora y es un placer conocer por fin a su hija. Me habla de usted a menudo.

Me pregunté si estaría mintiendo porque me parecía inconcebible que Madre me mencionara en sus conversaciones. Tener una hija de quince años la haría parecer mayor, y tampoco es que yo tuviera grandes logros de los que ella pudiese alardear.

—Lo dudo mucho —lo desafié, y entonces percibí algo en su mirada, un destello de interés, una ligera sorpresa al ver que yo no me limitaba a sonreír de manera afectada ante sus cumplidos.

Creí que, en cierta medida, podría dominarlo si evitaba comportarme como él esperaba, y pensé que el poder que me habían negado desde la infancia empezaba a florecer.

—¿Cómo me ha reconocido? —pregunté.

Él se encogió de hombros, como si yo fuese famosa en toda París.

—Se parece a ella —respondió—. Además la he visto espiándonos por las noches, preocupada por si su madre sufría algún daño en las calles. Me parece que usted le hace de madre y se asegura de que vuelve sana y salva a la pensión. ¿O me espiaba a mí?

No me gustó enterarme de que me había observado sin que yo me diese cuenta.

—No me parezco nada a ella —repliqué ignorando su pregunta—. Me parezco a mi abuela, la madre de mi padre, cuando era joven. Todo el mundo lo dice.

—Pues su abuela debía de ser una mujer muy bella —observó.

Y puse los ojos en blanco en señal de exasperación.

—¿Alguna vez acierta lanzando esas flechas? —le pregunté—. Debe de pensar que soy tremendamente ingenua.

Se quedó un poco turbado, como si no estuviese acostumbrado a sentirse ridículo; yo comprobé que ya no podía parar: estaba disfrutando de lo lindo.

—¿Me permite que le pregunte si es usted escritor, monsieur Toussaint?

—No, no soy escritor —contestó, y arrugó la frente—. ¿Qué le ha hecho pensarlo?

—Su forma de hablar. Parece escritor, uno malo, me refiero. Un escritor de novelitas románticas.

Me levanté decidida a marcharme, pero él me agarró de la muñeca; aunque no era un gesto suave, tampoco podía considerarse agresivo.

—Mademoiselle Gretel, es usted una joven de lo más grosera —declaró, y pareció satisfacerle mucho esa observación—. ¿No siente ni pizca de culpa?

Lo miré fijamente.

—¿Culpa? ¿Culpa por qué?

—Por su crueldad.

Se produjo un silencio que me pareció eterno.

—No sé a qué se refiere —dije por fin—. ¿Crueldad con quién?

—Conmigo. ¿A qué creía que me refería?

No contesté. Quería alejarme cuanto antes de él.

—Usted no es como las otras chicas de su edad —continuó—. Lo que me hace pensar que sería interesante tratarla en privado. Hay una gran diferencia entre los chicos y los hombres que para mí sería un placer mostrarle.

Levantó la otra mano y me acarició la mejilla con tanta suavidad que noté que se me cerraban los ojos, como si me estuviese hechizando. Sin duda la experiencia le otorgaba una gran ventaja en aquel juego.

Satisfecho, tras comprobar que había afirmado su superioridad, me soltó y dio media vuelta, y yo me quedé maldiciéndome por haberme rendido tan fácilmente. Cuando ya se había alejado un poco, volvió la cabeza y rió al ver que seguía observándolo.

7

A última hora de la tarde Caden vino a visitarme por sorpresa; nada más verlo entrar en el piso, me di cuenta de que había engordado. De pequeño nunca fue flaco, pero, ya de adulto, había conseguido su primer empleo en el sector de la construcción, y trabajar en las obras lo había ayudado a mantenerse en forma. No obstante, después de cumplir los treinta montó su propia empresa gracias a un dinero que le dimos Edgar y yo y casi de inmediato empezó a engordar, seguramente porque pasaba la mayor parte del tiempo detrás de una mesa y les dejaba a otros el trabajo físico. Me preocupó la fuerza con que la barriga le tensaba los botones de la camisa.

—He recibido una llamada.

Gruñó al dejarse caer en un sillón. Rechazó la taza de té que le ofrecí y prefirió tomarse un Macallan.

—¿Una llamada sobre qué? —le pregunté.

—Sobre el piso.

—¿Sobre qué piso?

—Tu piso. Este piso. —Miró a su alrededor y extendió ambos brazos como si fuese el rey de cuanto veía, en lugar del delfín—. Nos han hecho una oferta.

Esperé un momento y ordené mis ideas para no dejarme llevar por el mal genio.

—¿Cómo es posible que nos hayan hecho una oferta por el piso si ni siquiera está en venta?

—A veces la gente investiga —contestó él como si tal cosa, pero sin mirarme a los ojos—. Hay mucha demanda de propiedades en esta zona de Londres. Ofrecen tres y pico.

—Tres y pico ¿qué?

—Millones de libras. Tres millones cien mil, para ser exactos.

—No me lo creo —repliqué.

Fui hasta el mueble bar y me serví un whisky yo también. Iba a necesitarlo para mantener aquella conversación.

—Es mucho más de lo que yo imaginaba. Sería un disparate no hablarlo, como mínimo —dijo.

—Ya lo estamos hablando. Lo estamos hablando ahora mismo.

—He estado echándole un vistazo al mercado —continuó mi hijo, sin hacerme caso—. Podríamos encontrarte algo adecuado por un millón y medio y todavía nos quedarían un millón seiscientas mil para jugar.

—¿«Nos»? Te refieres a mí, ¿no? ¿Y qué haría yo con un millón seiscientas mil libras? ¿Apostarlas a un caballo?

—Podrías invertirlas —me sugirió—. Conozco a personas de confianza que podrían aconsejarte.

—Tengo noventa y un años, Caden. Empezar a planear una jubilación cómoda no es mi prioridad. Además, ya sabes que estoy muy a gusto en Winterville Court.

—¿No crees que ya es hora de cambiar?

—Pues no.

Caden suspiró.

—A papá nunca le gustó este piso —murmuró, pero en voz lo bastante alta para que yo lo oyera.

Ese comentario me sorprendió; nunca me había parecido que Edgar estuviera descontento con nuestro hogar. Aunque quizá no se había atrevido a decírmelo.

—Eso no es verdad —dije.

—Bueno, supongo que tampoco le disgustaba —concedió, descartando mis protestas—. Pero él no había previsto envejecer y morir aquí. A papá le habría gustado buscar una casita en el campo, en un pueblo con un pub acogedor y un club de historia, pero tú no se lo habrías permitido.

—Lo dices como si yo hubiese sido una carcelera y tu padre mi prisionero.

—Fuiste tú la que se empeñó en comprar este piso cuando él heredó el dinero, ¿no?

—Bueno, más o menos, sí —admití.

—¿Por qué?

—Tenía mis razones.

—Y, si no me equivoco, en los años posteriores siempre te negaste a hablar siquiera de vivir en otro sitio.

—Cierto.

—¿Por qué?

—Por lo mismo: tenía mis razones.

Caden suspiró.

—Me preocupa la escalera —dijo sin mucha convicción.

—Y a mí me preocupa que me acabes tirando por ella —dije, y mi hijo sonrió—. Mira, Caden, lo único que quiero es disfrutar de la paz y la seguridad de vivir en el sitio que he llamado mi hogar durante más de sesenta años el tiempo que me quede de vida. ¿Te parece demasiado pedir?

—Es que... —Lo vi incómodo y me prometí a mí misma que no cedería por más que me presionara—. El negocio no marcha muy bien —dijo por fin—. Ahora mismo voy un poco justo de dinero.

—¿Un poco justo o mucho?

—Mucho. He tenido todo tipo de problemas. Primero el Brexit, y cuando creía que podría empezar a remontar eso, llegó la pandemia. Contraté a varios empleados para que se encargaran de todo lo relacionado con las aduanas con Europa, pero luego tuve que despedirlos y, al mismo tiempo, intentar mantener la empresa a flote. Ya no tengo que pasarles la pensión a Amanda ni a Beatrice, pero Charlotte me deja tieso todos los meses.

Uno de los detalles más curiosos de la enrevesada vida sentimental de mi hijo es que, por lo visto, elige a sus esposas por estricto orden alfabético, como el asesino de *El misterio de la guía de ferrocarriles*. Dicho eso, su novia actual se llama Eleanor, así que o bien se ha hecho un lío, por decirlo de alguna manera, o bien, debido a mi avanzada edad, mi memoria ha borrado a alguna Deirdre, Deborah o Dawn.

—¿Cómo está Amanda? —le pregunté, pues su primera mujer era la única con la que me había llevado bien y me había dado pena que se divorciaran.

—Bien. Bueno, tiene cáncer, pero por lo demás está bien.

—¿Qué? —Di un respingo—. ¿Cómo que «tiene cáncer»?

—Pues eso. Creo que de ovarios.

—¿Y ahora me lo cuentas?

—Madre, Amanda y yo nos divorciamos hace treinta años. No hay motivo para que siga manteniéndote informada de todas sus dolencias. De hecho ya es bastante raro que yo tenga que estar al día de todas.

—El cáncer no es ninguna dolencia —protesté impresionada por la insensibilidad de mi hijo—. Es algo mucho más grave.

—Estoy seguro de que se pondrá bien.

—¿Por qué? ¿Acaso eres médico?

Caden no dijo nada.

—No entiendo cómo puedes ser tan desalmado —continué, subiendo la voz—. Puede que tu matrimonio no funcionase, pero hubo una época en la que se supone que estabas enamorado de ella. Al fin y al cabo, prometiste pasar toda tu vida con ella antes de que faltases a tu palabra y prometieras pasarla con otra persona. Y después con otra. Y ahora con otra.

Caden permaneció callado. No encajaba bien los fracasos, lo que explicaba por qué nunca le había gustado hablar de sus ex mujeres conmigo. Meses atrás al menos había tenido el detalle de fingir cierto bochorno al informarme de su próxima boda. Y, si he de ser sincera, yo me había planteado saltármela y esperar a la siguiente.

—¿Y qué te parecería una comunidad de jubilados? —me preguntó por fin, volviendo al tema original—. Hoy en día hay sitios maravillosos. Son comunidades donde los ancianos viven felices juntos. Organizan bailes, excursiones...

—Sí, y funerales los lunes y los jueves, con una comida estupenda después, ya lo sé. Soy vieja, pero eso no significa que deba vivir como una vieja. Tengo una salud excelente para mi edad, y si me fuera a vivir a una residencia...

—A una comunidad de jubilados.

—Te garantizo que no duraría ni un año.

—No, madre —replicó él como si se le ocurrieran peores resultados—. Nos vas a sobrevivir a todos.

—Pues mira, si me quedo en Winterville Court, al menos tendré alguna posibilidad.

Miré el vaso de Caden. No le quedaba mucho whisky y confié en que no me pidiera más. Estaba cansada y quería tumbarme a ver una película. Apuré mi vaso con la esperanza de que captara la indirecta.

—Por el de abajo han pagado tres —dijo por fin, y yo fruncí el ceño—. Por el piso del señor Richardson —aclaró mi hijo—. Tres millones de libras.

—¿Cómo lo sabes?

—Trabajo en la construcción, madre. Tengo mis fuentes.

—¿Sabes quién lo ha comprado? —pregunté, pero muy a mi pesar él negó con la cabeza.

—No sé cómo se llaman.

—Entonces ¿son una pareja?

—No lo sé, sólo lo daba por hecho...

—¿Y por qué ibas a darlo por hecho?

Caden puso cara de exasperación.

—Vale. No sé cómo se llama el comprador, ni si hay más de uno, ni si es hombre o mujer —dijo—. Pero quienquiera que sea debe de tener bastante dinero si puede permitirse un piso de tres millones.

—¿Puedes enterarte?

—¿Enterarme de qué?

—De quiénes son.

—Puedo intentarlo. ¿Qué pasa? ¿Está de capa caída la radio macuto del barrio? ¿No hay nadie que se entere de estas cosas?

—Me gustaría saberlo, sencillamente. Hace unos días había una interiorista en el piso y ahora hay pintores entrando y saliendo a todas horas. Me gustaría saber lo que me espera. ¿No te parece normal?

—¿Se lo has preguntado a los de la agencia inmobiliaria?

—Sí.

—¿Y...?

—No saben nada. O, si lo saben, no me lo quieren decir.

—¿Has probado a ofrecerles dinero?

—Por supuesto. Pero son insobornables.

—Vale.

—Tú averigua lo que puedas, ¿de acuerdo? —insistí.

Me levanté y esta vez mi hijo captó la indirecta: apuró el vaso de whisky, se puso en pie, se llevó una mano a las lumbares y volvió a soltar un gruñido. Resultaba extraño tener un hijo que mostraba esas señales de envejecimiento. Su padre había estado más sano que un roble toda su vida y se había mantenido delgado hasta el final de sus días. Acompañé a Caden a la puerta; al salir me besó en la mejilla.

—Piénsatelo, es lo único que te pido —dijo antes de marcharse—. Tres millones es...

—Mucho dinero. Ya lo sé. Ya lo has dicho.

Se abrió la puerta del otro lado del pasillo y Heidi Hargrave asomó la cabeza. Por cómo llevaba el pelo me di cuenta de que no tenía un buen día.

—Has engordado —dijo señalando la barriga de Caden—. Te has puesto como un tonel.

Y dicho eso, volvió a meterse en su piso y mi hijo y yo nos miramos. Realmente no había nada más que decir.

8

Monsieur Vannier abría la tienda a las diez en punto de la mañana, pero esperé al mediodía a que desapareciera para tomarse su acostumbrado descanso de dos horas para comer. Entonces bajé y crucé la calle.

A través del cristal del escaparate, decorado con un par de maniquís vestidos con trasnochados trajes de *tweed* de antes de la guerra, vi que la tienda estaba muy tranquila para ser esa hora del día. Detrás del mostrador el chico envolvía una camisa para un hombre corpulento de mediana edad que lo miraba con una sonrisa libidinosa en los labios. Cuando el chico completó la tarea, el cliente se sacó una tarjeta del bolsillo y se la dio. El chico la miró como si no entendiera qué le estaba pidiendo aquel tipo; entonces éste se inclinó hacia delante hasta que el canto del mostrador de madera se le clavó en la barriga y le susurró algo al oído que hizo que el chico arrugara el ceño y negara con la cabeza. ¿Sería la invitación para una cita?, me pregunté. Si así era, parecía evidente, a juzgar por la expresión del chico, que no estaba dispuesto a aceptarla. El hombre, en absoluto preocupado ni avergonzado, se limitó a encogerse de hombros y ponerse la compra bajo el brazo antes de salir de la tienda.

Esperé un poco antes de entrar. Era la primera vez que visitaba el negocio de los Vannier y me impresionó lo bien que olía, a una agradable mezcla de sándalo y lima. Me imaginé al chico rociando la tienda con aquella fragancia todas las mañanas antes de abrir la puerta.

Al oír el ruido de mis pasos por el suelo de madera, levantó la cabeza y pareció sorprendido de ver a una chica de mi edad en el establecimiento, pero no apartó la mirada. De hecho la fijó en mí más tiempo del estrictamente necesario.

—¿En qué puedo ayudarla, mademoiselle? —me preguntó.

Fui con decisión hacia él, tratando de aparentar seguridad en mí misma.

—Botones —dije; calculé mal y mi voz sonó más fuerte de lo que me habría gustado—. Necesito botones. ¿He venido al sitio adecuado?

Él asintió, buscó debajo del mostrador y, con las dos manos, extrajo un enorme cajón de madera que colocó entre ambos. Cuando levantó la tapa, se me escapó un gritito de admiración. Dentro debía de haber mil botones, todos de diferente forma, tamaño y color, y la luz de las lámparas se reflejaba en sus bordes vítreos y les arrancaba destellos.

—Lo difícil es encontrar varios iguales —dijo—. Pero si ves uno que te gusta, dímelo y te ayudaré a encontrar algunos más.

Hundí las manos en la caja. Fue una sensación maravillosa: los botones tenían un tacto duro y frío y se movían cuando movía los dedos, como diminutos seres marinos que cobrasen vida al tocarlos.

—A veces yo también hago eso —admitió el chico, sonriente—. Es agradable, ¿verdad?

—Sí que lo es.

—Me relaja. A veces, cuando estoy disgustado o enfadado...

Se interrumpió y me miró un tanto turbado.

—Sí, es relajante —coincidí—. Entiendo a qué te refieres. Me llamo Gretel, por cierto. Gretel Guéymard.

Por alguna misteriosa razón, el chico se ruborizó al oír mi nombre, y el rojo que coloreó sus mejillas contrastó con el rubio de su pelo alborotado.

—Émile Vannier —dijo.

—*Emil y los detectives*.

La cubierta de ese libro infantil apareció en mi mente porque había sido el libro favorito de mi hermano cuando vivíamos en aquel otro sitio.

—Pero es Émile con *e* —puntualizó él—. Al final, quiero decir. Bueno, al principio también. Al principio y al final. —Cada vez parecía más aturullado.

—Entonces ¿conoces ese libro?

—Lo leí cuando era pequeño. Antes de que mi padre lo tirase.

—¿Por qué hizo eso? —pregunté sorprendida.

—¿No te lo imaginas?

Lo pensé y no tardé en adivinarlo.

—Porque no te deja tener libros de autores alemanes —dije, y me puse nerviosa al ver que él asentía.

Me había esforzado mucho para disimular mi acento desde mi llegada a París y, aunque había hecho un buen trabajo, de vez en cuando se me escapaban inflexiones del pasado que ponían en peligro mi seguridad, como había sucedido durante mi encuentro con el chico de los Jardines de Luxemburgo. Sin embargo, no había tenido muchos problemas con el idioma. Madre, para quien el francés era la lengua de los sibaritas, se había empeñado en que mi hermano y yo lo aprendiésemos desde muy pequeños, y habíamos seguido estudiándolo con herr Liszt cuando nos fuimos a vivir a aquel otro sitio.

—La guerra ha terminado. Debemos superar esas cosas —dije con la esperanza de que él estuviese de acuerdo.

En realidad, yo no estaba convencida. Para mí la guerra seguía muy presente y el sentimiento de culpa por las cosas que habían sucedido aún me acechaba. El chico llevaba la corbata un poco torcida y, bajo la tela, se le había desabrochado el segundo botón de la camisa. Alcancé a verle un trocito de piel y se me escapó un suspiro surgido de algún profundo rincón de mi cuerpo. Me dieron ganas de tocarlo. Nunca había tocado a un chico con sensualidad.

—Con el tiempo quizá sí —dijo—. Pero creo que todavía no. Los culpables deben ser castigados.

Fue hasta un expositor de tirantes de caballero y se puso a ordenarlos minuciosamente mientras yo seguía buscando entre los botones, sin saber qué podía hacer para que se interesara más por mí. Aquel juego era nuevo para mí y todavía no lo dominaba. Mis dos únicos intentos de seducción —mi coqueteo con monsieur Toussaint y con Kurt, cuando sólo era una niña— habían acabado mal.

—Te he visto, ¿sabes? —dije por fin.

Me acerqué y él volvió a levantar la cabeza.

—¿Me has visto?

—Desde mi ventana. —Señalé hacia la calle y luego una de las ventanas de nuestra pensión—. Ese de ahí es mi dormitorio. Te veo entrar y salir. Tropiezas mucho.

—Mi padre dice que soy patoso. Mi torpeza lo pone nervioso. Pero yo no nací para trabajar en una tienda.

—¿Para qué naciste?

Se encogió de hombros. Era evidente que aún no había pensado en su futuro.

—Todavía no lo sé. Sólo tengo dieciséis años.

—Yo pronto cumpliré dieciséis —le dije—. Dentro de pocas semanas.

El chico me miró con más interés; sacó la punta de la lengua y la apretó contra su labio superior. Me pregunté si alguna vez habría besado a una chica y llegué a la conclusión de que no. Tenía un aire inocente, pero supuse que, como un perro atado a una cadena, debía de estar deseando soltarse.

—A lo mejor podríamos hacer algo juntos —continuó tras un silencio incómodo—. Hace poco que estoy en París y todavía no conozco a mucha gente aquí. Al menos no de mi edad.

—¿Y dónde vivías antes de venir aquí? —me preguntó.

—En Nantes. —No entendí por qué me lo preguntaba; estaba segura de que Madre se lo había dicho.

—Entonces debes de conocer a madame Aubertine —me dijo—. La modista. Era amiga de mi difunta madre. Tenía una tienda allí antes de que yo naciera.

Titubeé; no conocía ni la ciudad ni a la mujer y temí que aquello pudiese delatarme.

—Me temo que nuestra economía no me ha permitido ir a la modista estos últimos años —contesté saliéndome por la tangente—. Pero ¿tú por dónde sales, Émile? Me refiero a cuando no estás trabajando.

—Hay una cafetería que me gusta —dijo—. Voy a leer allí.

—¿Lees a autores alemanes? ¿O eres demasiado obediente y le haces caso a tu padre?

—A veces me llevo alguno, sí —admitió; entonces inhaló hondo mientras yo esperaba su invitación—. Si quieres, algún día podría enseñártela —dijo, y dio la impresión de que le había costado un gran esfuerzo—. Me refiero a la cafetería. No está lejos de aquí. También venden unos pasteles excelentes.

—Sí, me gustaría —dije—. ¿Te va bien mañana por la tarde?

—De acuerdo. —Asintió con la cabeza—. Acabo a las cuatro.

—Te esperaré junto al portal.

Con atrevimiento, jugándomelo todo, me incliné hacia delante y lo besé en la mejilla. Tenía la piel suave y su cuerpo desprendía un embriagador olor a chico. Cuando retrocedí y lo observé, me pareció que estaba perplejo por mi osadía, pero también contento. En sus ojos brillaba un anhelo inconfundible.

Sin embargo, sonreí y me di la vuelta; luego levanté la mano y le dije adiós de camino a la puerta. Había visto a Marlene Dietrich hacer ese gesto en una película y me había encantado.

—¡Hasta mañana! —me despedí.

—¡Pero, Gretel! —gritó él—. ¿Y los botones?

—No seas tonto. —Solté una risita—. No irás a pensar que he venido por ellos, ¿verdad?

9

Y entonces, por fin, apareció Madelyn.

Era martes por la mañana, tal vez una semana después de la visita de Caden, y el día anterior los operarios y decoradores habían terminado su trabajo antes de la hora de comer, por lo que Winterville Court había vuelto a su calma habitual. Al despertarme percibí una sensación acústica diferente, como si en el espacio de abajo hubiera como mínimo una persona nueva. Cuando has vivido tanto tiempo en el mismo lugar, acabas detectando hasta las más leves variaciones en la atmósfera.

Unas horas más tarde, sentada en el salón, intentaba concentrarme en María Antonieta, pero me distraía sin parar pensando en lo que debía de ocurrir seis metros más abajo. Había supuesto que oiría arrastrar muebles de aquí para allá, o la débil melodía de alguna canción mientras guardaban tazas, vasos y platos. Que se abrirían y cerrarían puertas a medida que los nuevos ocupantes organizaban las habitaciones a su gusto.

Al final, cuando mi curiosidad ya estaba al límite, asumí que no podría relajarme hasta haberles visto la cara, así que me cepillé el pelo, me apliqué un poco de colonia en las muñecas y el cuello, puse unos *scones* que había hecho esa misma mañana en una bandeja, bajé por la escalera y llamé a la puerta.

Hubo un momento de silencio y luego oí los pasos de unos pies descalzos por el suelo de madera.

—Buenas tardes —dije sonriéndole a la mujer que tenía delante—. Me llamo Gretel Fernsby y soy la vecina de arriba. He venido a presentarme. Y le he traído esto.

Le tendí la bandeja con ambas manos, como si se tratara de una ofrenda religiosa, y la mujer se quedó mirándola perpleja. Me pareció leerle el pensamiento: sabía que debía aceptar aquellos *scones*, pero, como no tenía ni idea de dónde habían salido, con qué ingredientes estaban hechos, ni cuántas calorías contenían, no le quedaría más remedio que tirarlos más tarde, sin haberlos probado.

Calculé que mi nueva vecina debía de rondar los treinta años; era bastante alta, tenía unas facciones muy bonitas y llevaba el pelo, rubio y abundante, cardado y peinado como Dusty Springfield, pasado de moda y, al mismo tiempo, curiosamente moderno. Tenía los ojos azul claro, el izquierdo con un toque de verde, las manos estilizadas, con dedos de pianista, y el cuerpo delgado, casi andrógino, como por lo visto les gustan a los hombres hoy en día. Podría ser modelo, pensé. A lo mejor era modelo. Incluso en un día como ése, para mudarse a su nueva casa, se había vestido como si fueran a fotografiarla desde diferentes ángulos.

—Ah —dijo por fin. Cogió la bandeja y miró más allá de mí, como si esperara encontrar a un cuidador aguardando para acompañarme arriba pasito a pasito y sentarme en un sillón a ver los programas matinales de la televisión—. Es usted muy amable.

—No tiene importancia.

Nos miramos. Decidí esperar pacientemente.

—¿Quiere pasar? —me preguntó por fin, optando por los buenos modales.

—Gracias —dije, aunque en realidad ya estaba cruzando el umbral—. No la entretendré, debe de estar muy ocupada. Sólo quería saludarla.

Cerró la puerta y yo miré a mi alrededor, fijándome en todo. Alison Small había hecho un buen trabajo; había convertido el piso del señor Richardson, bastante feo y dejado, en uno digno de los más de tres millones que costaba, como habría dicho Caden. Los muebles parecían tremendamente incómodos, pero el estilo contemporáneo era así, y a su modo resultaba elegante. Más que un hogar acogedor y listo para entrar a vivir, parecía un piso de esos que salían en las revistas y los suplementos dominicales y que ofrecían expectativas disparatadas de la vivienda que la gente podría permitirse con sólo ponerse a trabajar en serio. Me habría gustado pasearme media hora más para descubrir los otros tesoros que pudiera haber a la vista, pero supuse que no pasaría del salón.

—Señora... Fernsby, ¿verdad? —dijo la mujer a mi espalda, y yo me di la vuelta y le estreché la mano mientras ella dejaba los *scones* en una mesilla auxiliar.

—Llámame Gretel, por favor —insistí—. ¿Y tú cómo te llamas?

—Madelyn. Madelyn Darcy-Witt.

Asentí con la cabeza, pero su respuesta, aunque parezca absurdo, me irritó. Como no soy inglesa, me despiertan una rara antipatía los apellidos que parecen salidos de las páginas de un anuario de la nobleza. Me invitó a sentarme, cosa que hice después de prometerle de nuevo que no me quedaría mucho rato. Para mi sorpresa, el sofá, que parecía de granito, resultó ser cómodo.

—Exquisito, ¿verdad? —dijo ella sentándose en un sillón enfrente de mí. El hecho de que se sentara me hizo pensar que no pensaba ofrecerme té—. El sofá es de Signorini & Coco. Este sillón es de Dom Edizioni.

—El mío es de John Lewis —dije pensando que la haría sonreír, pero no fue así. Además, mi sofá no era de esos grandes almacenes, porque Edgar, a quien le gustaban las piezas buenas, había ido encargando nuestros muebles a una tienda de Brighton que nunca nos había fallado en todos estos años.

—Claro —dijo ella, y no supe muy bien a qué se refería con eso.

—Parecía incómodo. —Acaricié el sofá como si fuese un gato al que quisiera hacer ronronear con mis carantoñas—. Pero no lo es en absoluto.

—Es engañoso —dijo Madelyn con malicia, como si el sofá y ella se hubieran peleado y todavía no se hubiesen reconciliado.

—Ya lo creo.

Al observar la estancia, me fijé en los pequeños objetos decorativos que debía de estar colocando en los estantes cuando llamé a la puerta. Había varios marcos apilados boca abajo en una mesita; me habría encantado ver las fotografías.

—A esta hora del día aquí tienes mucha luz —añadí.

El sol entraba a raudales por las ventanas en saliente de la fachada delantera e iluminaba la habitación con un tono dorado. Miré hacia arriba. Yo ya me había acostumbrado, por supuesto, pero la extraordinaria altura de los pisos de Winterville Court llamaba la atención. Una lámpara de araña nueva parpadeó desde el techo como si despertase de su letargo. Aunque no había corriente de aire, porque todas las ventanas estaban cerradas, un par de prismas y cadenas de cuentas de cristal se agitaron como fuegos fatuos, como para advertirme de que yo no debería estar allí.

—Para mí la luz es muy importante —dijo Madelyn con languidez—. Fue lo primero que le comenté al agente inmobiliario. Luz y altura. Cuando era pequeña mi madre dejaba las cortinas cerradas todo el día para evitar que se estropearan los muebles. Me sacaba de quicio. Mis amigos venían a verme y me preguntaban: «Madelyn, ¿por qué está esto tan oscuro? ¿Por qué está siempre tan oscuro?» Luego dejaron de venir. Mi madre era buena persona, que conste. Lo que pasa es que nunca desarrolló todo su potencial y le preocupaban demasiado las opiniones de los demás. —Se interrumpió un momento, como atrapada en un recuerdo triste—. Mi padre no se portaba bien con ella: su padre tampoco se había portado bien con su madre, ni el suyo con la suya, y así sucesivamente. Es hereditario, ¿no cree?

—No lo sé —dije un poco turbada. Era sorprendente que me estuviera haciendo tantas confidencias cuando sólo hacía unos minutos que nos conocíamos—. Hay mucha gente que no se parece en nada a sus padres.

—A todos nos gusta pensar eso —replicó ella con seguridad mientras negaba con la cabeza—. Pero en el fondo todos somos burdas imitaciones.

No contesté nada. Me acordé de mis padres y me dije que no me parecía en absoluto a ellos. Yo jamás habría podido hacer lo que ellos hicieron. Aquella mujer, aquella desconocida, estaba diciendo tonterías. Quizá estaba loca, pensé.

—¿Hace mucho que vive aquí? —me preguntó Madelyn, y yo asentí con un gesto.

—Desde 1960.

Se echó a reír y me quedé mirándola.

—Lo siento —se apresuró a decir, y se tapó la boca con una mano—. Creía que lo decía en broma.

—En realidad, no hace tanto tiempo, si se piensa con perspectiva —dije.

—Le ruego que me perdone. Tengo la costumbre de reírme en los momentos menos oportunos. La semana pasada una amiga mía me contó que a su perro lo había atropellado un camión articulado y me puse a reír a carcajadas.

Me pregunté si debía llamar a un médico y hacer que la internaran.

—Lo siento —repitió. Esta vez frunció el ceño y agachó la cabeza como si se hubiera dado cuenta de que había cometido una transgresión social—. No sé por qué...

—Mi difunto marido compró nuestro piso unos seis años después de casarnos —continué, como si no hubiera dicho nada inapropiado—. Ya hace casi... catorce años que murió.

—¿Y usted ha vivido sola desde entonces?

—Sí.

—Sesenta y dos años —dijo mientras se tocaba el labio inferior con el dedo índice—. Mucho tiempo en un mismo sitio.

—No es mucho tiempo si tienes una buena razón para estar en ese sitio —dije.

—¿Y usted la tiene? ¿Tiene una buena razón?

—Sí —contesté sin dejar de mirarla a los ojos, como desafiándola a preguntarme por esa razón.

Evidentemente yo no se la habría revelado, pero me gustó la atmósfera de misterio de aquel momento. Me había molestado el tono en que había dicho «mucho tiempo en un mismo sitio», como si me estuviese criticando por ser poco ambiciosa o carecer de curiosidad. Eso habría sido injusto: Edgar y yo habíamos viajado una barbaridad. Sólo nos faltaba un continente por visitar, África, que además ya estaba en nuestra lista, pero entonces él había fallecido.

—Pues me alegro mucho —dijo—. Pero dudo que yo me quede aquí tanto tiempo.

—Es probable que no, pero seguro que seguirás aquí cuando yo ya no esté —dije, y me reí un poco.

Ella negó con la cabeza, se inclinó hacia delante, me cogió una mano y me dijo que no debía decir eso, que nunca debía volver a decir una cosa así.

—Pero he sido feliz aquí —dije, y retiré la mano—. Este edificio es maravilloso. Los vecinos son bastante reservados, pero nos llevamos bien. Si tuvieses algún problema, por ejemplo, podrías llamar a cualquier puerta.

—Para mí es importante que haya tranquilidad. —Me fijé en que al decir eso tragaba saliva con nerviosismo y miraba a su alrededor como si algún estruendo fuese a alterar su serenidad—. La verdad, Gretel, es que yo habría preferido irme a vivir al campo, a un sitio con grandes espacios abiertos y la única compañía de los mugidos de las vacas, pero Alex insistió. Claro, su trabajo le exige estar en la ciudad. Yo no trabajo. Antes trabajaba, por supuesto, pero ya no. Me gustaría volver a trabajar. Algún día, quizá.

Me dio la impresión de que trataba de justificar una situación que yo no le había pedido que defendiera. Como es lógico, me apresuré a indagar sobre aquel nombre.

—¿Alex? ¿Es...?

—Mi marido.

Vale. Tenía un marido. No estaba sola.

10

Esperé hasta que vi salir a Émile de la tienda; sólo entonces bajé las escaleras y salí a la calle. Al verme, me saludó con una torpe cabezada y el flequillo rubio y tupido, peinado hacia atrás con gomina, le tapó los ojos. Él se lo apartó de la cara, se lo peinó con los dedos y sonrió.

—Estás muy guapo —observé, porque era verdad.

Él se sonrojó un poco y repitió mis palabras, pero se corrigió en el acto:

—Quiero decir guapa —dijo—. Estás muy guapa.

Detrás del cristal del escaparate, monsieur Vannier me miró con hostilidad, con una inquietante mezcla de preocupación y desprecio. ¿Tan protector era con su hijo que no le gustaba verlo salir con una chica?, me pregunté. Nuestros ojos se encontraron y supuse que él desviaría la mirada, pero no lo hizo: la sostuvo y yo aguanté hasta darme por vencida. En aquel otro sitio donde yo había vivido, ningún hombre se habría atrevido a mirarme siquiera, y mucho menos con aquella actitud desdeñosa.

Una vez dentro de la cafetería, comprendí rápidamente por qué Émile se sentía tan cómodo allí. La mayoría de los salones de té parisinos habían mantenido un aire de tensa austeridad desde el final de la guerra, pero aquél conservaba una atmósfera bohemia, como si tratase de reproducir deliberadamente el ambiente de antes de que comenzaran las hostilidades. Como mínimo la mitad de las mesas estaban ocupadas por jóvenes apuestos que leían libros, fumaban o coqueteaban con chicas guapas. Nos sentamos en un rincón junto a una ventana, pedimos café y pasteles y, ante la timidez de Émile, decidí tomar la iniciativa y preguntarle si le gustaba trabajar con su padre.

—No le doy muchas vueltas, la verdad. Pero algún día la tienda será mía, así que necesito aprender su funcionamiento. Si no, el negocio fracasará, y yo también.

—Pero no pensarás trabajar allí toda la vida, ¿no?

—Espero que sí.

Lo pensé. ¿Quería pasar el resto de mis días viviendo encima de una tienda? Me parecía que no.

—Pero eres demasiado joven para hacer planes tan definitivos —razoné—. ¿No te gustaría viajar? ¿Ver mundo? Hay vida más allá de estas calles, ¿sabes?

—Yo jamás decepcionaría a mi padre —dijo él.

—¿Por qué no? Los padres nos decepcionan continuamente.

—La verdad es que la tienda tendría que habérsela quedado Louis. Era cuatro años mayor que yo y mi padre siempre quiso que él heredara el negocio.

—Entonces ¿tienes un hermano?

—Lo tenía. Pero ya no lo tengo. Está muerto. Murió en la guerra, claro.

Debería haber imaginado su respuesta. Miré por la ventana, di un sorbo de café y, respetuosa, guardé silencio en memoria del chico. Dentro de mí se reavivó el dolor por la pérdida de mi hermano. Cerré los ojos un instante y empujé su recuerdo hacia un rincón donde no pudiese hacerme daño.

—Luchó en la Resistencia —continuó, y se enderezó en el asiento, como si quisiera asegurarse de que le mostraba el debido respeto a aquella sagrada organización—. Mató a su primer alemán el día que los tanques nazis entraron en París. Después ayudó a organizar una sección aquí, en el *quatrième*, y en dos ocasiones lo capturaron y lo torturaron hasta que logró huir. Pero mantuvo su lealtad hasta el final y nunca reveló ningún nombre, a pesar de todo lo que le hicieron.

—¿Y qué le hicieron? —pregunté, pero él negó con la cabeza y no pudo contestarme.

Las lágrimas anegaron sus ojos y se las enjugó con un pañuelo.

—Cosas terribles —dijo al fin con la voz tomada—. Después de dispararle, tiraron su cadáver a la calle para que los perros se peleasen por él. Los soldados se quedaron vigilando, armados, para que no pudiésemos intervenir. Hasta una semana más tarde no nos dejaron llevarnos lo que quedaba de él y no pudimos darle una sepultura decente. Me habría gustado ser mayor. Entonces yo también habría podido luchar. Los habría matado a todos. Le habría clavado mi navaja en el cuello a cada soldado alemán que hubiese encontrado y se lo habría rebanado lentamente.

—No estoy segura de que valga la pena dar la vida por una causa —dije turbada por la brutalidad de sus palabras.

—Por supuesto que vale la pena —insistió él.

Nos quedamos callados un momento.

Entonces estiré un brazo y puse una mano sobre la suya.

—Pues yo me alegro de que estés vivo —aseguré.

—A veces yo no sé si me alegro de estarlo.

—Claro que sí. —Le apreté los dedos—. Claro que te alegras, puedo sentirlo. Y todo ha terminado. Me refiero a la guerra. No debes seguir pensando en eso.

—No, no ha terminado —me contradijo, y retiró la mano—. Tardará muchos años en terminar. Lo que cuentan los periódicos es terrible. ¿Lo has leído? ¿Has leído lo que dicen?

—Yo los evito. Me niego a vivir en el pasado —dije.

—No puede ser cierto, yo no me lo creo —continuó, frunciendo el ceño y adoptando un gesto de desesperación—. Lo que dicen sobre esos campos, sobre las cosas que pasaron allí. —Hizo una pausa y pareció que se quedaba sin palabras—. No puede ser cierto. ¿Quién podría imaginar siquiera algo semejante? ¿Quién podría crear unos sitios así? Dirigirlos, trabajar en ellos, matar a tanta gente. ¿Cómo podría haber existido semejante falta de conciencia colectiva?

Retiré mi silla, que hizo un ruido metálico al arañar las baldosas, me disculpé y fui a los lavabos, evitando por el camino las miradas escrutadoras que me lanzaban los jóvenes. Una vez dentro, a salvo, eché el pestillo de la puerta, apoyé ambas manos en el lavamanos de mármol y me miré en el espejo. Me costaba respirar, así que me aflojé el cinturón y el cuello del vestido.

Examiné mi cara y vi en ella la sombra de Padre, su gesto insensible, su determinación a seguir siendo fiel a las cosas en las que había creído siempre. Me asaltó un recuerdo. Yo estaba en su despacho, escuchando a hurtadillas una conversación que Padre mantenía con mi hermano, que quería saber quiénes eran aquellas personas a las que veíamos todos los días por la ventana. Las personas que estaban al otro lado de la valla.

—¿Esas personas? Bueno, es que no son personas —dijo Padre con un deje risueño, como si encontrase graciosa aquella pregunta.

Mi hermano no quedó satisfecho con la respuesta y luego me lo preguntó a mí. Le contesté que era una granja. Le dije que era un sitio donde guardaban animales.

Cerré los ojos, me eché agua en la cara y me sequé con una toalla sucia. Esperaba poder continuar con mi seducción, pero la charla había dado un giro que no me gustaba nada. Por primera vez comprendí que, si quería sobrevivir, tendría que mentir respecto a todo, todos los días, durante el resto de mi vida.

Cuando regresé a nuestra mesa, Émile había decidido hablar de temas más alegres y me contó varias historias sobre algunos personajes excéntricos que frecuentaban la tienda. Me hizo reír y, para divertirlo también a él, me inventé cosas sobre gente rara con la que me había cruzado por la calle, como un perro que caminaba sobre las patas traseras o unos gemelos que se terminaban las frases entre sí. Mentí y le dije que era de Nantes. Mentí y le dije que mi padre había muerto cuando yo era pequeña. Mentí y le dije que mi madre había trabajado de modista en esa ciudad. Mentí y le dije que habíamos venido a París porque ella creía que era demasiado joven para pasarse toda la vida en el mismo sitio donde había nacido. Mentí y le dije que había dejado en Nantes a mis tres amigas del alma, Suzanne, Adèle y Arlette, pero que me escribían con frecuencia. Mentí y le dije que había dejado a mi gata, *Lucille*, con Arlette, y que la añoraba mucho.

Entonces fue él quien estiró un brazo sobre la mesa y puso una mano sobre la mía. El tacto de su piel me excitó.

—El otro día, cuando me besaste... —empezó a decir con la vista fija en la mesa, y se ruborizó un poco.

—Fui muy descarada, ya lo sé —dije.

—Pero me alegré.

Miró a su alrededor para asegurarse de que nadie nos estaba observando, se inclinó sobre la mesa y me besó, esta vez en los labios. Cuando nos separamos, él parecía ensimismado.

—Sinvergüenza —dijo.

Imaginé que se reiría, pero no lo hizo: se quedó mirándome sin expresar ningún cariño. Fue casi como si me hubiera insultado. ¿Era eso lo que pensaban los chicos de las chicas a las que besaban? Nos hacían creer que nos deseaban, pero en cuanto nosotras les mostrábamos que el deseo era recíproco pasaban a despreciarnos.

—¿Y no tienes hermanos ni hermanas? —me preguntó Émile un poco más tarde.

Volvíamos a casa por el Quai Voltaire; más allá de los puentes, en la otra orilla del río, se veían los Jardines.

—No —contesté.

—Pues tienes suerte —dijo él—. Perder a los padres... Bueno, eso es ley de vida. A los dos nos ha pasado y los dos hemos sobrevivido. Pero perder a un hermano... es algo que me atormentará para siempre. Tienes suerte de no haber pasado por eso.

Venía hacia nosotros un mimo con pinta de haber terminado su jornada: llevaba la clásica camiseta a rayas blancas y negras, boina negra, tirantes y la cara pintada con maquillaje blanco, pero iba fumando un cigarrillo y parecía furioso por ocupar tan insignificante posición en el mundo. Al pasar a mi lado lanzó el cigarrillo, que fue a parar a mis pies, y me miró con desprecio, como si, a pesar de su silencio, supiera exactamente cuántas mentiras había contado yo ese día.

11

—Estás casada —dije, principalmente para oír esas palabras en voz alta—. Qué bien. ¿Y hace mucho?

—Once años —contestó y, por alguna razón, apretó la lengua contra el interior de una mejilla y mudó la expresión, como si hasta a ella le costara creer que hubiese pasado tanto tiempo—. Sí —continuó al cabo de unos segundos—. Hace ya once años.

—¡Madre mía! ¡Pero si eres muy joven!

—No, no, soy un vejestorio —replicó—. El mes que viene cumplo treinta y dos años. Me casé muy joven, claro —admitió—. Alex es diez años mayor que yo y ya tenía edad para sentar la cabeza, y dice que yo tuve la suerte de ser la chica con la que él salía en ese momento. —Se echó a reír como si acabara de hacer un comentario comiquísimo—. ¿No le parece gracioso? —me preguntó.

—No especialmente —contesté—. ¿Lo dice en broma?

—No, qué va —dijo, y arrugó el ceño—. No, mi marido nunca bromea.

—¿Y te importa que te pregunte a qué se dedica?

—Es productor de cine.

—¡Ah, qué emocionante!

—Supongo que sí. Bueno, la gente, en general, piensa que lo es.

—¿Qué clase de películas hace?

—De todo tipo.

Enumeró unas cuantas y, aunque ya casi nunca voy al cine, algunos títulos me sonaron. Eran películas de esas que atraían a grandes estrellas y ganaban premios. Intenté hacer memoria. Alex Darcy-Witt. ¿Alguna vez había oído ese nombre? Me pareció que no. Pero lo cierto es que si los directores suelen pasar desapercibidos para la mayoría del público, en los productores no se fija prácticamente nadie.

—Qué maleducada soy —dije al cabo de un momento—. Te pregunto a qué se dedica tu marido y no te pregunto qué haces tú. Has dicho que antes trabajabas. ¿Qué hacías?

—Era actriz. Así fue como conocí a mi marido. Actuaba en una de sus películas. Él enseguida se interesó por mí, y no pude resistirme. La verdad es que entonces yo era terriblemente inocente. Terriblemente ingenua. ¿Podrá creer que era virgen? Bueno, no del todo, pero casi.

No sabía cómo reaccionar ante una revelación tan íntima.

—Pero mira, once años —dije esquivando su pregunta con la esperanza de que fuese retórica—. Hoy en día eso es mucho tiempo. Está claro que tenía que pasar.

Ella arrugó el ceño y agachó la cabeza.

—Debería irme —añadí.

Apoyé las manos en las rodillas y me preparé para levantarme, pero ella dijo que no con la cabeza, lo que me sorprendió.

—No, no se vaya todavía. Si se marcha, tendré que seguir abriendo cajas y colocando cosas y, para ser sincera, no me apetece nada.

—De acuerdo —convine contenta de poder quedarme un poco más y creyendo que me ofrecería una taza de té, pero por lo visto la hospitalidad no se contemplaba.

—Usted no es inglesa, ¿verdad? —me preguntó.

Noté que mi cuerpo se tensaba ligeramente. Hacía décadas que nadie me hacía esa pregunta. Llevaba tanto tiempo viviendo en Londres que creía que mi inglés ya no se distinguía del de los nativos.

—¿Cómo lo has sabido? —dije.

—Porque cuando actuaba... Es decir, cuando estudiaba interpretación, trabajaba mucho los acentos. Mis profesores decían que tenía un don para eso. Y me he dado cuenta de que sé identificar el acento de los hablantes. Siempre detecto algo que delata sus orígenes. En el suyo he detectado un matiz centroeuropeo. Si tuviese que apostar, diría que de Alemania.

Le sonreí. Aquella mujer me intrigaba.

—Tienes razón. De hecho, nací en Berlín.

—¡Adoro Berlín! —dijo con entusiasmo—. Una vez interpreté a Sally Bowles allí. Es la ciudad perfecta para hacerlo.

—Ya lo creo.

—Tuve muy buenas críticas —añadió, y por primera vez me pregunté si estaría tomando alguna medicación. De pronto parecía quedarse absorta en sus pensamientos y adoptaba un aire introspectivo, olvidando que tenía compañía.

—Mi difunto marido y yo íbamos mucho al teatro —dije, y Madelyn dio un respingo—. Mucho más que al cine. Yo prefiero el teatro, ¿tú no?

—Ni se le ocurra decir eso delante de mi marido. Haría que le pegaran un tiro.

—La gente se comporta mejor en el teatro, creo yo. No llega cargada de comida y bebida como si fuera a morir de inanición o deshidratación antes de la ovación final.

—Me habría gustado seguir haciendo teatro —dijo ella—. Pero mi marido insistió en que me concentrara en el cine. Aunque a la larga no me ha servido para nada.

—Entonces ¿has dejado de actuar? —pregunté.

—Más o menos —me contestó, lo que no era en absoluto una respuesta.

—¿Y te gustaría volver?

Me miró desde donde estaba sentada como si se sorprendiera de verme allí.

—Aunque quisiera no podría. Es demasiado tarde. Soy demasiado vieja.

Solté una carcajada.

—¡Pero si tienes treinta y un años! ¡Eres una cría! Hoy en día la gente no se centra en nada definitivo hasta que tiene casi cuarenta.

—No. No, no puede ser —dijo—. ¿Cómo murió? Me refiero a su marido.

La miré fijamente. Aquello era un cambio de tema extraordinario, digno de Heidi Hargrave.

—Tenía un asma terrible y había estado hospitalizado varias veces. En 2008, durante la temporada de alergias, dimos un paseo por Hyde Park y, al volver a casa, se sentó a leer. Pero fue coger el libro y ponerse a estornudar sin parar. Al principio me pareció gracioso y nos lo tomamos a broma, pero luego resultó evidente que le costaba respirar. Le di su Ventolín, pero no sirvió de nada. Se le habían llenado los pulmones de líquido y se asfixiaba. Llamé a una ambulancia que sólo tardó unos minutos en llegar, pero los enfermeros no consiguieron resucitarlo y se murió en el salón. Desde que llegamos del paseo hasta que la ambulancia se llevó su cadáver no transcurrieron más de veinte minutos, pero fueron suficientes para que mi vida cambiara por completo. —Hice una pausa y miré al suelo—. Y ya está. Así es la vida. Así es la muerte.

—Lo siento —dijo ella de corazón. Me miraba fijamente, como si examinara mis rasgos para asegurarse de que no estaba mintiendo. Me pregunté si sería una técnica que había aprendido en la escuela de interpretación—. ¿Lo quería?

—Claro que lo quería —salté, impactada por la grosería de aquella pregunta. Ya me había entretenido demasiado. Deseaba marcharme—. Claro que lo quería —repetí subiendo la voz, molesta ante semejante insinuación de lo contrario—. Era mi marido.

—Lo siento, no me interprete mal.

Controlé mi mal genio. La pobre chica parecía consumida.

—No, perdóname tú —dije—. En fin, debes de preferir continuar con lo que estabas haciendo. Seguro que no te interesa oír mis historias.

Me levanté decidida a irme de allí aunque ella me suplicara que me quedase, pero esta vez no pareció importarle que me fuera. Me acompañó hasta la puerta.

—¿Y tu marido? ¿Vendrá esta noche?

—No, está en Los Ángeles. No volverá hasta la semana que viene.

—Entonces vas a estar sola —repliqué—. Bueno, así podrás instalarte a tu aire. Eso tiene un lado bueno.

Esperé, pues sabía que por fin iba a obtener la respuesta. De hecho, lo supe en cuanto ella negó con la cabeza.

—No, no estaré sola. Mi hijo vendrá más tarde.

—Tu hijo —murmuré.

—Sí, Henry. Hoy es su primer día en el colegio nuevo. —Miró la hora—. Sobre las tres y media ya estará aquí.

Asentí. Un niño.

—¿Cuántos años tiene? —pregunté mientras ella sujetaba la puerta y yo salía al vestíbulo.

—Nueve. Ha sido un placer conocerla, Gretel. Espero que seamos amigas.

—Yo también —dije cuando ella cerró la puerta, pero entonces me di cuenta de que no lo había dicho, de que sólo lo había pensado.

No había conseguido articular esas palabras. Me pregunté si era así como se había sentido Edgar en los últimos momentos de su vida, consciente de que necesitaba respirar para vivir pero incapaz de hacer entrar ni una gota de aire en sus pulmones. El pánico. El terror. El miedo a lo que se avecinaba.

12

Cuando Madre anunció que monsieur Toussaint le había propuesto dar un paseo vespertino en chalana por el Sena, me extrañó que me hubiese incluido en la invitación.

—¿Estás segura de que se refería a las dos? —le pregunté.

—Completamente segura —afirmó Madre.

Se sentó delante del espejo y se aplicó polvos en la cara antes de cepillarse el pelo. Madre siempre había sostenido que el pelo de una mujer era su rasgo más importante, más incluso que los accesorios, y sin duda alguna la primera señal de su feminidad.

—Tiene muchas ganas de conocerte. Dice que me ha oído hablar tanto de ti que es como si ya te conociera.

Como es lógico, ese comentario me desconcertó. Por lo visto monsieur Toussaint no le había dicho a mi madre que nos habíamos conocido en la Place des Vosges hacía varias semanas. Pero lo cierto era que yo tampoco se lo había contado.

—Hace demasiado frío para ir a remar por el río —dije.

Me levanté y descorrí las cortinas. Mi intuición me desaconsejaba participar en aquella excursión. Miré hacia la calle y la tienda de monsieur Vannier y me sorprendió ver a Émile mirándome desde abajo, como si hubiese estado esperando a que yo apareciera. Lo saludé con la mano, pero él se dio la vuelta y entró en la tienda. ¿Acaso no me había visto en la ventana?

—No digas bobadas —dijo Madre—. Ha salido el sol. Hace un poco de frío, sí, pero sólo tenemos que abrigarnos.

Venga, Gretel, date un baño y vístete. No quiero hacer esperar a Rémy.

Mientras me bañaba, me pregunté por el propósito de aquella salida. Quizá monsieur Toussaint deseaba conocerme para decidir si debía proponerle matrimonio a Madre. Al fin y al cabo, una cosa era irse a vivir con ella y otra muy diferente incluir en el lote a una niña que dependía de ella.

Más tarde, mientras me vestía, le pregunté a Madre cuáles creía que eran las intenciones de monsieur Toussaint; la esperanza iluminó su rostro, que por un instante me recordó a la mujer que había sido. La Madre de Berlín, la Madre a la que yo amaba, la Madre que nos había cuidado a mi hermano y a mí y nos había prometido que nunca nos pasaría nada malo.

—Creo que... —empezó a decir; entonces cerró los ojos un instante y se corrigió—. Espero que sus intenciones sean casarse conmigo.

—¿Te lo ha comentado?

—No directamente. Pero me parece que hemos alcanzado una especie de acuerdo. Tenemos muchos intereses comunes y... —Titubeó—. Bueno, tú ya eres lo bastante mayor para entender que somos amantes. Y nos llevamos bien.

Me sonrojé un poco. No quería delatarme y me di la vuelta al abrocharme los zapatos. Al percatarse de mi turbación, Madre se levantó, se acercó a la cama y se sentó a mi lado. Era como si volviese a ser una niña y necesitara su consuelo.

—Debes entenderlo, Gretel —dijo en voz baja—. En mi vida no ha habido ningún otro hombre aparte de tu padre. Ni antes ni después. Es decir, hasta ahora. No quiero que te formes una idea equivocada de mí. Quizá haya cometido errores en el pasado, pero mi virtud nunca ha estado comprometida.

La miré y vi su expresión de humildad; aun así me sorprendió que, después de todas las vicisitudes que habíamos pasado, creyera que la cuestión de si había tenido amantes fuese lo que podía minar mi confianza en ella.

—Cuando vivíamos allí —dije—. En aquel otro sitio.

—¿Qué?

—¿El teniente Kotler?

Ahora le tocaba a ella ruborizarse. Desvió la mirada para evitar cruzarla con la mía.

—Kurt sólo era un crío. Muy guapo, es verdad, pero sólo un crío.

—Entonces ¿no coqueteaste con él?

Mi hermano sospechaba que sí y así me lo había dicho en secreto, pero en aquel entonces me había enfurecido que lo insinuara siquiera y me habían dado ganas de hacerle daño. Me habían dado ganas de castigarlo. De hecho, lo castigué.

—Ya te lo he dicho —dijo Madre—. Sólo era un crío.

Me quedé callada. Aquello no era ninguna respuesta.

—Yo quería mucho a tu padre —continuó—. No quería que aceptase aquel destino. Es más, le supliqué que no lo aceptara.

—No, tú estabas emocionada —la contradije—. Me acuerdo de la fiesta que disteis antes de marcharnos de Berlín. Tú estabas...

—Era puro teatro —replicó ella—. Acuérdate de quiénes estaban allí. Había muchos personajes importantes. Yo no podía expresar mis dudas. Habría sido desastroso para todos nosotros, y especialmente para tu padre.

—Aun así... —Me levanté, fui hasta el espejo y me examiné de pies a cabeza. Estaba guapa, pero la aprensión por lo que se avecinaba se reflejaba en mi rostro y le impedía brillar—. Apoyaste a Padre. Y nos llevaste allí. A mí y a...

—No —murmuró transida de dolor—. No, Gretel, no digas su nombre —me suplicó.

Volví a sentarme a su lado.

—Lo siento —dije, y le cogí una mano.

—No soporto oír su nombre.

—Ya lo sé.

—Mira, tengo miedo —explicó volviéndose hacia mí, y vi que tenía lágrimas en los ojos—. Tengo miedo por mí, por ti, por nuestro futuro. Sí, tenemos un poco de dinero, pero

¿cuánto nos durará? ¿Un año más, como mucho? ¿Y luego qué? ¿Qué será de nosotras?

—Podemos buscar trabajo —respondí como si fuese la cosa más elemental.

—A mí no me educaron para eso —dijo ella negando con la cabeza—. No tengo dotes para nada; ésa es la verdad. No, si quiero sobrevivir necesito volver a casarme. Rémy es rico. Tiene una buena posición. Se ocupará de nosotras.

—También podríamos espabilarnos nosotras solas —sugerí—. Yo podría estudiar, buscar una profesión, ganar mi propio dinero.

—No, tú también tendrás que casarte —dijo ella con decisión—. Todavía no, por supuesto. Pero dentro de unos años, cuando tengas diecinueve o veinte, te buscaremos un buen marido. Con ayuda de monsieur Toussaint, los pretendientes acudirán en tropel. —Me agarró la mano y me la apretó con fuerza—. Una amiga me ha dicho que te vio paseando con el chico que trabaja en la tienda de la acera de enfrente. Espero que no sea verdad.

—No sólo trabaja allí —protesté—. Es el hijo del dueño. Algún día la tienda será suya.

—Ese chico no es para ti —replicó mi madre. Se levantó y cogió la llave del portal de la mesilla de noche—. He de reconocer que es guapo, pero no te imagino trabajando toda la vida de dependienta. Si quieres, puedes coquetear con él. Ya sé que aquí los días son largos, que no tienes amigos y que te aburres. Pero nada más, ¿de acuerdo? No debes poner en peligro tu reputación. Y hoy haz todo lo posible para impresionar a monsieur Toussaint —continuó. Me sujetó por los hombros y me miró fijamente—. Sé simpática y alegre, pero no acaparadora. Ríete de sus bromas y felicítalo por su destreza con el remo. No le hagas preguntas personales, pero sé sincera si él te hace alguna a ti.

—¿Sincera? ¿Hasta qué punto? ¿Cuánto sabe él?

—Sabe lo que yo le he contado.

—Que somos de Nantes.

—Exacto.

—Y si te casas con él, ¿tendremos que mantener esa mentira el resto de nuestras vidas?

Madre miró para otro lado.

—Ya no es una mentira, Gretel. Cuando repites muchas veces una historia, se convierte en verdad.

Su acento alemán asomó tímidamente por debajo de su francés; Madre se dio cuenta y continuó con más convicción.

—Esto no es sólo una cuestión de dinero. Lo entiendes, ¿no? —me preguntó.

—Entonces ¿de qué? —pregunté, porque si no era eso yo ya no entendía qué demonios estaba pasando.

—Es una cuestión de supervivencia —dijo Madre—. Un fallo, Gretel, un simple fallo podría significar el fin para las dos. Recuérdalo. Esta gente no perdona.

—¿Y te sorprende?

—¿Cómo? —Madre arrugó el ceño.

Solté una risita socarrona.

—¿De verdad crees que merecemos que nos perdonen?

Se quedó mirándome. Yo ignoraba lo que ocurría en su cabeza y me preguntaba si se sentiría tan culpable como yo. Sé que compartíamos el mismo dolor. Cuando volvió a hablar, lo hizo con seriedad y obstinación.

—Merezco ser feliz —declaró—. Yo no hice nada malo. Y tú tampoco.

Bajamos la escalera y vi a nuestra casera sentada en su butaca. Tenía un ejemplar del nuevo periódico, *Le Monde*, en las manos. Mientras pasaba las páginas, atisbé por un instante una palabra escrita con grandes letras en la primera plana. Había oído a Padre utilizarla en sus conversaciones con Kurt y recordaba que había visitado el lugar al menos dos veces.

Sobibor.

«Vaya, ahora ya escriben sobre todos los campos de la muerte, los grandes y los pequeños», me dije cuando salimos a la calle. Menudo mundo habíamos creado las familias como la mía.

13

Estaba a punto de parar un taxi delante de Fortnum & Mason cuando oí que me llamaban por mi nombre. Me di la vuelta sorprendida, pero Piccadilly estaba muy concurrido y no vi a nadie que conociese, hasta que un hombre vino hacia mí apresuradamente. Me quedé inmóvil, convencida de que me iban a atracar a plena luz del día. O peor aún: que me habían reconocido. Eso no me había pasado nunca en más de siete décadas, pero era una idea que seguía atormentándome. El miedo a cruzarme con una persona anciana por la calle y que se quedara mirándome horrorizada antes de señalarme con un dedo y denunciarme.

—¡Señora Fernsby!

El hombre redujo el paso al acercarse a mí y, con los brazos en jarras, se dobló un poco por la cintura para recobrar el aliento. Entonces me di cuenta de que sí lo conocía.

—¡Oberon! —dije; era el nieto de Heidi, el de nombre shakesperiano—. ¡Qué susto me has dado! ¿De dónde sales?

—Iba camino de casa de mi abuela y entonces la he visto salir de la tienda. ¿Quiere que la ayude con las bolsas?

—Estaba buscando un taxi. Pero si no te importa llevármelas, podemos ir andando.

—Claro.

Le di mis bolsas, agradecida, y seguimos caminando juntos. Hacía unos meses que no coincidíamos, pero yo siempre me alegraba de verlo. Tenía esa belleza que solemos asociar con las estrellas de cine, y su encanto estaba a la altura.

—¿Cómo estás? —le pregunté mientras recorríamos las calles del barrio.

—Muy bien. Atareado. ¿Le ha contado mi abuela la noticia?

Repasé la conversación que había mantenido con Heidi, en la que habíamos especulado con la posibilidad de que Oberon planeara casarse. Después se me había olvidado preguntarle si nuestras sospechas se habían confirmado.

—Creo que no. ¿Qué noticia es ésa?

—Me voy a vivir a Australia.

Respiré hondo antes de decir nada. Había estado en ese continente una vez y, de no haber entrado en cierto pub de Circular Quay de Sídney, tal vez me habría quedado a vivir allí. Pero mi estancia había acabado mal y, a pesar de las décadas transcurridas desde aquella etapa de mi vida, cada vez que veía la ciudad por la televisión cambiaba de canal inmediatamente. No quería que me la recordaran. Ni que me lo recordaran. Él ya debía de estar muerto, pero aun así.

—¿Ah, sí? ¿Y cómo es eso? —dije.

—La verdad es que siempre me ha gustado —me explicó—. Pasé mi año sabático allí y desde entonces he vuelto un par de veces. Me gustan la gente, el clima, las playas… Vi una oferta de empleo, muy bueno, por cierto, de subdirector de unos grandes almacenes muy importantes. Mandé la solicitud y me seleccionaron.

—Felicidades. Debes de estar muy emocionado, aunque tu abuela te echará de menos. Te quiere muchísimo.

Permaneció callado un momento, como ensimismado, y se cambió las bolsas de mano.

—¿Cómo la ve últimamente? —me preguntó.

—Bastante centrada. Incluso diría que tiene más días buenos que malos. A lo mejor su enfermedad se ha… ¿estabilizado? Tal vez no llegará a ser tan incapacitante como temíamos.

—Ya, pero no va a mejorar, ¿no? —repuso él—. Seguirá como está o irá a peor.

—Sí, supongo que sí —dije molesta por su pesimismo—. ¿Podrás venir a visitarla a menudo? Australia está muy lejos.

—Bueno, ésa es una de las cosas de las que quería hablar con usted.

Lo miré y me pregunté si realmente nos habíamos encontrado por casualidad, como yo había creído, o si Oberon estaba esperándome. Al fin al cabo, mi rutina era bastante regular.

—El caso es que me gustaría llevarme a mi abuela conmigo.

—¿A Australia?

—Sí.

Solté una carcajada. No me imaginaba a Heidi subiendo al puente del puerto de Sídney ni paseando por las playas de Bondi. Al fin y al cabo tenía casi setenta años, y marcharse a un país desconocido del otro extremo del mundo, donde hasta la moneda le resultaría rara, sólo agravaría su confusión.

—Lo digo en serio —dijo Oberon con una sonrisa en los labios.

—Pero ¿seguro que es una buena idea? Ten en cuenta que todo lo que conoce está aquí. Nunca ha viajado muy lejos.

—Razón de más para que vea un poco de mundo, ¿no le parece?

—Si tuviese veinte años menos, quizá sí —dije poco convencida.

—El caso es que confiaba en que usted hablaría con ella.

—Hablar con ella ¿de qué?

—Verá, lo que me gustaría hacer es vender el piso.

—¿Qué piso? ¿Tu piso?

—No, el de mi abuela.

—Ah, ya.

—Y que ella viniera conmigo cuando yo me marche. Bueno, con nosotros. Mi novia también vendrá. Está harta de todo esto. Primero el Brexit, luego la pandemia...

—Sabes que tu abuela ha vivido aquí toda su vida, ¿verdad? Sus padres adoptivos la trajeron aquí cuando sólo era un bebé. ¿Sabes que nunca ha vivido en otro sitio?

—Sí, claro. Ya debe de estar harta, ¿no? —Sonrió, pero yo no le reí la gracia.

Tenía muy claro adónde llevaba aquella conversación y me molestaba. ¿Es que los hombres no hacían nada más que esperar a que llegara el momento de rentabilizar la muerte de sus padres y sus abuelos?

—Esos pisos valen una fortuna —continuó—. Bueno, usted ya lo sabe, claro. Caden ya se lo habrá dicho.

—Caden... —empecé a decir, pero no supe cómo expresarlo. ¿Habrían estado hablando Caden y Oberon a mis espaldas? ¿Comparando y calculando el beneficio que obtendrían si Heidi y yo nos quitábamos de en medio?

—Me gustaría comprar algo en Mosman, que es un barrio bastante caro. En la costa norte de Sídney, cerca de...

—Ya sé dónde está Mosman —dije.

—¿Ah, sí?

—Viví un tiempo en Sídney. Ya hace mucho de eso, pero me acuerdo.

—Es usted una caja de sorpresas.

—No lo sabes bien. Pero mira, es que no me imagino a Heidi viviendo en una casa tan lejos de aquí.

—Ah, no, no me he explicado bien —dijo él—. Mi idea no es que venga a vivir con Lizzie y conmigo. No, he estado investigando y he encontrado una comunidad de jubilados fantástica en esa zona. Allí haría nuevas amistades, organizan muchas actividades y, por supuesto, el clima es...

—El clima, el clima, el clima —dije agitando una mano con gesto desdeñoso. Siempre me había fastidiado el empeño de los ingleses en llevar todas las conversaciones a aquel tedioso tema—. No es lo único que importa en la vida, ¿lo sabías?

—Ya lo sé, pero...

—¿Y qué opina tu abuela de este maravilloso plan?

—No le hace mucha gracia —admitió.

—Me lo figuraba.

—Por eso confiaba en que usted me echara una mano.

—¿Con qué fin? ¿Esperas que yo la convenza?

—Estoy seguro de que usted entenderá que tiene lógica. Si voy a estar a diecisiete mil kilómetros de aquí...

—No me aclaro mucho con los kilómetros —dije—. Tradúceme eso.

Oberon calculó mentalmente.

—Unas diez mil millas.

—Muy bien. Continúa.

—Si voy a estar a diez mil millas de aquí, tiene sentido que ella venga conmigo. Al fin y al cabo, soy su única familia.

—Lo que también podría verse como una razón para que te quedes aquí.

—No puedo, señora Fernsby. —Negó con la cabeza—. Es una gran oportunidad para mí. Necesito empezar un proyecto nuevo. Soy demasiado joven para quedarme en Selfridges haciendo lo mismo todos los días, semanas tras semana, año tras año hasta que me jubile.

No era un argumento irracional; asentí con la cabeza y me ablandé un poco. Ya estábamos llegando a Winterville Court y nos detuvimos junto a los escalones del portal.

—No intento estafarla ni nada parecido, si es eso lo que la preocupa —dijo Oberon—. No quiero vender el piso y embolsarme el dinero. Aunque la verdad es que no me vendría nada mal disponer de parte de mi herencia ahora, cuando de verdad la necesito. Yo jamás abandonaría a mi abuela. Pero tampoco quiero dejar pasar una oportunidad como ésta por ella. Estoy buscando una fórmula que nos convenga a los dos.

—¿Cuándo has hablado con Caden? —le pregunté.

—¿Cómo dice?

—¿Cuándo has hablado con Caden? —repetí. Me había oído perfectamente la primera vez y sólo estaba intentando ganar tiempo.

—Sí, hemos hablado —admitió—. Pero por casualidad más que otra cosa. Nuestros casos son diferentes.

—¿Nuestros casos?

—Bueno, mis planes y... —Tuvo el detalle de mostrarse un poco abochornado—. Los de Caden. Es decir, los suyos. Sus planes para... su piso.

Desvié la mirada hacia la ventana en saliente que daba a la calle y detrás de la cual debía de estar Madelyn Darcy-Witt.

Apareció una sombra pequeña que oscureció la cortina. La cara de un niño. Un niño pequeño. Así que ya estaba en casa. Yo todavía no lo había visto, pero había oído su voz cuando su madre y él entraban o salían del edificio. Parecía un crío tranquilo, y no estaba segura de si eso era bueno o malo.

—Bueno, ¿hablará con ella? —me preguntó Oberon, y yo le cogí las bolsas de la compra; tenía la cabeza en otro sitio.

—Sí —concedí—. Pero sólo para preguntarle qué quiere hacer y dónde preferiría vivir. No intentaré persuadirla de una cosa ni de la otra. Eso no me corresponde a mí. Aun así me alegro mucho por ti, Oberon, de verdad. Tienes razón: parece una oportunidad de oro y es bueno que tengas en cuenta a tu abuela a la hora de hacer planes.

A él pareció satisfacerlo mi respuesta y yo entré en el edificio. Me quedé unos segundos en el vestíbulo con la esperanza de oír ruido detrás de la puerta del primero, pero estaba en silencio. Sin embargo, por alguna misteriosa razón, tuve la certeza de que el niño estaba al otro lado, escuchando con la oreja pegada a la madera. O quizá subido a una silla y espiándome por la mirilla.

Sólo al llegar arriba caí en la cuenta de que Oberon no había entrado a visitar a su abuela. Se había limitado a implicarme en sus planes y luego había seguido su camino.

14

Monsieur Toussaint nos recogió con un coche rojo de estilo ostentoso que atrajo las miradas de los transeúntes. Yo ignoraba de dónde provenía su riqueza, pero suponía que era dinero heredado; cuidadosamente escondido durante la guerra y ahora, con la llegada de la liberación, autorizado de nuevo a salir a la luz. Pese a la desconfianza que me inspiraba Toussaint, me parecía emocionante subirme a un vehículo como aquél. En la acera de enfrente Émile salió de la tienda y nos miró con envidia.

—No te marchas, ¿verdad? —me preguntó, inclinándose sobre la carrocería y examinando los asientos de piel y el pulido interior.

Madre le lanzó una mirada al subir al coche; no le hacía gracia vernos conversar.

—Sólo vamos a pasar el día fuera —le contesté—. Vamos a remar en chalana, tengo entendido. —Puse los ojos en blanco para fingir desinterés, aunque aquella excursión empezaba a apetecerme—. No ha sido idea mía.

—Si me manchas la carrocería con esas manazas, Émile, luego te tocará lavarlo —dijo monsieur Toussaint, y se sentó al volante.

Émile se apresuró a limpiar la puerta con el pañuelo, saludó con una educada cabezada y volvió a la tienda. Cuando arrancamos me di la vuelta para ver si se quedaría mirándonos hasta que nos hubiésemos perdido de vista, pero me llevé un chasco al comprobar que ya se había metido dentro.

Monsieur Toussaint dejó la capota del coche bajada, y notar el viento en la cara mientras circulábamos me pareció una sensación maravillosa. Hacía mucho que no me llevaban en coche a ninguna parte. Evidentemente, cuando vivíamos en aquel otro sitio Padre tenía coche, y muchas veces Kurt nos hacía de chófer. Sí, yo había llegado a estremecerme de placer sentada detrás del joven teniente, hechizada por su tupido pelo rubio y las líneas que el peine había dejado marcadas, como surcos de un campo recién labrado. Lo recordaba como si fuera ayer: de pie junto al vehículo de Padre, bajo el sol, con una camiseta blanca de tirantes que hacía que mi mirada se desviara hacia sus brazos bronceados y musculosos; ese día estaba coqueteando con él de forma muy infantil cuando mi hermano nos interrumpió y dijo que yo sólo tenía doce años y debía dejar de fingir que era mayor de lo que era. Entonces Kurt se alejó de mí, y yo nunca supe qué lo había inquietado más: mi juventud o el miedo a la desaprobación de Padre. Me enfadé mucho con mi hermano. Fue la primera vez que deseé realmente hacerle daño.

—Bueno, ¿adónde vamos? —pregunté, pero ni monsieur Toussaint ni Madre, demasiado ocupados riendo y hablando, me contestaron. Subí la voz y lo intenté de nuevo—: monsieur Toussaint —dije, y mi voz peleó contra el viento—. ¿Adónde nos lleva?

—A un sitio llamado Saint-Ouen —me contestó sin volver la cabeza y manteniendo la vista fija en la carretera. Vi que su mano derecha descansaba sobre el regazo de Madre—. No está muy lejos, quizá a una media hora. Cerca hay un parque donde podemos comer, y después daremos un paseo en barca por el río.

—¿Es peligroso? —pregunté.

—¡Gretel! —Madre soltó una risa forzada—. Rémy jamás nos llevaría a ningún sitio mínimamente peligroso, ¿verdad que no, querido?

—Antes me cortaría un brazo o una pierna —declaró él.

Decidí no insistir y me puse a pensar en mis cosas. Mi pelo ondeaba al viento; me desabroché los dos botones de arriba del vestido para que me acariciara también la piel, incliné la cabeza hacia atrás y cerré los ojos. Cuando volví a abrirlos vi que monsieur Toussaint me miraba por el espejo retrovisor, y nuestras miradas se encontraron. Quise desviar la mía, pero no pude. Madre echó un vistazo, advirtió cómo nos estábamos mirando y le apoyó una mano en el brazo. Entonces él la miró y sonrió antes de volver a poner ambas manos sobre el volante.

Monsieur Toussaint había llevado una cesta de pícnic y nos sentamos en la hierba seca del Grand Parc des Docks, donde comimos *ficelle*, embutidos, Tomme de Savoie y un pastel que yo nunca había probado antes, con tomates secos y aceitunas, y todo eso acompañado con vasos de vino. El parque no estaba muy concurrido, pero había algunas parejas jóvenes paseando e intercambiando miradas tiernas, así como algunas familias con niños pequeños y perros aún más pequeños. Me pregunté qué escenas se habrían desarrollado allí hacía sólo uno o dos años. ¿Estaba el parque lleno de soldados, o la gente había seguido viviendo normalmente, como antes de la invasión?

—Viste usted con mucha elegancia, monsieur Toussaint —comenté.

Madre volvió la cabeza y me miró con el ceño fruncido, lo cual me sorprendió, pues me había pedido que fuese educada con él, ¿y qué era un cumplido sino el colmo de la cortesía?

—Gracias, Gretel —replicó él—. Eres muy amable.

—Supongo que tendrá su sastre personal.

—Pues sí, así es —admitió.

—¿Es monsieur Vannier?

Hizo una pausa y entonces me preguntó:

—¿Quién es monsieur Vannier?

—El dueño de la tienda de enfrente de nuestra pensión. He pensado que quizá iba usted allí.

—No. Mi sastre vive en Faubourg Saint-Germain —contestó.

—Entonces ¿nunca ha entrado en la tienda de monsieur Vannier?

—Me temo que no —dijo negando con la cabeza—. ¿Me lo recomiendas?

—Mucho me temo que Gretel se está enamorando del chico que trabaja allí —intervino Madre; su tono de voz estaba volviéndose desagradable por efecto del alcohol—. Es completamente inadecuado, por supuesto.

—¿Inadecuado en qué sentido?

—Bueno, se dedica al comercio. Es un simple dependiente.

—¿Es guapo? —preguntó monsieur Toussaint.

—Pero usted ya lo conoce, ¿no? —pregunté.

—No. Ya te he dicho que nunca he entrado en esa tienda —dijo él con aparente inocencia.

Decidí no insistir. ¿Habría oído mal? Pero no, recordaba claramente sus palabras: «Si me manchas la carrocería con esas manazas, Émile, luego te tocará lavarlo.» Si no conocía la tienda ni a sus dueños, ¿cómo podía saber que el dependiente se llamaba Émile?

—Bueno, creo que ya hemos comido y bebido suficiente —dijo levantándose y sacudiéndose la ropa—. Ha llegado el momento de alquilar una de esas barcas, ¿no os parece?

—¡Ay, sí! —exclamó Madre. Recogió los platos y los cubiertos del pícnic y los metió en el cesto—. Venga, Gretel, ayúdame con todo esto.

Doblé las mantas y recogí las botellas de vino vacías.

—¿Te gusta leer, Gretel? —me preguntó monsieur Toussaint cuando volvimos al coche a dejar el cesto. Madre había ido a buscar unos aseos públicos y nos habíamos quedado los dos solos.

—Sí, me encantan los libros —admití.

—¿Has leído *Thérèse Raquin*?

Dije que no con la cabeza. Había oído hablar de Zola, por descontado, pero todavía no había leído ninguna de sus obras.

—Es una historia interesante —dijo—. Los tres personajes principales de la novela vienen aquí, a Saint-Ouen, a remar por el río. Thérèse, su enfermizo marido Camille y su amante Laurent, que es el mejor amigo de Camille. Sin que el achacoso marido sospeche nada, los amantes planean tirarlo de la barca. Quieren que se ahogue para poder casarse.

—Qué crueles —dije, y me pregunté por qué me estaba contando aquello—. ¿Y consiguen llevar a cabo su plan?

—Sí, pero el final feliz queda frustrado. Camille regresa todas las noches en sus sueños y los atormenta. Su alma no puede descansar en paz tras descubrir sus ruines crímenes y decide hacerlos pagar por ellos.

—¿Y cómo termina la historia?

—No quiero estropearte la lectura —dijo él sonriente, mostrando unos dientes blancos y afilados—. Pero digamos que al final se hace justicia.

—¿Usted cree en eso? —le pregunté—. ¿Cree que las almas de aquellos a quienes hemos hecho daño nos vigilan y aguardan a que llegue el momento de la venganza?

—Lo creo igual que creo que la Tierra es redonda y que el día sucede a la noche —respondió—. Pero a ti no deben de asaltarte esas preocupaciones, ¿verdad, Gretel? Una chica de tu edad no puede haberle hecho daño a nadie. Tienes la conciencia tranquila, ¿no?

—¿Sobre qué cotilleáis? —preguntó Madre al volver junto a nosotros, y nos observó con recelo.

—Asesinatos —contestó monsieur Toussaint sin dejar de mirarme a los ojos—. Engaños. Venganzas.

—Un tema demasiado filosófico para un día como hoy —dijo ella estremeciéndose ligeramente—. Vamos, Rémy —añadió, y enlazó un brazo con el suyo—. Vamos a buscar una barca. El sol no tardará en ocultarse detrás de esas nubes.

Echaron a andar hacia el muelle, pero yo me quedé junto al coche. No los seguí hasta que Madre se dio la vuelta y me llamó.

15

Como es lógico, sólo era cuestión de tiempo que conociera a Henry.

En la parte de atrás de Winterville Court hay un jardín alargado de unos diez por quince metros cuadrados con muchos árboles, un enclave idílico con un par de bancos de madera, uno enfrente del otro en el lado este y el oeste, y al fondo una mesa de pícnic. Edgar y yo solíamos sentarnos allí en los meses de verano a leer o tomar el sol, y a Caden de pequeño le gustaba corretear libremente con sus amigos. A medida que me hacía mayor, sin embargo, cada vez pasaba menos tiempo en el jardín; el día que nuestros caminos se cruzaron quizá hacía cuatro meses que no lo pisaba.

Esa mañana hacía calor y yo había abierto todas las ventanas para ventilar el piso, pero sentía un poco de claustrofobia, así que saqué mis gafas de sol del cajón, bajé con María Antonieta y me instalé en uno de los bancos con una botella de agua al lado, en un rincón donde las ramas colgantes de los árboles proporcionaban una agradable sombra. Retomé la lectura donde la había dejado, con la joven aventurera convirtiéndose en la delfina de Francia al casarse con Luis Augusto, una jugada maestra teniendo en cuenta que el novio ni siquiera tuvo el detalle de presentarse a la ceremonia.

No llevaba más de veinte minutos leyendo cuando empecé a notar que me observaban. Levanté la cabeza y miré a mi alrededor, pero no oí nada, así que volví a mi libro. Entonces, por fin, se abrió la puerta trasera por la que se accedía del edificio al jardín y asomó una cabecita. Me armé de valor, dado que el encuentro era inevitable, y me preparé para conocer al niño.

Mi gran temor cuando nació Caden era que me recordara a mi hermano —ésa era una de las razones por las que había confiado en tener una hija—, pero por fortuna salió a la familia de su padre y no guardaba con él ningún parecido. En cambio, Henry me retrotrajo ochenta años de inmediato y tuve que agarrarme al brazo del banco para serenarme.

Como mi hermano, el niño era bajito para su edad, tenía una mata de pelo castaño oscuro y un rostro liso y perfecto. Llevaba un pantalón corto de colores llamativos y un polo, y ya desde lejos vi que tenía los ojos de un azul intenso. Nos observamos el uno al otro, ambos inmóviles en nuestra posición. Era como si un fantasma hubiera salido de las cenizas para encararse conmigo. Al final, echó a caminar hacia mí con mucha cautela.

—Hola —dijo cuando llegó a mi lado.

—Hola —contesté yo.

Llevaba el antebrazo izquierdo escayolado desde la muñeca hasta el codo y apoyado en un cabestrillo. Miró las copas de los árboles y me pregunté si le gustaría trepar a ellos y si habría sido un accidente sufrido en su antiguo hogar lo que le había causado aquella lesión.

—Me llamo Henry —dijo el niño.

—Yo me llamo Gretel.

Eso lo sorprendió y se rió un poco.

—No puedo llamarla así —señaló.

—¿Por qué no?

—Porque tengo que llamarla «señora comosellame». Es de buena educación.

—Bien, pues en ese caso puedes llamarme señora Fernsby —dije—. Pero si quieres llamarme Gretel, no me importa. La verdad es que lo prefiero. No soporto las ceremonias.

—¿Como Hansel y Gretel? —preguntó.

—Sí, supongo que sí. ¿Conoces ese cuento?

Dijo que sí con la cabeza.

—Una bruja vieja y horrible los captura y los encierra. Luego los engorda e intenta cocinarlos en el fuego.

—Así es, pero no lo consigue.

—¿Usted tiene un hermano que se llama Hansel?

—No —contesté.

—¿No tienen ningún hermano, o no tiene ninguno que se llame Hansel?

No le respondí. Quizá porque estábamos hablando de cuentos se fijó en el libro de mi regazo y lo señaló.

—¿Qué está leyendo? —me preguntó.

—Una biografía de María Antonieta —dije, y levanté el libro para enseñarle la cubierta.

—¿Quién es?

—Quién era —lo corregí—. Era la reina de Francia, pero de eso ya hace más de... doscientos años.

—¿Y qué le paso?

—Le cortaron la cabeza —dije.

Henry abrió mucho los ojos y sus labios formaron una O. Confié en no haberlo asustado.

—¿Por qué? —preguntó muy sorprendido.

—El pueblo se sublevó —le expliqué—. Me refiero a los ciudadanos. Creían que el rey y la reina no los trataban bien y por eso organizaron una revolución.

Ahora el niño escuchaba atentamente. Imaginé que era un buen estudiante y que le interesaba el mundo que lo rodeaba, las cosas que habían sucedido en el pasado y las que estaban por venir.

—¿Cómo le cortaron la cabeza? —preguntó.

Yo sonreí. A los niños pequeños les encantan los detalles más truculentos.

—Había una máquina que se llamaba «guillotina». ¿Alguna vez has oído hablar de ella?

Dijo que no con la cabeza.

—Era muy alta, de madera, con una cuchilla cortada en diagonal en la parte de arriba. Los revolucionarios tumbaban a sus enemigos en el suelo y esa cuchilla les caía encima. Les cortaba el cuello; la cabeza caía dentro de un cesto. Por lo visto, las mujeres se sentaban en primera fila y lo observaban todo mientras hacían calceta. Pero eso no sé si es verdad o si es algo que se inventó Hollywood.

—¡Eso es horrible! —dijo él, pero me di cuenta de que en parte lo emocionaba imaginar algo tan horroroso.

—Sí —coincidí—. Aunque dicen que era indoloro. Se suponía que era una muerte humanitaria.

Frunció el ceño.

—¿Eso qué significa? —preguntó.

—Significa ser bueno con la gente —dije.

Se quedó pensando. Acto seguido se dio la vuelta y escarbó en la hierba con sus zapatillas de deporte como un toro que se prepara para embestir. De pronto salió corriendo hacia un rincón del jardín (con cuidado de no hacerse daño en el brazo lesionado) y volvió a la carrera, como si hubiera sentido la repentina necesidad de quemar energía. Siguió hablando como si tal cosa.

—¿Usted también vive aquí? —quiso saber, y yo asentí con la cabeza y señalé la ventana de la primera planta.

—Vivo justo encima de tu casa. En la puerta 2 —le dije.

—Yo vivo en la 1.

—Lo sé. ¿Y te gusta este sitio?

Se encogió de hombros como si a él le diera igual un sitio que otro.

—¿Tienes un dormitorio bonito? —le pregunté.

—Tengo un póster de Harry Potter en la pared. Y tengo todos los libros y once muñecos de los personajes.

—¿Los has leído?

—Dos veces. Pero ahora estoy leyendo esto.

Hasta ese momento no me había dado cuenta de que él también llevaba un libro bajo el brazo bueno, pero entonces lo sacó y me lo tendió.

—Mamá dice que antes de volver a leer *Harry Potter* tengo que leer algo diferente.

Fue como si me hubieran pegado una bofetada. Cuando Caden era pequeño, yo no le había dejado llevarse de la biblioteca el libro que Henry me estaba mostrando, a pesar de que el título lo había intrigado. Le dije que podía escoger lo que quisiera, cualquier libro para cualquier edad, excepto aquél.

—¿Qué pasa? —dijo Henry.

—Nada.

—Ha puesto una cara muy rara.

—Es que soy vieja —le expliqué.

—¿Cuántos años tiene? —me preguntó.

—Ciento veintiséis —contesté, y por lo visto mi respuesta le pareció perfectamente razonable.

—Yo sólo tengo nueve —señaló.

En el extremo opuesto del jardín se abrió la puerta del edificio y Madelyn salió con gesto de preocupación. Al ver que estábamos allí hablando, o mejor dicho, al ver que Henry estaba vivo, se llevó una mano al pecho, como si se hubieran esfumado de golpe los horrores que su ausencia había inspirado a su imaginación.

—¡Por fin te encuentro! —gritó, y el niño se dio la vuelta.

—Ésa es mi mamá —me explicó.

—Sí, lo sé —dije—. Ya nos conocemos.

—¡No molestes a la señora Fernsby, Henry! —gritó Madelyn—. Ven aquí.

Henry obedeció sin rechistar y me impresionó lo dócil que era.

—Adiós, Gretel —se despidió.

—Adiós, Henry —dije yo, y luego, antes de que se alejara demasiado y no pudiese oírme, le grité—: ¡Ah, Henry!

Él se dio la vuelta y me miró con curiosidad. La puerta seguía abierta, pero Madelyn había desaparecido; debía de haber vuelto a su piso.

—¿Qué te ha pasado en el brazo? —le pregunté.

Me miró fijamente y luego se miró el brazo lesionado. Vi que trataba de articular una respuesta y que achicaba los ojos como si no recordara qué debía decir. Luego, sin pronunciar una palabra, se dio la vuelta, corrió hasta el edificio, entró y cerró de un portazo.

Entonces me di cuenta de que se había dejado su ejemplar de *La isla del tesoro* encima del banco.

16

Unos días después de la excursión al río, bajé a buscar a Émile a la tienda de monsieur Vannier, pero a quien encontré fue a su padre, que me saludó con muy poca simpatía. Era la primera vez que hablábamos, pero me di cuenta, por su rictus amargo, de que no veía con buenos ojos que me relacionara con su hijo.

—Tendría que haber vuelto a las dos —me dijo sacándose un reloj de bolsillo del chaleco y dando unos golpecitos en el cristal. Llevaba las uñas largas para ser un hombre y las miré con cierta repugnancia—. Y mira, ya son las dos y diez. No se puede confiar en él.

—Pero trabaja mucho —lo defendí—. Está completamente entregado a su trabajo y a usted.

Monsieur Vannier masculló algo incomprensible. No parecía estar de humor para que lo apaciguaran.

—Te llamas Gretel, ¿verdad? —me preguntó por fin, y yo asentí.

—Sí, Gretel Guéymard.

—Guéymard —repitió él despacio sin dejar de mirarme a los ojos.

Yo aparté la mirada, pues no quería que mi expresión me delatara y descubriese que hacía muy poco tiempo que llevaba aquel apellido.

—Y dime, ¿qué quieres de mi hijo, mademoiselle Guéymard?

—Su amistad, nada más —le contesté sorprendida por aquella pregunta.

—Un chico y una chica de vuestra edad no pueden ser sólo amigos. Siempre habrá sentimientos de por medio. Me da la impresión de que le has echado el ojo.

Negué con la cabeza. Me molestó que se atreviera a dirigirse a mí con aquel tono de superioridad, como Madre le hablaba a nuestra sirvienta, Maria, cuando vivíamos en Berlín o en aquel otro sitio. Yo todavía era lo bastante arrogante para creer que la gente debía tratarme con un respeto especial.

—Sólo nos estamos conociendo.

—No quiero que se distraiga del trabajo —dijo monsieur Vannier.

—Todos necesitamos distraernos de vez en cuando —argumenté envalentonándome.

Monsieur Vannier fue a decir algo, pero justo entonces sonó la campanilla de la puerta; nos dimos la vuelta y vimos entrar a Émile. El chico se apartó el pelo de la frente, se detuvo en medio de la tienda y nos miró a los dos, preocupado al ver que estábamos hablando.

—Papá, te presento a Gretel.

—Llegas tarde —replicó monsieur Vannier, que fue directo al mostrador y descolgó su abrigo de una percha.

—Me he entretenido. Lo siento.

Su padre refunfuñó y, sin decirnos nada más a ninguno de los dos, salió de la tienda y se marchó a comer. Émile me miró y compuso una sonrisa que revelaba turbación.

—Lo siento —dijo—. Cuando tiene hambre se pone de mal humor.

—No pasa nada. Pero me parece que no le caigo muy bien.

—Él es así. Se preocupa por mí.

—Seguro que cree que soy una mala influencia para ti.

—No, no es eso.

Arrugué el ceño y esperé a que me diera una explicación, pero Émile se acercó a mí y me besó de forma bastante torpe.

—No has venido a verme desde el domingo —dije—. El día que monsieur Toussaint nos llevó a Madre y a mí a Saint-Ouen.

—Lo siento —replicó—. He tenido mucho trabajo en la tienda. ¿Lo pasaste bien?

—No especialmente. Monsieur Toussaint se comportaba como si fuese un experto en barcas, pero la verdad es que estuvo a punto de hacernos volcar más de una vez. Quizá porque había bebido demasiado vino. Madre se puso a gritar y toda la gente que había en el río se quedó mirándonos. Pasé mucha vergüenza.

—Me habría encantado verlo —dijo Émile riendo.

—Y a mí me habría gustado que hubieses estado allí. Creo que...

Me interrumpí y él se acercó más a mí. Agaché la cabeza y clavé la vista en el suelo con la esperanza de que Émile se animara a levantarme la barbilla. Cuando lo hizo, lo miré a los ojos.

—¿Qué crees?

—Que monsieur Toussaint está enamorado de mí.

No pude menos que fijarme en que casi se le escapaba la risa. Eso me pareció insultante y me enfureció.

—¿Crees que lo digo en broma?

—Es muy mayor —protestó Émile—. Como mínimo tiene treinta y cinco años. Y tú sólo eres una cría.

—A los hombres de su edad les gustan las chicas más jóvenes. Los atrae nuestra inocencia.

—No sé si yo utilizaría esa palabra para describirte —dijo.

—¿Por qué no?

Me sorprendió su tono de voz, que me pareció hostil, pero él permaneció callado. Le sostuve la mirada. ¿Habría sido demasiado descarada al insinuarme?

—Estás siendo muy grosero —le dije.

—Sólo estaba bromeando. —Posó suavemente una mano en mi antebrazo—. No seas tan delicada.

Se acercó a la caja registradora, junto a la que había una caja de cartón; la cogió, la puso encima del mostrador y la abrió deslizando una afilada navaja por el sellado. Dentro había un extenso surtido de calcetines de todos los colores del arco iris. Me costaba imaginar que un hombre pudiera ponerse una prenda tan extravagante y me fastidió que Émile hubiese decidido ponerse a trabajar como si yo no estuviera allí. Quería que me dedicase su atención. Toda su atención. Consideraba que tenía derecho a exigirla.

—Bueno —dije por fin—. ¿Cuándo volveremos a vernos?

—Ya nos estamos viendo —contestó él.

—Ya sabes lo que quiero decir. ¿Por qué no me llevas otra vez a aquella cafetería? También podríamos ir a dar un paseo. O a lo mejor, alguna noche podríamos...

Me interrumpí. Él levantó la cabeza al detectar mi tono sugerente.

—Podríamos ¿qué? —me preguntó.

—Bueno, tu padre no está todo el día en casa, ¿verdad? Podríamos pasar un rato juntos. Arriba. —Y miré hacia la puerta del fondo de la tienda, detrás de la que, si no me equivocaba, había una escalera que daba acceso a la vivienda y al dormitorio de Émile.

Él miró también hacia allí y, cuando volvió a mirarme, vi el deseo reflejado en su cara. Me di cuenta de lo fácil que era recuperar la atención de un chico.

—¿En serio? —me preguntó con voz un tanto trémula.

—En serio —dije, y esbocé una sonrisa.

No me importaba que aquello me degradara. Lo principal era mantener vivo su interés y, de todas formas, yo quería hacer aquel rito de iniciación con él. Lo había deseado desde la primera vez que lo había visto.

Vino otra vez a mi lado y me besó, esta vez más apasionadamente. Cuando se apretó contra mí, noté su ardor y le puse una mano en el pecho.

—No quería decir ahora mismo —dije.

—Entonces ¿cuándo?

—Otro día. La semana que viene. ¿Cuándo sería un buen momento?

Émile lo meditó unos segundos.

—El jueves. Mi padre siempre va a visitar a su amiga los jueves por la noche y se ausenta durante varias horas.

—¿Qué clase de amiga?

—Una amante —contestó él avergonzado y, al mismo tiempo, como si esa idea lo asquease—. Se ven en secreto. Mi padre se marcha oliendo a colonia, pero vuelve apestando a perfume.

—Entonces no puede culparnos de nada, ¿no? —pregunté—. ¿Tú has...? —Vacilé. No sabía si podía indagar en su pasado cuando yo era tan reservada con el mío—. ¿Has estado con alguna chica?

Émile asintió y dijo:

—Sólo una vez. La noche que terminó la guerra. Ella era mayor que yo. No sé si estuve a la altura de sus expectativas. ¿Y tú? ¿Has estado con algún chico?

Negué con la cabeza. Él pareció sorprenderse; me puso una mano en la mejilla y deslizó suavemente el pulgar por ella. Tuve que contenerme para no arrastrarlo al piso de arriba en aquel mismo momento, pero sabía que no debía hacerlo. Quería acostarme con él, sí, pero quería algo más que eso. Necesitaba que Émile se enamorara de mí, que se casara conmigo, que me llevara lejos de Madre y me ayudase a construir una nueva vida que borrara mi pasado. Me pregunté si sería un error ofrecerme a él tan pronto, y si hacerlo esperar me ayudaría a lograr mi objetivo. Pero ya habíamos quedado el jueves y no pensaba desdecirme. Yo podía ser muchas cosas, pero no era ninguna calientabraguetas.

Nos besamos otra vez y, cuando por fin salí de la tienda, se me ocurrió una cosa.

—Entonces ¿crees que me equivoco respecto a monsieur Toussaint? —pregunté—. ¿Crees que no se está enamorando de mí?

Émile se encogió de hombros.

—Se enamora de todas las chicas que conoce. Jóvenes o viejas. Dicen que su deseo por las mujeres es insaciable.

—Ah, ¿lo conoces mucho?

—Lo conozco desde que era pequeño. Aunque él era mayor, era muy amigo de mi hermano. Louis lo admiraba. Era su héroe. Se unió a la Resistencia por Rémy.

Cavilé sobre aquello mientras salía a la calle, donde un viento frío me golpeó la cara, de pronto áspera y reseca. De modo que sí lo conocía. O mejor dicho, se conocían los dos. ¿Por qué me había mentido monsieur Toussaint?

17

Heidi Hargrave se había levantado con buen pie aquella mañana.

Estábamos tomando café en su piso mientras un técnico le arreglaba la cocina. Me había llamado por teléfono nada más llegar el técnico porque no le gustaba quedarse a solas con desconocidos. Unos diez años atrás se había producido un incidente: un tipo que se había hecho pasar por empleado de la compañía de gas se las había ingeniado para entrar en su salón y le había robado doscientas libras, y después de aquello Heidi se había vuelto desconfiada.

—¿Ya conoces a los nuevos vecinos? —me preguntó con tono confidencial, y yo asentí con la cabeza.

—He conocido a la mujer. Y al niño. Al marido todavía no. Por lo visto es productor de cine.

—Yo lo conocí anoche —dijo ella. Yo ignoraba que el señor Darcy-Witt había regresado de Los Ángeles y no había oído ni visto nada que delatase su presencia en Winterville Court—. De verdad —insistió al percatarse de mi escepticismo—. No me lo invento. Ya me dirás cuando lo veas.

—¿Por qué?

Heidi sonrió, se llevó una mano al pecho y batió las pestañas con una coquetería que me hizo reír.

—¿Sabes Richard Gere? —dijo.

—¿El actor? Sí.

—Pues me recordó a él. Sólo que es más guapo. Yo estaba abajo recogiendo el correo de mi buzón y él salió a recoger el suyo. Tuvimos una conversación muy agradable.

—¿Sobre qué?

—Sobre Winterville Court. Sobre cine. Huele como si se hubiera sumergido en sándalo. No sabía que los hombres pudiesen oler tan bien. ¡Y qué dientes! Gretel, no sé si son de verdad, pero son blancos como la nieve.

—Deben de ser fundas.

—Desde luego no son los dientes del inglés medio. Se nota que trabaja en el cine. ¡Ay, ojalá yo fuese veinte años más joven!

—¿Y el niño? —le pregunté—. ¿Has hablado con él?

—No, pero lo he visto jugando fuera. —Señaló una ventana que, como la mía, daba al jardín—. Los críos no me interesan mucho —añadió casi con desdén.

—Señora, voy a tener que cambiar el enchufe y los cables además de la placa. ¿Le parece bien? —dijo el técnico, que había entrado en la habitación con un gran destornillador en la mano y ofrecía un aspecto amenazador.

—Sí, sí. —Heidi sacudió una mano—. Con tal de poder hervir un huevo... Es lo único que me importa.

El técnico asintió y salió de la habitación. Yo me quedé mirándolo.

—¿De dónde es? —pregunté bajando la voz para que no pudiese oírme.

—No lo sé, no se lo he preguntado. Supongo que de algún país europeo. ¿Por qué?

—No, por nada —dije—. Entonces ¿te ha caído bien? ¿Parecía simpático?

—¿Quién? ¿El chico que me está arreglando el horno?

—No, el señor Darcy-Witt. El vecino de abajo.

—Ah, sí. Se llama Alex.

—Sí, eso me dijo su mujer.

—Alexander, supongo.

—Seguramente.

—¿Cómo es la mujer?

Lo pensé antes de responder.

—No sabría decirte. Me pareció que estaba un poco desorientada. Como distraída. O abrumada por todo el jaleo de mudarse a una casa nueva.

—¿Parece feliz?

—No especialmente, la verdad. No trabaja. Insinuó que su marido no quiere que trabaje. Antes era actriz. Así fue como se conocieron.

—Es guapa —dijo Heidi—. Eso hay que reconocerlo.

—Creía que no la habías conocido todavía.

—No la he conocido, pero la he visto. Siempre miro por la ventana cuando oigo abrirse el portal. Me gusta saber quién entra y quién sale.

Fruncí el ceño y me pregunté si anotaba los movimientos de todos los vecinos en una libreta. Quizá hubiese empezado a hacerlo después del robo.

—Es muy joven para estar todo el día sentada sin hacer nada, ¿no te parece? —opiné—. Una joven como ella debería estar ganándose la vida fuera de casa, y no dependiendo de su marido.

—No está todo el día sentada —protestó Heidi, que había disfrutado más que yo siendo ama de casa y no aceptaba que se criticara esa ocupación—. Para empezar tiene que ocuparse del niño.

—El niño tiene nueve años —razoné—. Supongo que pasa la mayor parte del día en el colegio. A lo mejor ella es de esas mujeres que van al gimnasio por la mañana, quedan con sus amigas para comer y a la hora de la cena ya están piripis de tanto cóctel.

Eso había sido cruel por mi parte, pero estaba de un humor extraño.

—Al niño no lo conozco —repitió.

Tomé un sorbo de café y no dije nada. Heidi entraba y salía de las conversaciones de forma curiosa; estaba perfectamente lúcida y de pronto se iba, como cuando tomas una fotografía una milésima de segundo después de que el sujeto se haya movido. No está del todo desenfocado, sólo un pelín borroso.

—Bueno —dije para cambiar de tema y hablar de lo que realmente me interesaba—. ¿Qué es eso que me han contado de Australia?

—¿Australia? —Heidi se extrañó—. ¿Qué pasa en Australia?

—El otro día me encontré a Oberon. Y me contó que quiere irse a vivir allí y llevarte con él.

Se quedó mirándome como si me hubiese vuelto loca.

—¿Que te dijo qué? —replicó inclinándose hacia delante.

—Lo que oyes. —Me encogí de hombros—. ¿Qué pasa? ¿No es verdad?

—Sí, me contó lo de su oferta de trabajo —admitió—. Y mencionó algo de que yo podía ir con él, pero le dejé muy claro que de aquí no me sacarían más que con los pies por delante. ¡Yo en Australia! ¿Te imaginas?

—Ah, vale —dije aliviada—. Pensaba que íbamos a perderte.

—Tengo casi setenta años, Gretel. —Ella rió—. ¿En serio que me imaginas en Nueva Zelanda jugando con canguros, ualabíes y qué sé yo?

—En Australia —aclaré.

—Es una idea ridícula.

Antes de que pudiese decir nada más, oí abrirse una puerta en el piso de abajo y las dos miramos por la ventana. Henry había salido al jardín y caminaba hacia el banco. Se sentó, abrió su libro (yo había dejado *La isla del tesoro* junto a su puerta, suponiendo que él lo encontraría allí) y se puso a leer. Tal vez notase que lo estaban observando, porque miró hacia nosotras y nos dimos la vuelta con un respingo, como si nos hubiesen sorprendido haciendo algo indebido.

—Me pareció que Oberon tenía muchas ganas de que fueras con él —continué, escogiendo mis palabras con cuidado. No quería disgustarla ni causar problemas entre abuela y nieto, pero tampoco quería que se aprovecharan de ella—. Me parece que cree que sería económicamente útil que fueras.

—Quieres decir que va detrás de mi dinero.

—Bueno, no exactamente. Es un buen chico, ya lo sé. Siempre ha sido muy atento. Supongo que piensa que, con tu ayuda, lo tendría más fácil para empezar.

—Pues ya puede esperar sentado —dijo Heidi con desdén—. Quiero mucho a Oberon, lo quiero muchísimo, y sabes cómo lamentaría que se marchara, pero la respuesta es no. Si me fuera a vivir a Australia, no duraría ni un mes. No entendería a la gente, ni el dinero, ni el idioma...

—Heidi, en Australia hablan inglés.

—¿Estás segura, Gretel? —preguntó frunciendo el ceño.

—Sí, segurísima.

—No importa. Sería como irme a vivir a Marte. No, no pienso moverme de aquí. Algún día Oberon heredará este piso, no cabe duda, pero espero que para eso falten unos cuantos años.

Mi mal humor se esfumó al instante. No había confusión alguna: Heidi no habría podido hablar con más claridad. El técnico volvió a aparecer y le dijo que había terminado el trabajo: su cocina volvía a funcionar como Dios manda, ya podía hacer huevos duros, fritos o pasados por agua, y le entregó un albarán para que lo firmara. Ella le dio las gracias y se levantó para acompañarlo a la puerta. Cuando regresó, yo también me había levantado y me despedí de ella. No nos besamos; nunca nos besamos. Ni ella ni yo somos francesas.

Cuando salí al pasillo que separa nuestros pisos, el técnico todavía estaba allí, apoyado en la escalera y mirando algo en su teléfono. Alzó la vista, me saludó con una cabezada y siguió concentrado en la pantalla.

—¿Le importa que le pregunte de dónde es usted? —dije con la llave de mi puerta ya en la mano. Su acento me había resultado familiar, pero no acababa de identificarlo.

—De Holborn —respondió.

—Ya, pero me refiero a sus orígenes.

El hombre titubeó. Quizá pensara que me disponía a hacer algún comentario desagradable sobre los inmigrantes.

—De Polonia —dijo.

—¿De qué ciudad de Polonia?

—De Mikolów. Está en el sur, cerca de Katowice. ¿Conoce usted Polonia?

Negué con la cabeza. No iba a contarle que había vivido allí de niña. Él me miró el brazo, pero yo llevaba una blusa de manga larga. De forma instintiva me tapé con el brazo derecho el sitio del brazo izquierdo donde habría tenido el tatuaje si me lo hubiesen hecho.

—Mi abuela... —empezó a decir él, pero me apresuré a negar con la cabeza y lo interrumpí.

—No, no, no es eso —dije, lamentando haber iniciado la conversación y avergonzada por haberle hecho creer que yo había estado internada en un campo, aunque no lo había hecho adrede—. Me ha malinterpretado.

Metí la llave en la cerradura y entré en el piso precipitadamente, jadeando y con sensación de claustrofobia. Abrí las ventanas y respiré con fuerza la brisa que entraba por ellas. Henry, que estaba abajo leyendo, alzó la cabeza y me miró de hito en hito.

Entonces hizo algo que me desconcertó: levantó poco a poco el brazo derecho y me apuntó con el índice. Ni siquiera movió los labios, pero mantuvo la mano en alto hasta que, asustada, me di la vuelta.

18

El jueves por la noche me di un largo baño y gasté tanta agua caliente que nuestra casera se puso a aporrear la puerta y me gritó que, si volvía a oír el grifo, nos echaría a Madre y a mí a la calle. Pero yo quería estar limpia para Émile. Quería sentirme tan pura como fuese posible.

Luego, sentada ante el tocador, me apliqué algunos ungüentos y perfumes de Madre, y mientras me cepillaba el pelo me observé en el espejo. Sabía que era guapa —estaba acostumbrada a recibir miradas de lisonja por la calle—, pero notaba que mis ojos carecían de vida. Una vez, en Berlín, cuando era pequeña, la Abuela me había dicho que eran mi rasgo más bonito y que los hombres se enamorarían de mí por mis ojos, y yo, vanidosa, había anhelado el día en que sus previsiones se hiciesen realidad. Ahora mis ojos eran del color del alambre de espino, de los hornos herrumbrosos, del humo y la ceniza.

Llevaba unos días preocupada por si me había ofrecido a Émile demasiado pronto. Madre me había advertido que a los hombres no les gustan lo que ella llamaba «mercancías defectuosas» y que, a pesar de que a ellos no se les exige lo mismo, en la noche de bodas todo marido espera que su mujer sea virgen. Desde la primera vez que lo había visto, había convertido a Émile en un instrumento para llevar a cabo mi plan de conseguir cierta independencia de la única familia que me quedaba, pero si le dejaba hacerme el amor, ¿me cambiaría más adelante por otra chica más íntegra?

Sin embargo, ya era demasiado tarde para rectificar. No pensaba ser como aquellas chicas que le hacían promesas a un chico y luego lo decepcionaban.

Me puse mi vestido más bonito, la única prenda buena que me había llevado cuando nos marchamos de aquel otro sitio, y posé una mano sobre mi abdomen para aplacar los nervios. La ansiedad me producía mareo, pero también notaba un cosquilleo de emoción. Miré por la ventana y esperé hasta que vi salir a monsieur Vannier para dirigirse a su cita habitual; entonces bajé la escalera, crucé la calle y llamé a la puerta de la tienda.

—Has venido —dijo Émile, que estaba esperándome entre los maniquís.

Me pareció ver que temblaba ligeramente cuando descorrió el cerrojo para dejarme entrar. Luego la llave le resbalaba de los dedos y necesitó varios intentos para cerrar la puerta.

—Te dije que vendría —repliqué tratando de aparentar sofisticación.

Se notaba que Émile estaba contento, aunque me asustó su forma de mirarme. No tenía muy claro si quería besarme o matarme.

—¿Subimos? —dije, y él asintió y me guió por la tienda, apagando luces a su paso.

Me dio la mano y empezamos a subir la escalera hacia el pequeño apartamento que compartía con su padre, y yo miré a mi alrededor intrigada por lo bien cuidada que los dos hombres tenían la casa. Estaba todo perfectamente ordenado, igual que en la tienda, lo que no me sorprendió. Monsieur Vannier siempre me había parecido un tipo quisquilloso, de esos a los que les molesta la más mínima cosa fuera de sitio.

En una mesita había un retrato enmarcado de los padres de Émile (deduje que la mujer era su madre) el día de su boda. Se los veía a los dos tremendamente tristes.

—Es terrible, ¿verdad? —afirmó Émile, y rió un poco mientras me observaba—. Ni que fueran a un funeral.

—¿No eran felices juntos? —pregunté y me volví hacia él.

—Ah, sí —dijo él poniéndose a la defensiva—. Se querían muchísimo.

—A lo mejor sólo estaban nerviosos —especulé.

—O tuvieron alguna premonición de lo que les deparaba el futuro. Mi padre luchó en la primera guerra, por supuesto. Y luego tuvo un hijo que murió en la segunda.

Desvié la mirada. No soportaba hablar de la guerra.

—¿Me das unos minutos, Gretel? —me preguntó tras un incómodo silencio—. Llevo todo el día trabajando y creo que debería darme un baño.

—Claro —dije yo pese a que, en parte, me habría gustado que se quedara como estaba, con el olor de un día de trabajo impregnado en la piel.

Se metió en otra habitación y oí el grifo de la bañera seguido del ruido de su ropa al caer al suelo del cuarto de baño. Me excitaba imaginármelo desnudo, lavándose para luego estar conmigo.

Había más fotografías repartidas por la habitación y fui examinándolas una a una. La primera era de Émile cuando era sólo un niño, sonriendo a la cámara. También había una de un niño algo mayor; deduje que debía de ser su hermano Louis. Era sumamente atractivo; tenía el pelo castaño oscuro, la mirada firme y empujaba la barbilla hacia delante como si quisiera reafirmar su masculinidad. Llevaba puesta una gorra de trabajo, no como las que vendía monsieur Vannier en su tienda, sino como las de los obreros de las fábricas. Iba sin afeitar y la barba rala acentuaba su atractivo. Era un hombre fuerte, un hombre dispuesto a defender su país hasta la muerte. Dejé la fotografía en su sitio y me lo imaginé de pie ante el pelotón de fusilamiento, con un brazo en alto mientras las balas atravesaban su joven cuerpo.

Me llegó el ruido de la bañera al vaciarse; salí presurosa del salón y recorrí el pasillo. Había dos dormitorios, uno con una cama de matrimonio y otro con dos camas individuales; entré en el segundo. Una estaba sin hacer: ni siquiera había colchón y lo único que quedaba era la estructura de hierro y los muelles tendidos entre las barras de apoyo. La otra cama estaba cuidadosamente hecha. Me pregunté si Émile siempre le prestaba tanta atención o si ese día se había esmerado sólo por mí. Entre las dos camas apenas quedaba espacio para una estrecha cajonera sobre la que había otra fotografía en la que aparecían los dos hermanos de pie. Tenían cada uno un brazo sobre los hombros del otro, pero mientras que Louis miraba risueño a la cámara, Émile miraba a su hermano con una expresión cercana a la devoción. En aquella cara había tanto cariño que me pregunté cómo se las ingeniaba Émile para seguir viviendo sin él. Yo también quería a mi hermano, por supuesto, pero lo perdí cuando los dos éramos unos críos. Si él hubiese sobrevivido, supongo que con el tiempo nuestra relación habría evolucionado y también nos habríamos hecho amigos. Pero eso ya no podía suceder. Mi hermano estaba muerto. Louis estaba muerto. Millones de hermanos estaban muertos.

Me sobresaltó un ruido a mi espalda y, al darme la vuelta, vi a Émile en el umbral, desnudo y con una toalla alrededor de la cintura. Me sorprendió verlo sin ropa y me puse colorada. Tenía el torso delgado y sin vello, y los músculos bien definidos. Estaba impaciente por saber qué sentiría al acariciar su piel. Él debió de adivinarlo, porque sonrió y vino hacia mí. Nos besamos y noté que se excitaba.

—Antes de hacer esto —dijo separándose de mí un momento. Aspiré el perfume almizclado de su piel todavía húmeda y cerré los ojos. Nunca me había sentido tan débil en manos de otra persona. En aquel instante Émile habría podido pedirme cualquier cosa, que saltara por la ventana, que me prendiera fuego, y yo lo habría obedecido—. Antes de hacer esto —repitió— necesito pedirte algo.

—¿Qué? —dije, y lo miré.

—Este domingo. Dentro de tres días. ¿Podrás quedar conmigo por la noche?

—Claro que sí —dije, y fui a besarlo otra vez, pero él me detuvo.

—Necesito que me lo prometas. El domingo a las seis en punto. ¿No me fallarás, pase lo que pase hasta entonces?

Fruncí el ceño. No entendía por qué se distraía con algo tan irrelevante en un momento como aquél.

—Te lo prometo —dije—. El domingo a las seis en punto. Te esperaré delante de la tienda. ¿Por qué? ¿Adónde quieres llevarme?

Sonrió y negó con la cabeza.

—Es una sorpresa —dijo—. Tienes que confiar en mí.

—Ya confío en ti —aseguré—. Confío plenamente en ti.

Satisfecho con mi respuesta, empezó a desabrocharme los botones del cuello del vestido mientras, con manos temblorosas, yo le deshacía el nudo de la toalla. Émile cerró la puerta de una patada con el pie descalzo y, con más seguridad de la que yo esperaba, me condujo hasta su cama.

Sin embargo, cuando se tumbó encima de mí y hundió la cara en mi cuello y empezó a embestir con su cuerpo dentro del mío, me di cuenta de que no podría obtener de su amor tanta satisfacción como había esperado. La cama vacía que teníamos al lado parecía un juicio sobre mi pasado. Oía la voz de su hermano, o del fantasma de su hermano, aguijoneando a Émile, diciéndole que no tuviese piedad conmigo, que obtuviera la máxima gratificación que pudiese y me negara la mía.

Que me hiciese daño si eso lo complacía.

19

Nada más despertar, supe que pasaba algo raro.

A diferencia de mucha gente de mi edad, mi rutina de sueño raramente sufre alteraciones. Suelo acostarme después de las noticias de las diez y, aunque pongo el despertador a las siete, mi cerebro está tan acostumbrado a despertarse a esa hora que mis ojos se abren unos minutos antes de que suene; entonces estiro el brazo y pulso el botón para no comenzar el día con sus pitidos.

Esa noche, no obstante, cuando desperté de golpe, la habitación todavía estaba a oscuras. Encendí la lámpara de la mesilla de noche y miré la hora. Era poco más de la una. Suspiré; me había desvelado por completo y me aterraba la perspectiva de permanecer despierta durante horas. Me planteé prepararme una infusión con la esperanza de que me ayudara a conciliar el sueño de nuevo, pero aún no me había decidido cuando un estruendo resonó por todo el edificio. Me levanté de la cama y fui a investigar. Era insólito que algo alterase la paz de Winterville Court a aquellas horas, pero el ruido había sido tan fuerte que yo no podía ser la única vecina que lo hubiese oído. Habían cerrado una puerta con tanta violencia que debían de haber estado a punto de hacerla saltar de los goznes. Me puse la bata, fui al salón y a punto estuve de darle al interruptor de la luz, pero en el último momento cambié de idea. Tal vez fuese mejor seguir a oscuras.

Me quedé muy quieta y agucé el oído, a la espera de lo que pudiese pasar a continuación, y entonces oí gritos que provenían del piso de abajo. Era Henry, estaba segura. Parecía en apuros. Me acerqué a la ventana que daba a la calle y descorrí un poco la cortina. Las farolas bañaban la acera con un resplandor cálido y agradable, pero lo que vi me produjo una gran impresión.

Madelyn Darcy-Witt estaba sentada en el bordillo con la cabeza entre las rodillas y la larga melena cubriéndole las piernas. Sólo llevaba unas bragas y el sujetador a juego. Por cómo se mecía adelante y atrás, deduje que estaba llorando. Me di la vuelta y miré a mi alrededor como si fuera a encontrar una respuesta a su comportamiento en mi salón.

No sabía qué hacer. Volví a apartar la cortina y me asomé. Ahora se había levantado y estaba muy erguida, con los brazos en alto y la pierna izquierda a unos palmos del suelo, como si realizara una postura de yoga, con las palmas de las manos juntas por encima de la cabeza. Mantuvo esa postura unos instantes hasta que pareció que perdía la fuerza; se tambaleó y estuvo a punto de caerse. ¿Estaría borracha?

Miró en torno a ella —en la calle no había nadie más—; acto seguido cogió una piedra de uno de los parterres de flores, la sostuvo en la mano derecha y la examinó un momento antes de, sin previo aviso, golpearse con ella la frente. No se dio con fuerza: sólo lo suficiente para hacerse unas magulladuras, pero sin rasgar la piel. Solté un gritito y me di la vuelta, decidida a bajar corriendo y salir a la calle antes de que Madelyn se hiciera más daño. Pero no me dio tiempo: oí abrirse el portal y, a continuación, la voz de un hombre que gritaba un insulto de dos sílabas. Lo vi salir a grandes zancadas, furioso. Me aparté de la ventana cuando el hombre se acercó a Madelyn —quería evitar a toda costa que él me viese—, pero aun así pude ver que le rodeaba la cintura con un brazo y la levantaba. Ella gritó, renegando y gimiendo, y se puso a patalear, pero se calló al entrar en el edificio, y me pregunté si él le habría tapado la boca con una mano.

La puerta de su casa se cerró de golpe y el portazo resonó por la escalera. Luego no se oyó nada más.

Me quedé paralizada, conmocionada por lo que acababa de ver; luego fui derecha al mueble bar y me serví un poco de whisky para tratar de calmarme. La escena había sido traumática.

Tardé veinte minutos en recuperarme lo suficiente para pensar en acostarme, pero, nada más levantarme, la puerta de abajo se abrió de nuevo y oí gritar al hombre. Esta vez, enfadada, quise bajar y recordarle que en Winterville Court vivían otros vecinos, pero no tuve valor para hacerlo. Oí unos pasos más ligeros corriendo por el edificio hacia la parte trasera. Volví a mi dormitorio y me asomé a la ventana que daba al jardín.

Hace unos años se instaló un sensor de movimiento exterior a raíz de unos robos que se habían producido en el barrio. Afortunadamente el sensor ignora a los visitantes nocturnos del reino animal, pero enciende la luz cuando detecta a una persona. Y eso fue lo que sucedió. Alcancé a ver un leve movimiento en los árboles. Era Henry. Iba descalzo y llevaba un pijama de rayas, y la luz hacía destacar su cabestrillo blanco. Parecía aterrorizado y yo también temí por él. Entonces una voz gritó:

—¡Henry!

Un hombre, el mismo que había arrastrado a Madelyn adentro, estaba ahora fuera, vestido con vaqueros y camisa blanca; con las mangas enrolladas, mostrando unos fuertes antebrazos. Incluso desde aquella distancia se apreciaba lo musculoso que era y pensé que su presencia podía resultar intimidante para cualquiera, mucho más para un niño.

Henry se escondió entre la vegetación mientras el hombre seguía llamándolo con una voz que revelaba una cólera desmedida. Vi que el niño se movía en busca de otro escondite más seguro. Pegué la frente al cristal de la ventana y mi movimiento debió de alertarlo, porque miró hacia arriba y me vio. La luz del sensor iluminó su cara y vi el miedo y la desesperación en sus ojos. Se llevó el dedo índice de la mano buena a los labios instándome a guardar silencio, y aquel breve movimiento debió de bastar para que su padre lo descubriera porque se plantó a su lado en cuatro zancadas y, a pesar de que el niño retrocedió, lo levantó como si no pesara nada.

Pero el señor Darcy-Witt agarró a su hijo con torpeza y debió de lastimarle el brazo lesionado, porque Henry gritó de dolor; entonces lo soltó y lo dejó caer al suelo. Se quedó de pie junto al niño y por un instante creí que iba a propinarle una patada, aunque no lo hizo; estuvieron unos segundos parados componiendo un cuadro aterrador hasta que Alex volvió a levantar al niño y lo abrazó con más cuidado, de una forma que no se correspondía con la ferocidad de su semblante.

Quise desviar la mirada, pero no pude. Toda aquella escena había sido sumamente desagradable, y pensé que sólo si permanecía inmóvil podría pasar inadvertida. Pero debía de haber algo que alertó al señor Darcy-Witt de que lo estaban observando, porque antes de entrar en el edificio se detuvo, se quedó muy quieto y acto seguido alzó la vista y nuestras miradas se encontraron. Reconocí aquella expresión: la había visto de niña cuando vivía en aquel otro sitio. Era la expresión de la cara de los soldados, de todos ellos, casi sin excepción. El deseo de hacer daño. Ese convencimiento de que nadie podía detenerlos. Me quedé hipnotizada: no podía desviar la mirada y, por lo visto, él tampoco. Nos la sostuvimos durante quizá veinte segundos y entonces retrocedí hasta que tropecé con mi cama. Oí cerrarse el portal y cómo lo cerraban con llave por dentro, y a continuación unos pasos dirigiéndose hacia el piso de abajo. Deduje que estaba devolviendo el niño a su madre. Luego oí una voz que decía: «Que no se mueva de aquí.»

Se produjo un silencio hasta que, horrorizada, oí que los pasos empezaban a subir la escalera. Caminé sigilosamente por el salón para asegurarme de que la puerta estaba cerrada con llave y el pestillo echado. El corazón me latía con fuerza mientras los pasos se acercaban más y más, y cuando miré por la mirilla vi una imagen distorsionada en el pasillo.

Alex Darcy-Witt estaba allí de pie y me miraba fijamente. No me atreví a moverme. Me pregunté si él estaría viendo la tenue sombra de mis pies por la rendija de la puerta. Dio un paso adelante y entonces levantó la mano derecha y puso el pulgar sobre la mirilla. Lo mantuvo allí mucho rato, impidiéndome ver. Me aparté y volví al salón; no sabía qué hacer. ¿Debía llamar a la policía? ¿O a Caden? Pero mi hijo vivía muy lejos. Tenía el número de Oberon en el teléfono, y él vivía más cerca, pero no podía pensar con lucidez. Todavía no estaba realmente asustada, aunque sabía que el miedo no tardaría en aparecer.

Por fin, tras permanecer inmóvil unos diez minutos, volví despacio hasta la puerta y, temerosa, miré de nuevo por la mirilla. Esta vez el pasillo estaba vacío y lo único que vi fue lo de siempre: la puerta de Heidi enfrente de la mía.

Afortunadamente el resto de la noche transcurrió en silencio. Lo sé porque no volví a conciliar el sueño.

20

¿Me sentí diferente después de acostarme con Émile? No me arrepentía, desde luego, pero tampoco podía afirmar que me hubiese gustado la experiencia. Durante el coito él se había mostrado brusco y agresivo y no había parecido importarle el hecho evidente de que me estaba haciendo daño. En dos ocasiones le había pedido que tuviese más cuidado y, aunque él había cedido, no había tardado en volver a su ritmo despiadado. Yo sabía que era natural sangrar un poco, pero la violencia con que Émile hacía el amor, si es que podía llamarse así, dejó en la sábana una mancha que parecía más grande de lo normal, y después sentí mucho dolor. Para mi consternación, cuando terminó, Émile se mostró indiferente hacia mí, muy distinto del chico tierno y sensible que yo creía que era; y mientras recogía mi ropa para marcharme, volvió a insistirme sobre nuestros planes para el domingo siguiente. Ya en casa, acostada en la cama que compartía con Madre, lloré. Nunca había estado tan desanimada desde nuestra llegada a París.

Aun así, después de tres días evitándolo, me convencí de que Émile no había sido tan despiadado conmigo a propósito. Al fin y al cabo, él también era casi virgen y tal vez los chicos necesitaran tiempo para aprender a ser cariñosos. Me planteé pedirle consejo a Madre, pero no estaba segura de cómo encajaría la noticia. Monsieur Toussaint la había invitado a cenar y ella estaba tan entretenida preparándose para su cita que dudé que le interesara escuchar mis tribulaciones.

—Dice que recordaré esta noche el resto de mi vida —me dijo radiante de emoción—. Me parece que me va a pedir que me case con él, Gretel. Bueno, estoy segura. Y entonces terminarán todos nuestros problemas.

Me cuestioné qué sentía realmente respecto a eso. Sería maravilloso salir de aquella pequeña habitación, por supuesto, y vivir en un sitio donde tuviese mi propio espacio, pero no me atraía demasiado la idea de tener un padrastro, y menos aún aquel padrastro.

—¿Le vas a decir que sí? —pregunté con un tono que delataba mi ansiedad.

—Pues claro —contestó Madre—. Así ya no tendré que fingir que soy la viuda de Guéymard. Seré una mujer casada, madame Toussaint, y volveré a tener una posición social respetable.

—¿Y para qué nos sirvió eso en el pasado?

—Para seguir vivos, ¿no?

—A algunos sí.

Me miró como si estuviese empleando toda su fuerza de voluntad para no abofetearme.

—¿Qué te pasa? —me espetó—. ¿No quieres vivir en una casa grande y tener vestidos bonitos y un pretendiente mejor que ese tendero?

Me costó encontrar una respuesta. Sí, había una parte de mí que quería todas esas cosas —no podía negar que había disfrutado de muchos privilegios por ser la hija de quien era—, pero también me daba miedo. Sabía lo transitorias que podían ser esas cosas.

—Siempre podríamos marcharnos —dije.

—¿Marcharnos? —Madre frunció el ceño—. ¿Marcharnos adónde? ¿Marcharnos de París?

—Sí.

Se quedó mirándome como si me hubiese vuelto loca.

—¿Marcharnos de París cuando estamos a punto de conseguir eso por lo que vinimos aquí? ¡No digas bobadas, Gretel! ¿Adónde íbamos a ir?

—A cualquier sitio. Podríamos volver a empezar. Con nuestros nombres antiguos.

—¡¿Quieres que te metan en la cárcel?! —me gritó; estaba furiosa—. Porque eso sería lo que pasaría. ¿Quieres que nos lleven a Núremberg para responder por los crímenes de tu padre? ¿Quieres que seamos el blanco de todas las miradas, que nos condenen, que nos llamen cosas horribles?

—¿Los crímenes de...? —empecé a decir. Me parecía increíble que Madre fuera capaz de cargarse de un plumazo su parte de culpa en lo sucedido. Y mi parte.

—¡Sí, los crímenes de tu padre! —gritó—. Los suyos. Sus crímenes. No los míos. Ni los tuyos.

—Pero nosotras... —dije negando con la cabeza y, consternada, me dejé caer en la cama.

—¿Nosotras qué?

—Nosotras también somos culpables —respondí, esta vez sin vacilar.

Ni siquiera la vi levantar la mano antes de notar su bofetada. El escozor tardó unos segundos en convertirse en dolor, pero no me toqué la cara. Quería que Madre viese la marca que me había dejado.

—Nosotras no somos culpables de nada —dijo como si me escupiera.

—Claro que sí —la contradije mientras las lágrimas empezaron a resbalar por mis mejillas e intentaba enjugármelas—. Tú tenías que saberlo.

—Yo no sabía nada —insistió—. Y tú tampoco.

—Yo estuve allí. Entré, ¿te acuerdas? Con Padre y Kurt.

—Cierra la boca, estúpida —dijo en voz baja y mirando a su alrededor, como si temiese que alguna misteriosa presencia pudiera estar escuchando aquella conversación, oyendo cada palabra—. Yo era una esposa que obedecía las órdenes de su esposo, como prometí hacer el día que nos casamos. Y tú eras una niña. Y aquellos judíos... aquellos asquerosos judíos...

—No, por favor —supliqué.

—¡La de problemas que llegaron a causar antes de la guerra! ¡Y la aflicción que están causando desde que terminó! Ya sabes que no me interesa la política, pero, cielo santo, cuando ves lo que está ocurriendo, cómo se están vengando, ¿no crees que el Führer estaba en lo cierto? ¡Qué gentuza! Tu padre tenía razón. No son personas.

La miré sin dar crédito a lo que estaba oyendo; le brillaban los ojos y tenía las mejillas encendidas de rabia. Solté un suspiro y de mis labios se escapó una frase que no me había propuesto articular, una frase que hasta ese momento jamás me había pasado por la cabeza. Y sin embargo era completamente cierta:

—Ojalá me hubiese muerto yo y no él.

Madre no dijo nada. El silencio que se produjo se prolongó tanto que me pregunté si algún día volveríamos a hablar. Al final ella sonrió, se dio la vuelta y se miró por última vez en el espejo, como si aquella conversación nunca hubiese tenido lugar.

—Si quieres, puedes esperarme levantada —dijo por fin con un tono de voz de lo más normal—. Espero regresar con buenas noticias. Entonces, querida hija mía, podremos empezar de cero. El pasado ya no existirá. Será como si las dos hubiésemos vuelto a nacer.

Casi una hora más tarde llamé a la puerta de la tienda de monsieur Vannier; fui a besar a Émile, pero él esquivó mis labios. Parecía distraído, incluso nervioso, y le pregunté si le pasaba algo.

—No —me contestó mientras me guiaba por las calles, siguiendo un rumbo desconocido para mí.

—Pues estás muy callado.

—Tengo cosas en que pensar, nada más.

—¿Qué cosas? A mí puedes contármelo.

Negó con la cabeza y me llevó por la rue des Carmes, más allá del Panteón y hasta una serie de callejuelas que yo todavía no había explorado. Daba la impresión de que sabía perfectamente adónde iba; sin embargo, yo estaba inquieta. Tenía que caminar deprisa para seguirlo.

—¿Adónde me llevas? —le pregunté.

—A un sitio especial. Confía en mí: recordarás esta noche el resto de tu vida.

Fruncí el ceño. Aquélla era la misma frase que monsieur Toussaint había utilizado para describirle a Madre la cita de esa noche. ¿Sería una coincidencia, o habría algo más? Lo agarré por el brazo y él se detuvo.

—¿Qué pasa? —Émile se apartó el pelo de los ojos y me miró enojado.

—Necesito preguntarte una cosa —dije.

—¿Qué cosa?

—El otro día, cuando nos llevó a Madre y a mí en coche a Saint-Ouen, monsieur Toussaint te llamó por tu nombre. Luego me dijo que no te conocía, y en cambio tú me dijiste que lo conocías desde hacía mucho. ¿Por qué me mintió?

Émile sonrió. No supe descifrar su sonrisa, pero intuí que ocultaba algo amargo. Algo cruel.

—Podría explicártelo —dijo, y señaló una puerta que había a nuestra izquierda—, pero ya hemos llegado. Espera un momento, ¿de acuerdo? Entremos y lo entenderás todo.

—No, explícamelo ahora —insistí—. Está claro que uno de los dos no es sincero conmigo.

Titubeó antes de mirar a derecha e izquierda como si tratara de decidir cuánta información podía revelarme. Se acercó a aquella puerta, una cancela de hierro gris, normal y corriente, que conducía a lo que parecía una especie de almacén. Fui tras él y seguí exigiéndole una respuesta; él se encogió de hombros y me miró a los ojos.

—¿Crees que te mentí? —me preguntó con absoluta tranquilidad.

—No lo sé. ¿Lo hiciste?

—Pero dime una cosa, Gretel. —Se inclinó hacia delante y me cogió por un brazo. Me lo apretó con tanta fuerza que grité de dolor—. ¿Por qué iba a contarle la verdad a una *putain* como tú?

Me quedé helada. No estaba segura de haberlo oído bien. ¿De verdad me había hablado así? Sin embargo, antes de que yo pudiese protestar, abrió la puerta y me hizo entrar de un empujón; acto seguido cerró con firmeza detrás de mí y siguió empujándome hacia el interior del edificio. No entendía qué estaba pasando; me tambaleé y me di la vuelta decidida a marcharme de allí, pero él ignoró mis protestas y echó el cerrojo para impedir que entrase nadie más. Al entrar me había parecido oír voces, pero ya no oía nada. Émile se volvió, me cogió otra vez por el brazo y tiró de mí con fuerza. Cuando me soltó me quedé inmóvil, aturdida por la escena que tenía ante mí.

Habría unas cuarenta personas allí reunidas. Ancianos, ancianas y hombres y mujeres más jóvenes. A juzgar por sus ropas, pertenecían a diferentes clases sociales: eran ricos y pobres, obreros y burgueses. Se volvieron y me miraron con repugnancia. En el centro de la habitación habían colocado dos sillas.

Una estaba vacía y en la otra estaba sentada Madre.

Desconcertada, me volví hacia Émile y él tiró de mí sin piedad. Intenté soltarme, pero un hombre me agarró por un brazo; vi que era monsieur Vannier, el padre de Émile. Miré a mi alrededor y reconocí a algunas personas más: el carnicero que nos vendía la carne en la charcutería de la esquina; la chica que servía detrás de la barra en uno de los bares favoritos de Madre; y en un rincón incluso estaba nuestra casera, a la que, según nos habían asegurado, supuestamente no le importaba la procedencia de sus inquilinos mientras pagaran el alquiler. Fui mirándolos uno a uno y me sentí arrastrada a una especie de pesadilla horrible y surrealista, y no me atreví a hablar hasta que Madre levantó poco a poco la cabeza.

—¡¿Qué está pasando? ¿Qué significa esto?! —grité.

Madre me miró y vi el terror en sus ojos. También me percaté de que la habían golpeado con más fuerza que con la que ella me había pegado a mí. Tenía sangre seca en la comisura derecha de la boca y un fino reguero le bajaba por la barbilla mientras en la mejilla empezaban a aparecer los tonos azulados de un cardenal. También tenía un ojo hinchado.

—Gretel —gimió, y sacudió la cabeza—. No, no, no. Mi hija no, por favor. Ella no tiene nada que ver con esto.

Un hombre al que no reconocí me agarró por la nuca y me sentó en la silla al lado de Madre. Mientras me ataba una cuerda alrededor de la cintura para inmovilizarme, me fijé en que Madre también estaba sujeta a la silla. Intenté levantarme, pero otro hombre me empujó con su bota obligándome a sentarme y terminó de atarme. Jamás me habían agredido de aquella forma.

Y entonces, de entre las sombras, apareció Rémy Toussaint.

Nos miró a Madre y a mí con profundo desprecio, como si fuésemos demonios. A continuación se dirigió a los presentes, que inmediatamente guardaron silencio.

—Me llamo Rémy Toussaint —declaró con voz clara y cargada de autoridad—. Mi hermano se llamaba Victor Toussaint. Lo colgaron de un árbol después de que disparara contra un batallón alemán en las afueras de Bruselas. Cuando le pusieron la soga al cuello, los nazis le clavaron las bayonetas, como los romanos le hicieron a Cristo en la cruz.

Miré a Émile suplicándole una explicación de lo que estaba ocurriendo, pero entonces él dio un paso adelante y también habló.

—Me llamo Émile Vannier —dijo—. Los nazis capturaron y torturaron a mi hermano, Louis Vannier, y luego arrojaron su cadáver a la calle para que se lo comieran los perros.

—Y yo soy Marcel Vannier —declaró su padre con la voz quebrada por la emoción—. Louis era mi hijo.

Uno a uno todos los presentes dijeron su nombre y mencionaron a los seres queridos que habían perdido. Algunos eran soldados y habían caído en el frente; otros eran miembros de la Resistencia y habían sido capturados, torturados y asesinados; y otros, por supuesto, habían muerto en los campos.

—Nosotras no tuvimos nada que ver con eso —se lamentó Madre—. Se están equivocando.

—Tú eres... —dijo monsieur Toussaint. Señaló con un dedo acusador a mi madre y la llamó por su verdadero nombre—. Tu marido era el diablo de... —Y aquí nombró aquel otro sitio donde habíamos vivido después de marcharnos de Berlín—. Y tú eres Gretel. La hija del diablo.

—¡No, no es verdad! —chilló Madre.

—¡Sí es verdad! —gritó una mujer que había hablado de sus dos hijos muertos, a quienes sus captores habían obligado a jugar a la ruleta rusa. Se abalanzó sobre nosotras y, antes de que pudiesen sujetarla, le arañó la cara a Madre.

—No —dijo monsieur Toussaint. Abrazó a la desconsolada mujer e intentó tranquilizarla—. Nosotros no hacemos eso, Marguerite. Tenemos otra forma de encargarnos de estos monstruos, ya lo sabes. Pagarán por sus crímenes.

Lo miré y tuve el convencimiento de que iba a morir esa misma noche. Madre insistía en su inocencia, pero yo sentí una extraña calma; estaba dispuesta a aceptar cualquier castigo que me impusieran con tal de que fuese rápido. Cerré los ojos y recé para que fuera un disparo. Supuse que, si me disparaban, no sentiría dolor. Estaría viva y al cabo de un momento dejaría de estarlo.

Pero no sucedió así.

Al abrir los ojos de nuevo vi a dos hombres corpulentos viniendo hacia nosotras. Sin previo aviso, nos arrancaron el vestido y nos dejaron allí sentadas en ropa interior. Esa humillación, por sí sola, ya fue difícil de soportar.

—¿Creíais que no lo sabíamos? —preguntó Remy con un aplomo casi tan aterrador como la agresión que estábamos sufriendo—. ¿Creíais que no estamos vigilando día y noche para detectar a extranjeros con historias inconsistentes que podrían estar relacionados con esos demonios? ¿Que no tenemos una red de espías dispuestos a descubrir la verdadera identidad de cualquier sospechoso? Tú —dijo mirando a Madre—, con tus vestidos baratos y tus patéticos intentos de disimular tu acento. Eres una actriz pésima, te lo aseguro. Además de estúpida. Muy estúpida. ¿Sabes cuántas veces confundiste Nantes con Niza? —Se rió.

Madre no dijo nada. Sabía, igual que yo, que no teníamos forma de librarnos de lo que fuera que hubiesen planeado.

—Y tú —continuó monsieur Toussaint mirándome a mí—, coqueteando conmigo cuando nos encontramos en la Place des Vosges. Eres una mocosa repelente. A lo mejor es eso lo que hacías con tu padre, ¿no? ¿Le batías las pestañas y tratabas de aparentar más de lo que eras? Estás deseando reunirte con él, ¿verdad? ¿Quieres arder eternamente en el infierno?

—Sí —dije con toda la serenidad de que fui capaz—. Sí, quiero eso.

Él frunció el ceño como si no esperase aquella respuesta, pero no se compadeció de mí. El silencio se apoderó de la habitación; levanté la cabeza y vi que dos ancianas se acercaban a monsieur Toussaint y a Émile, y que cada una llevaba una navaja de afeitar. Las abrieron y vi las dos hojas plateadas y afiladas. Madre aspiró por la boca antes de soltar un grito.

—No, nosotros no matamos a las mujeres —dijo Émile al adivinar lo que estábamos pensando, y yo lo miré. Se había convertido en un extraño para mí—. Les hacemos otra cosa.

Se acercó lentamente y aceptó la navaja que le tendió una de las mujeres. Entonces vino hacia mí y me invadió el pánico al imaginar la navaja rasgándome la piel. Perdí el control y noté que el contenido de mi vejiga se derramaba entre mis piernas y formaba un charco entre mis pies, y vi que, con cara de asco, Émile retrocedía un paso. El mismo chico al que hacía sólo unas noches había tenido dentro de mi cuerpo.

Pero la navaja no me rebanó el cuello. Émile la apoyó en mi frente, justo en la línea de crecimiento del pelo, y la arrastró hacia atrás sin piedad, llevándose mi pelo y, al mismo tiempo, rasgándome la piel. Chillé con todas mis fuerzas y oí que Madre chillaba también, pues monsieur Toussaint le estaba haciendo lo mismo a ella. Con un floreo, mi barbero tiró los primeros mechones de pelo al suelo, donde estaba mi orina, que quedaron flotando en el líquido amarillo como arañas negras; luego volvió a empezar y trazó otra línea, y la navaja, implacable, laceró de nuevo mi cuero cabelludo. La sangre me entraba en los ojos y me resbalaba por la cara, y Émile seguía afeitándome mientras se aseguraba de hacerme el máximo daño posible. Vomité en mi regazo y vi que Madre, sentada a mi lado, se había desmayado. Una mujer se le acercó y la abofeteó con fuerza para despertarla, y Rémy esperó a que volviese en sí para seguir rapándole la cabeza. Teníamos que estar despiertas durante el suplicio. La miré y vi su belleza destruida y sustituida por una cabeza horripilante a medio rapar y una cara ensangrentada. Entonces inspiró hondo y soltó un alarido que no era ni humano ni animal, y Émile me atacó esta vez desde atrás, y yo también grité, aunque sabía que de nada nos serviría resistirnos, que ellos estaban decididos a hacer su trabajo y nuestros gritos sólo eran la estridente música de fondo de su tarea.

Hasta que terminaron. No estábamos completamente calvas: nos habían dejado suficientes mechones sueltos y sanguinolentos para hacernos parecer tan desfiguradas como fuese posible. Me escocía el cuero cabelludo como si estuviera ardiendo y se me había metido tanta sangre en los ojos que apenas distinguía a nuestro jurado a través de un filtro rojo y viscoso. Nos desataron y me caí de la silla; me arrastré por el suelo sin rumbo. Les pedí que se apiadasen de mí. ¿Habrían hecho otros lo mismo mientras yo estaba a salvo en mi casa en aquel otro sitio, jugando con mis muñecas, coqueteando con el teniente Kotler, ordenándole a Pavel que me preparara la comida?, me pregunté. ¿Habrían suplicado otros como estaba haciéndolo yo? Las súplicas de aquellos inocentes no habían obtenido respuesta, así que ¿por qué iban a escucharse ahora las mías?

—Ayuda —susurré mientras me arrastraba por el suelo de piedra, lastimándome las piernas y las rodillas al rozar la superficie rugosa, aunque aquel dolor ya no significaba nada para mí—. Ayuda, por favor. Que alguien... me ayude.

Y entonces, por fin, de la oscuridad salió una cara conocida.

Él estaba allí.

Por fin estaba allí.

Mi hermano. Atrapado para siempre en sus nueve años, con su pantalón corto favorito, una camisa blanca y un jersey azul. Por lo visto llevaba todo aquel rato de pie en medio del grupo, observándome, y se acercó con gesto inexpresivo. En la mano izquierda sostenía su querido ejemplar de *La isla del tesoro*.

Me arrastré hacia él y lo llamé por su nombre, preguntándome si yo también estaría muerta y si él habría venido a guiarme al otro mundo. Le tendí una mano. Quería que me la cogiese, que me llevara con él a donde fuese que lo hubieran llevado y a donde fuese que tuviera que regresar. Pero estaba manchada de sangre y él se quedó mirándola y negó con la cabeza, como si lo decepcionara que yo hubiese podido degradarme tanto ante mis semejantes, ante él y ante Dios.

INTERLUDIO

La alambrada

Londres, 1970

Aunque la doctora a la que le asignaron mi caso tenía casi mi misma edad, ella no había padecido muchas adversidades durante la guerra. La evacuaron a una granja de Gales a principios de 1940 y, si eran ciertas las historias que me contó, pasó una temporada casi idílica allí. Su padre combatió en el frente, pero sobrevivió, y su hermano mayor perdió una mano, pero también regresó con vida.

—¿Y tú, Gretel? —me preguntaba una y otra vez los primeros meses de mi hospitalización—. ¿Qué experiencias tuviste? La guerra nos marcó a todos de una forma u otra, ¿no estás de acuerdo?

Le conté muy poco, pero es que en aquella época yo hablaba poco. Cuando tenía la necesidad de decir algo, me mantenía fiel a la ficción que Madre y yo habíamos inventado casi un cuarto de siglo atrás y volvía a contar las historias de mi juventud en Nantes, donde figuraba que no había presenciado combates y había llevado una vida prácticamente anodina. Tampoco le conté lo difícil que se había vuelto nuestra relación. Lo ocurrido en París había hecho que me planteara por primera vez mi propia culpabilidad y empezase a aceptarla, pero había tenido el efecto opuesto sobre Madre, que se había vuelto aún más hostil ante cualquier crítica contra los nazis. A pesar de que nunca se había interesado mucho por la política, ni siquiera durante la guerra, la humillación y el daño físico que nos había infligido aquel supuesto jurado recrudeció su postura, y se volvió tan leal al régimen fallido que nuestra relación se fue deteriorando de manera progresiva. Con el tiempo acabó hablando de Hitler como el mártir de una causa injustamente fracasada, y yo aprendí a no contradecirla, porque a esas alturas nuestras discusiones se habían vuelto tan violentas que llegué a temer que me hiciera daño.

—Me parece que no estás siendo sincera conmigo —dijo la doctora Allenby, decepcionada—. Tengo buen oído para los acentos y en el tuyo no detecto nada de francés.

—Lo he perdido —dije—. A principios de los años cincuenta pasé una temporada en Australia antes de instalarme en Inglaterra. Y ya llevo diecisiete años aquí. Es lógico que mi acento haya cambiado.

En momentos así ella se limitaba a sonreír y tomar notas en su libreta; se notaba a la legua que no se creía ni una sola palabra, pero prefería no discutir. Quizá creyera que, con el tiempo, yo aprendería a confiar en ella y le revelaría mis secretos, lo que demostraba lo poco que me conocía.

—Tengo la teoría —me dijo en una ocasión— de que los que éramos niños en la década de los cuarenta nos pasaremos la vida superando el trauma de todo aquel derramamiento de sangre. Todos nosotros perdimos a alguien, ¿verdad? Tuvimos que enfrentarnos a la pérdida a edad muy temprana. Y a la culpa.

—¿Por qué íbamos a sentirnos culpables? —le pregunté sorprendida por aquel comentario. Sabía por qué yo debía sentirme culpable, pero no entendía que ella sintiese lo mismo.

—Bueno, por no haber sido lo bastante mayores para luchar, supongo —dijo—. La culpa del superviviente, por llamarlo de alguna manera.

Comentarios como aquél me hacían pensar que no me correspondía estar en el ala de psiquiatría. La doctora Allenby creía que eso era el sentimiento de culpa, pero estaba muy equivocada. La culpa no te dejaba conciliar el sueño y, si conseguías dormir, alimentaba tus pesadillas. La culpa se colaba en cualquier instante feliz y te susurraba que no tenías derecho al placer. La culpa te seguía por la calle e interrumpía los momentos más prosaicos con recuerdos de días y horas en que habrías podido hacer algo para impedir una tragedia pero decidiste no hacer nada. Cuando preferiste jugar con tus muñecas. O clavar alfileres en un mapa de Europa trazando el avance de los ejércitos. O coquetear con un atractivo y joven teniente.

Eso era la culpa.

Y en cuanto al duelo... Bien, quizá ese dolor sí lo compartíamos. Aquí nadie tenía el monopolio.

Pasé casi un año en el hospital, pero recuerdo muy poco de los primeros meses. Más tarde supe que al principio me había negado por completo a hablar, que casi no comía nada, que ni leía ni interactuaba con los otros pacientes, y que o bien me quedaba echada en la cama contemplando el techo o bien sentada en una tumbona del jardín observando los pájaros. Pero sí recuerdo cierta satisfacción, la sensación de que había conseguido huir del mundo y que ahora por fin me dejarían en paz con mis pensamientos hasta que envejeciera y me marchitara. Pese a que todavía no había cumplido los cuarenta, esa idea me resultaba agradable. Imagino que llevaba treinta años buscando aquel tipo de paz y creía que, ante la obligación de seguir viva, lo mejor que podía pasarme era que me apartasen de la sociedad.

En retrospectiva, sorprende que tardara tanto en sufrir la crisis que llevaba décadas gestándose. Pero cuando por fin me golpeó, no tuvo una relación directa con el pasado, sino con el presente. Y no con mi hermano, sino con mi hijo.

En cuanto descubrí que estaba embarazada supe que sería una madre espantosa. Tardé cuatro meses en ir al médico y en decírselo a Edgar, porque confiaba en estar equivocada. Me planteé abortar, pero me aterraba la idea de acudir a una sucia clínica clandestina y era demasiado cobarde para confiar en la sabiduría popular y sus métodos para interrumpir un embarazo no deseado.

Me limité a rezar para tener un aborto espontáneo, pero mi cuerpo parecía decidido a llevar el embarazo a término. Al final no tuve más remedio que informar a Edgar de que iba a ser padre y, por supuesto, él se alegró mucho. A esas alturas ya me había resignado a lo inevitable, pero confiaba en tener una niña. El día que me puse de parto no grité como hacían otras mujeres; es decir, no grité hasta que me dijeron que había dado a luz a un niño.

Lo que yo temía era que, al crecer, mi hijo se pareciera a mi hermano, se comportase como él o compartiera rasgos de su carácter. Llevaba tanto tiempo tratando por todos los medios de olvidar el pasado que no quería que nada me lo recordara.

La madre de Edgar, Jennifer, fue de gran ayuda. No me tenía un gran cariño, pero quería mucho a su hijo y a su nieto y, en cuanto vio que yo no estaba a la altura de las circunstancias, tomó las riendas con decisión y eficacia y, además, tuvo el detalle de no recriminármelo nunca. No quise amamantar a mi hijo y evitaba llevarlo a pasear en su cochecito. Procuraba hacer lo mínimo posible con él y dejárselo todo a mi marido y a mi suegra.

Al principio el parecido apenas se le apreciaba —de hecho, mi hijo se parecía a la parte Fernsby de la familia—, pero luego, cuando cumplió siete años, empecé a descubrir en él rasgos de mi hermano que se revelaban en aspectos menos físicos. Su amor por los libros, por ejemplo. Su interés por los exploradores. Su obsesión con salir del piso y correr hacia la zona boscosa que había detrás de Winterville Court, que no estaba tan urbanizada en aquella época, y ver qué encontraba por allí.

Cuando Caden cumplió nueve años los promotores empezaron a trabajar en el terreno de detrás de nuestro edificio, que era perfecto para construir. Si bien nos dejaron una línea de árboles que nos permitía creer que estábamos en un sitio más rural de lo que era en realidad, levantaron una alambrada más allá y Caden siempre corría hasta allí y miraba al otro lado, cautivado por lo que estaba sucediendo. Lo fascinaban las máquinas de demolición y construcción y los obreros con su casco amarillo y sus chalecos reflectantes.

Aunque el solar estaba bien protegido, no me gustaba que mi hijo fuese allí tan a menudo. Era un sitio sucio y ruidoso, y siempre que Caden me desobedecía y se iba a la alambrada, regresaba manchado de barro y polvo, y yo tenía que meterlo en la bañera y restregarlo con la esponja. Por mucho que lo regañara, no parecía importarle que me enfadase y no había amenaza que sirviera para mantenerlo alejado de aquel sitio.

Y entonces, un buen día, desapareció.

Había salido después de hacer los deberes y, cuando fui a buscarlo a su dormitorio, supe perfectamente adónde había ido y salí a toda prisa a buscarlo al jardín, muy enfadada porque había vuelto a desobedecerme. Sin embargo, cuando llegué a la alambrada no lo vi por ninguna parte. Me paseé arriba y abajo llamándolo, pero no contestó, y los obreros que estaban al otro lado con su ropa de trabajo me miraban como si me hubiese vuelto loca. Ya estaba a punto de regresar a Winterville Court y llamar a la policía cuando vi un hueco en la base de la alambrada; no era muy grande, pero sí lo suficiente para que se colase un niño de su edad. Comprendí que habían levantado la alambrada del suelo e inmediatamente supe que mi hijo había entrado en el solar.

Por unos instantes todo me dio vueltas y pensé que me iba a desmayar. Imaginé lo que debían de haber sentido mis padres años atrás, cuando se habían acercado a su alambrada y descubierto el montón de ropa que mi hermano había dejado en el suelo. Intenté gritar, convencida de que había perdido a Caden igual que mis padres habían perdido a mi hermano, pero no conseguí articular ningún sonido. Levanté la alambrada con ambas manos y me colé por debajo, lastimándome la cara y los brazos. Cuando salí al otro lado me puse a correr en todas direcciones gritando el nombre de mi hijo mientras los obreros me miraban perplejos.

Sólo tardé un minuto en encontrarlo, de pie junto a uno de los capataces, que parecía encantado de explicarle los detalles sobre un gran plano de cómo sería la parcela algún día, cuando estuviese terminada. Caden llevaba puestos un casco protector y un chaleco que había sacado de no sé dónde. Corrí hacia él llamándolo por su nombre, y él se dio la vuelta, asustado por mi tono de voz. Confieso que le pegué, aunque fue la única vez que lo hice: le di una bofetada tan fuerte que lo tiré al suelo.

Gran parte de lo que ocurrió después sigue siendo un misterio para mí, pero primero llamaron a Edgar, y después a un médico, y me llevaron al hospital. De allí me trasladaron a un centro especializado donde pasé varias semanas sedada en una habitación individual. Las fiebres y las pesadillas me consumían; no sabía si estaba en los años setenta en Londres o en los años cuarenta en Polonia. Las dos épocas se mezclaban. Caden y mi hermano eran la misma persona en mi cabeza. Padre y Edgar también. Pasado y presente se habían fundido.

Al final se decidió que no debía ver a ningún miembro de mi familia en tres meses. Me trató exclusivamente la doctora Allenby, que me guió por mi maraña mental. Después, durante el año de mi confinamiento, Edgar venía a visitarme dos veces por semana. Su madre se ocupó de llevar la casa para que yo pudiese recuperarme con tranquilidad. Había mucho que desentrañar. Berlín, aquel otro sitio, París, Sídney, Londres. Las personas cuyos caminos se habían cruzado con el mío. La misteriosa crueldad de mi vida. Cuando por fin salí de allí era una mujer muy distinta de la que había entrado.

Pero, a diferencia de tantos otros, al menos yo pude regresar a casa.

SEGUNDA PARTE

Unas cicatrices preciosas

Londres, 2022 – Sídney, 1952

1

A sólo diez minutos a pie de Winterville Court hay un pub, el Merriweather Arms, con un agradable jardín en la parte de atrás. A veces, en las tardes templadas, me gusta ir paseando hasta allí y sentarme bajo una sombrilla a leer un libro y tomarme un par de copas de vino rosado. Así salgo un poco pero sin alejarme demasiado de casa.

Eso fue lo que hice hace unos días, después de los inquietantes sucesos nocturnos en el piso de abajo. Me puse las gafas de sol graduadas para seguir leyendo mi libro sobre María Antonieta, que ya estaba escandalizando a toda Francia con el asunto del collar de diamantes. El jardín estaba bastante concurrido; miré a mi alrededor y vi a una actriz, conocida sobre todo por sus interpretaciones teatrales, sentada en el extremo opuesto con un hombre que, cuando me fijé mejor, resultó ser Alex Darcy-Witt. Estaban enfrascados en una conversación y ella reía de sus comentarios. Acostumbrada, quizá, a que la observaran (tal vez incluso se sintiera obligada a dejarse observar), ella no se volvió hacia mí. Él, sin embargo, debió de notar algo y miró en dirección a mí; entonces yo me apresuré a bajar la cabeza y traté de seguir leyendo. No obstante, la presencia de mi vecino me ponía nerviosa y me percaté de que estaba leyendo una y otra vez el mismo párrafo sin entender ni una frase. Cuando se me acercó un camarero y me preguntó si deseaba tomar algo más, mi primer impulso fue decir que no y regresar a casa cuanto antes, pero no quería pasar por su lado de ningún modo, así que me lo pensé mejor y pedí otra copa. Me la trajeron y entonces vi que la actriz se levantaba, le daba dos besos al señor Darcy-Witt y echaba a andar lentamente mientras le decía adiós con la mano, con un ademán parecido al que yo le había dedicado a Émile imitando a la Dietrich. En cualquier caso, él no la siguió y, al cabo de unos instantes, vino a mi mesa.

—Disculpe. —Levanté la cabeza y fingí que todo aquel rato había estado ajena a su presencia—. Perdone que la interrumpa, pero creo que somos vecinos.

—¿Ah, sí? ¿Está seguro?

—Vivo en Winterville Court. Si no me equivoco, usted vive en el piso de arriba. Creo que ya ha conocido a mi mujer y a mi hijo.

—Ah, sí, claro —dije explotando al máximo mis dotes teatrales para fingir que no lo había reconocido.

—¿Le importa que me siente? Hay dos cosas que no soporto en la vida: dejar una cerveza a medias y beber solo.

Rió como si acabase de hacer un gran chiste e, incapaz de pensar en una razón para negarme, señalé la silla de enfrente de la mía. Él cogió su cerveza, que prácticamente acababa de empezar, y se sentó.

—Hace un día precioso, ¿verdad? —observó mirando a su alrededor con una gran sonrisa en los labios.

—Sí, muy agradable —coincidí.

—Supongo que deberíamos presentarnos.

Se quedó mirándome y comprendí que me cedía el turno.

—Gretel Fernsby —dije, y le tendí la mano.

—Alexander Darcy-Witt —dijo él estrechándomela un poco más de lo imprescindible—. Alex.

De cerca, su parecido con Richard Gere se reducía.

—Tengo entendido que es usted productor de cine —comenté.

—Sí, ésa es mi cruz. Seguramente me ha visto hablando con... —Nombró a la actriz que acababa de marcharse—. Llevo tiempo intentando convencerla para que interprete a una abuela en una película que estoy haciendo y me está costando mucho más de lo que esperaba persuadirla. Es un buen papel y trabajaría con un gran elenco, pero teme que, si empieza a hacer papeles de mujer mayor, la encasillarán. Dice que cuando eso sucede ya no hay vuelta atrás.

—Yo no sé cómo funciona eso —repliqué—. Pero la he visto en el teatro varias veces. Es una gran actriz. Si la convence, podrá considerarse afortunado.

—Así es —dijo él, y tomó un sorbo de cerveza—. Hábleme un poco de usted, señora Fernsby. ¿Es su apellido de casada?

—Sí, pero mi marido, Edgar, murió hace unos años.

Si bien mi primer impulso siempre que alguien se dirigía a mí por mi apellido de casada era invitarlo a llamarme Gretel, esta vez decidí no hacerlo y preferí mantener cierta distancia entre nosotros.

—¿Qué le gustaría saber? —pregunté—. Si está pensando en ofrecerme un papel de bisabuela, me temo que lo voy a decepcionar. No tengo ni las más mínimas dotes en ese terreno.

Me miró como si me juzgara en silencio.

—¿Hace mucho que vive en Winterville Court? —me preguntó.

—Casi toda mi vida adulta —contesté, aunque sospechaba que él ya lo sabía. Suponía que Madelyn habría compartido con él la información que yo le había dado.

—¿Y no se siente sola, siendo viuda?

—A veces —admití—, pero de eso no tiene la culpa el edificio, ¿no cree? Estaría igual de sola en cualquier otro sitio.

—Cierto, pero... —Desvió la mirada—. Todos esos recuerdos... Imagino que debe de ser difícil. ¿Era su media naranja, el señor Fernsby?

Me sorprendió que me hiciese una pregunta tan personal. Decliné responder y se la devolví.

—¿Es así como describiría su relación con su esposa, señor Darcy-Witt? ¿Es ella su media naranja?

—Llámeme Alex, por favor —dijo—. Espero que sí. He tenido mucha suerte al casarme con ella. Bueno, usted ya la ha visto, así que lo entenderá. Sinceramente, creo que es la mujer más bella que he conocido en la vida.

Fruncí el ceño. Me molestaba que aquél fuese el mayor cumplido que pudiese hacerle a su mujer: su belleza. Pero en realidad no me sorprendió.

—Henry es un encanto —dije—. Antes de que se mudaran, me preocupaba un poco que hubiese un niño en el edificio, porque los críos pueden ser muy escandalosos, pero la verdad es que nunca lo oigo. Se porta muy bien.

Alex rió y negó con la cabeza.

—Usted no lo conoce —señaló—. Cuando se activa se convierte en una auténtica pesadilla.

Es cierto que yo apenas conocía al niño, pero mi instinto me hacía dudar de aquella afirmación. Saltaba a la vista que Henry era un niño introvertido. Un niño tímido, tranquilo y estudioso.

—Mire, me alegro de que nos hayamos encontrado —dijo Alex por fin tras una pausa incómoda—. Me temo que la otra noche la asusté.

—No sé de qué me habla —repliqué; no quería hablar de la escena que había presenciado.

—Yo diría que sí.

Levanté mi copa de vino y tomé un gran sorbo con la esperanza de que el alcohol me infundiera el valor que necesitaba. Miré más allá del señor Darcy-Witt. Sin yo darme cuenta, el jardín se había ido vaciando y sólo quedaban cuatro personas, sentadas a cierta distancia de nosotros. Empecé a ponerme nerviosa.

—De vez en cuando a Madelyn le dan pequeños berrinches —continuó—. No debe usted pensar mal de ella, pero ya hace unos años que sufre esos brotes. Se medica, por supuesto, pero cuando estoy fuera suele olvidarse de las pastillas. O me dice que se olvida. Es difícil saber si lo hace a propósito o no. Cuando estoy en casa, le doy las pastillas a primera hora de la mañana y luego la obligo a enseñarme la boca para asegurarme de que se las ha tragado.

Permanecí callada. Me chocó que compartiera conmigo aquel detalle. Una vez más, me acordé del hospital y de los rituales de la mañana, la tarde y la noche que, según los médicos, me ayudarían a mejorar, pero que sólo conseguían hacerme sentir menos conectada con el mundo que antes de mi ingreso.

—En fin, creo que olvidó tomarlas durante varios días —continuó—. El caso es que cuando regresé de Los Ángeles estaba totalmente descompensada.

—Entiendo.

—Ahora ya se encuentra mejor.

—Me alegro mucho.

—Por nada del mundo querría que volviese a pasar lo de la última vez.

Intenté disimular mi curiosidad. No quise preguntar y esperé a que él mismo me ofreciera una explicación.

—El brazo de Henry —dijo por fin—. De eso hará unos dos meses. Yo estaba en un festival de cine y ella no se tomó las pastillas. Cuando regresé... Bueno, se había producido un incidente desafortunado. Me parece que a Madelyn se le fue la mano con él. Sin querer, por supuesto. Cuando se porta bien es una madre maravillosa. Y una esposa maravillosa —añadió en el acto—. Cuando se porta bien.

No sabía por qué parte de su discurso empezar a preguntar.

—¿Le rompió el brazo a Henry? —le solté sorprendida y, al mismo tiempo, incrédula.

—Fue sin querer. —Se inclinó hacia delante y barrió con una mano unas hojas secas de encima de la mesa—. Como le digo, Henry es bastante díscolo, sobre todo cuando yo no estoy en casa. No es tonto: sabe que si estoy no puede hacer estupideces. Supongo que una cosa condujo a la otra y... crac.

—Cogió una ramita que había caído encima de la mesa y la partió por la mitad—. Los huesos de los niños son quebradizos, Gretel. Se nos olvida lo frágiles que son.

—¿Ah, sí? —Me fijé en que mi vecino me estaba llamando por mi nombre de pila a pesar de que yo no lo había invitado a hacerlo.

—En fin —dijo, y se terminó el resto de la cerveza de un trago—. Sólo quería explicárselo y asegurarle que no volverá a haber incidentes de esa clase.

—Como ya le he dicho, señor Darcy-Witt —repliqué yo—, no sé a qué se refiere. Desde que llegaron ustedes al edificio, nunca me han molestado.

Él sonrió otra vez y me miró a los ojos.

—Para tratarse de alguien que niega tener aptitudes para el teatro, usted, querida, domina lo único que toda actriz debe poseer por encima de cualquier otra aptitud.

Le sostuve la mirada. No tuve más remedio que preguntar:

—¿Y de qué se trata?

—Del arte de mentir.

2

A principios de la primavera de 1952, con veintiún años, hice la larga travesía en barco de Francia a Australia. Madre había muerto hacía tres semanas, con el hígado corroído por el alcohol y la mente debilitada por las tragedias que había soportado. Compré el pasaje el mismo día que la enterré. Quería irme lo más lejos posible de Europa y, al fin y al cabo, no había un lugar más remoto que las antípodas.

Tras los traumáticos sucesos de París, después de que los antiguos miembros de la Resistencia nos dijeran que no querían malgastar ni una bala con nosotras, nos habían echado a la calle sin piedad. A los pocos días nos marchamos a Ruan, con la rapada cabeza oculta bajo sendos pañuelos. Me puse a estudiar inglés con una mujer de Norfolk que vivía allí desde que se había casado, consciente de que necesitaba dominar el idioma si quería sobrevivir en mi siguiente destino.

Poseía pocos objetos de valor, pero había ahorrado suficiente dinero trabajando de costurera para pagarme un pasaje en barco, y me planteé el viaje como una aventura maravillosa, a pesar de que a bordo no había prácticamente ninguna intimidad. Las mujeres que viajaban en tercera clase dormían con sus hijos en unos camarotes enormes que había en un extremo del barco, mientras que los hombres tenían sus literas en el extremo opuesto. Era época de emigración y muchos pasajeros eran británicos (el barco había zarpado del puerto de Southampton), algunos de los cuales vestían de luto por su rey recién fallecido. Se habían cansado de su desolador país natal, que había encontrado en la austeridad una pobre sustituta de la paz que existía antes de la guerra. Como yo, buscaban el sol y nuevas oportunidades en la otra punta del mundo.

Los dos primeros días se respiraban emoción y optimismo a bordo. Los pasajeros hablaban entre ellos y formaban amistades rápidas y espontáneas, pero la fatiga no tardó en instalarse, y entonces nuestro viaje de seis semanas se convirtió en un suplicio. Varias personas, hombres y mujeres por igual, acabaron en los calabozos que los oficiales habían improvisado en la bodega, y los restos de al menos media docena de pasajeros que no sobrevivieron al viaje acabaron envueltos en mortajas y lanzados al océano.

También había idilios, furtivas cópulas de madrugada en rincones ocultos del barco, aunque yo me mantenía al margen de esas intrigas. Hacía seis años que había perdido la virginidad con Émile y, desde entonces, todos los chicos a los que había conocido me habían inspirado únicamente miedo y desconfianza. En el barco, algunos me hicieron proposiciones, y unos pocos me atraían, pero no podía bajar la guardia. Con mis rechazos conseguí caerles mal tanto a los hombres, que me consideraban frígida y distante, como a las mujeres, que creían que me sentía superior a los chicos que había a bordo. Me habría gustado tener mi propio camarote, donde habría evitado las miradas y los cuchicheos, pero habría sido un despilfarro pagar por uno. En Nueva Gales del Sur me esperaba una nueva vida y, si quería que las cosas me salieran bien, necesitaba ser solvente.

Aun así, con el tiempo trabé amistad con una irlandesa, Cait Softly; paseábamos por las cubiertas para hacer ejercicio y comíamos juntas. Cait me caía muy bien. Sólo era un año mayor que yo y se había marchado de Irlanda en busca de una vida mejor tras verse embarazada y soltera. Al enterarse de la escandalosa noticia, su padre le había pegado una patada tan fuerte en el vientre que le había provocado un aborto.

Me gustaba el mar. Yo me había criado lejos del agua y lo encontraba tranquilizador. Los marineros aseguraban que estábamos teniendo una buena travesía, que el tiempo y las olas eran más favorables de lo habitual; pero si bien Cait y yo teníamos un estómago fuerte y no sucumbimos al mal de mar que asolaba a gran parte del pasaje, a veces, en las noches de tormenta, sentíamos que las olas se nos iban a tragar cuando el barco, que amarrado en el puerto parecía tan sólido, revelaba su verdadera insignificancia inmerso en el paisaje infinito del océano. El agua salada también era un tormento. Aunque ya tenía pelo, todavía me quedaban cicatrices en el cuero cabelludo y las salpicaduras de agua salada me producían escozor. Pero al menos me había crecido y no me había pasado como a Madre, que tuvo que llevar un pañuelo en la cabeza día y noche hasta el día de su muerte. Tratándose de una mujer que valoraba ese atributo físico femenino por encima de todos los demás, resultó un triste recordatorio diario para ella: un reproche y una acusación.

—Nos iremos a vivir juntas, ¿de acuerdo? —dijo Cait una noche. Estábamos sentadas en la cubierta contemplando la puesta de sol—. Así estaremos acompañadas y podremos contar la una con la otra.

Me lo pensé. Yo había previsto vivir sola y no tener que confiar en nadie, pero entonces no me pareció mala idea contar con una amiga en un país extraño.

—Además, será más barato —añadió—. Sólo necesitaremos un dormitorio, un sitio donde sentarnos a charlar por la noche y una cocina pequeña.

—De acuerdo —concedí—. ¿Ya has pensado qué harás? Me refiero a qué harás para ganar dinero.

—No tengo ni idea —confesó, y rió con desparpajo—. ¿Tú tienes algún oficio? Yo no canto mal y sé servir bebidas. Creo que buscaré trabajo de camarera. Me gusta el trato con la gente. El desgraciado de mi padre tenía un pub y en cuanto pude manejar una fregona me puso a limpiar.

—Yo sé coser —dije—. Y creo que nada más.

—Pues siempre hacen falta costureras. —Ella asintió con la cabeza—. Hay trabajos que nunca pasan de moda, por muy revuelto que esté el mundo, y ése es uno de ellos. Otro es el de enterrador.

Sonreí mientras Cait se sacaba la pipa del bolsillo del vestido y la encendía. La primera vez que la vi hacerlo me sorprendió, pero ahora lo encontraba gracioso y me gustaba el olor del tabaco, una embriagadora mezcla de rosa, clavo y canela.

—¿Quieres una calada? —me preguntó tras dar una ella y orientar la boquilla hacia mí.

—No, gracias.

—Te sentaría bien.

Un par de jóvenes pasaron a nuestro lado y, cuando uno de ellos volvió la cabeza y nos silbó, Cait los despachó con cajas destempladas. Yo carecía de aquel desparpajo. Ella solía charlar con los hombres que había a bordo, y ellos siempre trataban de complacerla, pues si yo era guapa, Cait era una auténtica belleza. Medía más de metro ochenta y lucía una figura de modelo de póster de calendario. Su melena, larga y tupida, desafiaba los estereotipos y no era pelirroja sino negra, y, aunque teníamos muy pocas oportunidades de lavarnos el pelo, siempre la tenía brillante.

—¿Crees que cuando lleguemos te buscarás un marido? —me preguntó una noche, y yo negué con la cabeza.

—No. Quiero estar sola —dije imitando el acento de Greta Garbo.

—Los hombres son el mismísimo demonio —remató ella echando el humo de la pipa—. No me interesan para nada.

—¿Y el chico que...?

Miré su vientre vacío.

—Era un patán. Un inútil. No me explico cómo pude dejar que se acercara a mí. No: por mí, los chicos que se queden bien lejos. Seremos un par de solteronas, ¿vale?

Sonreí, aunque aquella idea no me atraía demasiado. Era cierto que desconfiaba de los hombres, pero seguía deseando enamorarme y casarme. Me costaba admitirlo, y mucho más ante Cait, pero por las noches, cuando me quedaba dormida, soñaba que un australiano me abrazaba y prometía cuidar de mí para siempre si yo estaba dispuesta a cuidar de él, y que le daba igual quién era yo y qué había hecho porque lo importante no era el pasado sino el futuro.

—Bueno, ¿me lo vas a contar? —me preguntó Cait la última noche cuando la tripulación se mezcló con el pasaje por última vez y abrieron los barriles de vino restantes.

—Contarte ¿qué?

—El secreto que escondes. Sé que tienes un secreto. Lo sé desde el principio. Ya sabes que puedes confiar en mí. No te juzgaré. Yo tampoco te lo he contado todo sobre mí. ¡Tengo secretos para dar y vender!

—No sé a qué te refieres. —Me pregunté si acaso llevaba la gran vergüenza de aquel otro sitio grabada en la piel.

—Claro que sí. A mí no me vas a engañar. No pasa nada. Si no quieres, no me lo cuentes. Pero algún día me lo explicarás, probablemente cuando estemos las dos borrachas. Y entonces yo también te contaré el mío.

—¿Tú tienes un secreto?

—Claro que sí.

—Cuéntamelo.

—Nada de eso, amiga. Pero algún día, si tienes suerte, te lo contaré.

Nos cogimos de la mano y vimos amanecer juntas el día en que nuestro barco dobló Watsons Bay y pasó junto a la península rocosa desde donde la esposa de un gobernador de Nueva Gales del Sur se sentaba a ver llegar a los convictos a los que llevaban aquel continente para cumplir sus condenas. A diferencia de ellos, claro está, nosotros no éramos prisioneros. Éramos libres. Pero teniendo en cuenta que a bordo del barco viajaban más de mil personas, era difícil no preguntarse la cantidad de pecados que habríamos cometido entre todos los que habíamos escogido aquella tierra tan lejana para redimirlos.

Cuando el barco por fin echó el ancla y pasajeros y tripulantes soltaron una gran ovación, me pregunté si realmente podía esperar encontrar el perdón en aquel joven continente. En el fondo sabía que harían falta más de diez mil millas para obtener la absolución.

3

—Se llama Autumn Valley —dijo Caden cuando me dio el folleto de la comunidad de jubilados. Las páginas estaban llenas de fotografías de ancianos asombrosamente atractivos que parecían eufóricos, como si toda su vida no hubiese sido más que un prefacio del viaje a aquella Utopía—. Tienen clubes de lectura y grupos de costura. Organizan sesiones de...

—¿«El valle del otoño»? Sería más apropiado que se llamara «El valle del invierno», ¿no crees? Metafóricamente hablando, los residentes están llegando al final de su año en la Tierra, más que notando que las noches son cada vez más largas.

—Supongo que entonces sonaría más desalentador —replicó él—. Es muy bonito, ¿verdad?

—¿Estás pensando en irte a vivir allí? Eres un poco joven para entrar en un sitio así, sólo tienes sesenta y un años, pero si crees que es necesario, no lo dudes. ¿Te interesa aprender costura?

Mi hijo sonrió.

—Ja, ja. Dijiste que te lo pensarías, Madre.

Le devolví el folleto y volví a llenar nuestras tazas de té.

—Y lo he pensado —le aseguré—. Y he decidido que no es para mí.

—El tío de Eleanor se mudó a Autumn Valley —continuó—. Y decía que era la mejor decisión que había tomado en su vida.

—Me sorprende que no lo hayas traído para convencerme.

—No podía. Está muerto.

—¿Lo ves? —Me recosté triunfante en el sillón—. Todos morimos tarde o temprano, pero en esos sitios la gente estira la pata nada más llegar. No, Caden, lo siento. He tomado una decisión y no quiero seguir hablando de este tema. No voy a irme de Winterville Court, y punto. Y, por cierto, te agradecería que no hablaras con Oberon Hargrave de este asunto. Prefiero que quede entre nosotros dos.

Hizo todo lo posible por aparentar inocencia.

—No sé de qué...

—Sí lo sabes, así que no te hagas el inocente. Recuerda que te conozco desde que naciste y que no me puedes engañar. Estáis compinchados para echar a dos ancianas de su casa, y no lo permitiré. Si por alguna razón quedo completamente incapacitada o empiezo a insistir en que la señora Thatcher todavía es la primera ministra, puedes traer a los hombres de blanco para que se me lleven. Pero hasta entonces pienso quedarme aquí, te guste o no.

Mi hijo me conocía lo bastante bien para saber que una vez que tomaba una decisión sobre algo no había forma de hacerme cambiar de idea.

—Y con respecto a tus problemas económicos —continué—, también he estado pensando sobre eso y he decidido que voy a invertir en tu negocio.

—¿Ah, sí? —dijo más animado—. ¿Cuánto?

—Es lo que me encanta de ti, Caden: que no te andas con rodeos. Siempre vas al grano.

—Lo siento. Yo sólo...

—No pasa nada. Te estaba tomando el pelo. —No era del todo cierto: Caden era realmente descarado—. En una escala del uno al diez, ¿cómo de grave es el tema? Y sé sincero conmigo. No seas codicioso.

Se lo pensó mucho antes de contestar.

—Diría que un seis —dijo—. Pero un seis que podría convertirse rápidamente en un ocho si no tomo medidas drásticas pronto.

Asentí, fui hasta mi escritorio y cogí el talonario de cheques del cajón superior. Miré por la ventana, que daba a la calle, vi a Heidi charlando con Madelyn Darcy-Witt y me entraron unas ganas locas de saber de qué hablaban. Las observé con cuidado, tratando de que ellas no notaran que las estaba espiando, hasta que Madelyn echó la cabeza hacia atrás al reír, lo que me sorprendió, pues Heidi no era una persona especialmente ingeniosa. Me senté al escritorio, pero, antes de escribir nada, me volví y miré a mi hijo, que me observaba sin disimular su avidez.

—He calculado unas cien mil libras —dije, y destapé la pluma estilográfica—. ¿Servirá eso para mantenerte a flote?

En su rostro se reflejó una peculiar mezcla de alivio y decepción. Quizá había creído que le ofrecería menos; quizá más. Pero era una cantidad importante. Un diez por ciento de mi patrimonio, excluyendo el valor del piso.

—Es muy generoso por tu parte —dijo—. Me ayudará muchísimo. Te devolveré el dinero, por supuesto, en cuanto...

—No hace falta. —Escribí la cantidad y firmé—. De todas formas, cuando llegue el momento será todo tuyo, así que llamémoslo un anticipo, ¿de acuerdo? Pero no puedo darte más, Caden, ¿entendido? Tengo un colchón, sí, pero no es muy grande y esto hará mella en él. Así que administra bien este dinero.

Caden tuvo el detalle de fingir bochorno cuando le entregué el talón (la verdad es que debe de ser humillante para un hombre de su edad pedirle dinero a su madre), y yo volví a mi sillón.

—Bueno —dije por fin mientras él doblaba por la mitad sus ganancias obtenidas de aquella manera y se guardaba el cheque en la cartera—. Supongo que los planes de boda siguen adelante, ¿no?

—Ah, sí. Pero hemos decidido hacer una ceremonia sencilla. No queremos mucho jaleo. Sólo la familia y unos cuantos amigos íntimos.

—Una decisión muy sensata —coincidí. Las anteriores bodas de Caden siempre habían sido exageradas, como si necesitase mostrarles a todos las dimensiones de su éxito. Pero si su situación económica era tan delicada, no podía permitirse muchos lujos.

—Nos gustaría casarnos dentro de seis semanas —añadió—. En el juzgado. Te mantendré informada. Supongo que esta vez vendrás, ¿no?

—No seas así —dije—. Sólo he faltado a una.

Asintió con la cabeza y, cuando nuestras miradas se encontraron, ninguno de los dos pudo aguantarse la risa. Seguimos riendo durante casi un minuto hasta que tuve que sacarme el pañuelo del bolsillo y enjugarme las lágrimas. Era en momentos así, cuando yo me burlaba de mi hijo y a él no parecía importarle, cuando disfrutábamos de cierto grado de intimidad.

—Eres una bruja —dijo negando con la cabeza, y yo le di la razón. Miró a su alrededor, exhaló un hondo suspiro y me pregunté si estaría calculando cuánto rato más tenía que quedarse ahora que ya habíamos cerrado nuestra pequeña transacción económica—. Ah, por cierto —agregó—. ¿Cómo va con los nuevos vecinos?

—Son bastante interesantes. Ella parece que esté en las nubes la mayor parte del tiempo y él tiene pinta de chulo. Aunque quizá esté influenciado por su entorno de trabajo. Continuamente leo historias sobre esos intimidantes productores de cine, ¿no? Aterrorizan a sus empleados y acosan a las actrices jóvenes y vulnerables. A lo mejor tratan a su familia con la misma desconsideración.

—¿Y el niño?

—Muy tranquilo. Me cae bien.

—Me alegro. Ya sé que los niños pequeños no son tu especialidad.

Lo miré, pero no vi en su semblante nada que delatara que lo había dicho para hacerme daño. Sin embargo, entendí que lo dijera. Al fin y al cabo, ninguno de los dos podía fingir que yo hubiese sido una madre perfecta y yo sabía que Caden había sido víctima de un acoso terrible cuando sus amigos descubrieron que su madre estaba encerrada en lo que llamaban «el manicomio».

Luego, cuando se marchaba, me besó en la mejilla y volvió a darme las gracias por haberlo ayudado.

—De nada —dije—. Pero si me entero de que tú y Oberon habéis hablado por teléfono, aunque sea una sola vez, cancelaré ese talón. Estás avisado.

—Lo siento, Madre —dijo guiñándome el ojo y riendo—, sería demasiado tarde. Dentro de una hora ya tendré este talón ingresado en mi cuenta.

Dicho esto, bajó la escalera dando saltitos, con toda la elegancia con que puede dar saltitos un hombre de su envergadura, y yo me sonreí y volví a entrar en mi casa. La verdad es que, si no fuera por su comentario de que los niños pequeños no eran mi especialidad, habría sido uno de nuestros encuentros más amistosos de los últimos años.

4

Como hasta entonces sólo había vivido en Europa, no estaba preparada para las asfixiantes temperaturas de Sídney. Mi piel, muy clara, se quemaba fácilmente, me escocían las cicatrices del cuero cabelludo y, durante semanas, a media tarde estaba tan agotada que me quedaba dormida en cualquier sitio y luego me costaba dormir por la noche.

Cait y yo encontramos alojamiento en Kent Street, cerca del puerto, en una casa de madera de Queenslander con una veranda que rodeaba todo el piso superior. En la planta baja del edificio vivían tres hermanos solteros de mediana edad que se marchaban temprano por la mañana con su ropa de trabajo y volvían a casa borrachos a altas horas de la noche. Al principio temí que nos importunaran, pero en realidad rara vez se percataban de nuestra presencia como no fuese para expresarnos abiertamente su desprecio por las mujeres, y en especial por las que tenían el valor de vivir sin la protección de un padre o un marido.

Abundaban las ofertas de empleo y yo encontré trabajo en una tienda de ropa de mujer, en el extremo norte de George Street, al frente de la cual estaba una mujer unos veinte años mayor que yo, la señora Brilliant, un nombre a todas luces maravilloso. La señora Brilliant (nunca llegué a descubrir su nombre de pila) había heredado la tienda de su madre y, cuando me lo contó, me acordé de Émile y de su herencia, pero lo alejé de mis pensamientos en el acto. «Así que he acabado convertida en dependienta», me dije cuando me ofrecieron el empleo. Una ocupación que no estaba a mi altura, según Madre.

En mi opinión, la señora Brilliant no estaba hecha para el trato con el público. Despreciaba a las mujeres de clase obrera, que por otro lado constituían el grueso de nuestra clientela, la mayoría de las cuales sólo podía permitirse comprarse una falda o una blusa un par de veces al año, o quizá unas medias en las escasas ocasiones en que teníamos existencias. Era una persona con muchas ínfulas (no podría decirse de otra forma) y le encantaba entretenernos a mí y a las otras empleadas con historias de las tiendas más lujosas de Sídney, donde compraban las mujeres ricas y cuya clientela ella anhelaba.

No solía pasar que una mujer aborigen se arriesgase a entrar por nuestra puerta, pero a veces sucedía. También venían mujeres negras y alguna inmigrante de Samoa o Papúa Nueva Guinea. La señora Brilliant las llamaba «*wogs*»; al verlas entrar, soltaba un rugido, les preguntaba qué querían y les decía que las estaban vigilando y que, si robaban algo, se encargaría de que las metieran en la cárcel. No tenía inconveniente en aceptar su dinero, por supuesto, pero siempre se ponía unos guantes de seda para cogerlo. Cuando la clienta se marchaba, en lugar de meter el dinero en la caja registradora me entregaba los billetes o las monedas y me hacía ir al banco, que estaba al final de la calle, a ingresar aquel dinero en su cuenta en el acto.

Mientras yo soportaba aquel empleo en la tienda de la señora Brilliant, Cait encontró uno que le encantaba en el Fortune of War, un pub situado muy cerca del puerto, con vistas a Bennelong Point, donde, años después de marcharme de Australia, construyeron la ópera. El pub tenía una fachada abierta y una larga barra en el centro con taburetes a ambos lados. Los hombres se reunían allí después del trabajo y disfrutaban de la fresca brisa marina bebiendo una gran copa de cerveza helada tras otra. Al fondo del local había otra salita con media docena de mesas donde los más jóvenes llevaban a las chicas que estaban cortejando. A pesar de que pasaba muchas horas en el pub, Cait adoraba su trabajo y no tardó en convertirse en la favorita de los clientes habituales, no sólo porque era guapa, sino por su agudeza y capacidad para hacer que todos se sintieran bienvenidos. Nuestros horarios eran muy diferentes y eso nos beneficiaba a ambas: como ella trabajaba hasta muy tarde, yo podía estar a mis anchas en el piso por la noche, mientras que, como yo empezaba temprano, ella gozaba de intimidad por las mañanas. Era un arreglo perfecto.

A veces, cuando necesitaba compañía, me acercaba al pub al salir del trabajo, me sentaba a la barra y me tomaba un par de cervezas; a veces incluso charlaba con algún que otro cliente. Un anciano llamado Quaresby, que afirmaba haber sido uno de los obreros que habían construido el puente del puerto, me tomó simpatía; se sentaba en un taburete a mi lado y me llamaba «tesoro» y «cielo» mientras intentaba ponerme una mano en la pierna, pero yo le dejé claro que no me interesaban sus atenciones. Un día, al salir de los lavabos, lo encontré esperándome fuera. Intentó hacerme entrar de nuevo, insistiendo en que necesitaba contarme algo muy importante, pero yo me resistí, lo empujé contra la pared y él se golpeó la cabeza contra el canto de un cuadro. Después de aquello me dejó en paz y me ignoró durante un mes entero, pero luego volvió a ponerse cariñoso y siguió comportándose conmigo como si no hubiese pasado nada.

Una de esas noches, cuando ya llevaba unos meses en el país, me senté en el sitio de siempre y Cait me dio un sobre con su parte del alquiler del piso, que yo debía entregar a mi vez a nuestro casero al llegar a casa. Al otro lado de la barra había un hombre con el clásico sombrero australiano y, a su lado, un niño de unos siete años que debía de ser su hijo. No era la primera vez que los veía. Cait me había contado que el tipo iba a menudo después del trabajo y que siempre lo acompañaba aquel niño. El pequeño se bebía un zumo de naranja y era obvio que le encantaba sentarse a la barra con los adultos. Yo estaba contando mi dinero y metiéndolo en el sobre cuando oí la voz de otro hombre que salía del lado de la barra que conducía a la salita.

—Otra James Boags, señorita, por favor —dijo.

—Ahora mismo —replicó Cait.

Se separó de mí y fue al tirador para servírsela. Sin saber muy bien por qué, de repente todo mi cuerpo se puso en alerta.

—Hoy ha hecho calor, ¿eh? —continuó el hombre en tono cordial mientras Cait llenaba el vaso hasta arriba y, risueña, se volvía hacia él.

—Dicen que este fin de semana aún hará más calor. Esto será un horno. ¿Alguna otra cosa, guapo?

—No, gracias —dijo él.

—¿A qué sabe la cerveza? —preguntó el niño, y el hombre vaciló un momento antes de contestar.

—Te la dejaría probar, pero a tu padre quizá no le parezca bien.

—Me trae sin cuidado —aseguró el otro hombre—. Si quiere vomitar, que vomite.

—De acuerdo, jovencito —convino el primero—. Pero sólo un sorbo.

Al oír esa palabra, «jovencito», noté que se me encogía el estómago y tuve que sujetarme a la barra para no caerme. No me atreví a darme la vuelta, así que fijé la vista en mis zapatos. El hombre había hecho todo lo posible para disimular su acento, pero yo había detectado el deje teutónico. Cuando Cait volvió a mi lado después de cobrar, la expresión de mi cara la asustó.

—Gretel —dijo claramente preocupada—. ¿Qué ha pasado? Parece que has visto un fantasma.

Entonces alcé la vista y miré al otro lado de la barra. El hombre ya se había marchado; había vuelto a la salita del fondo y yo no podía verlo desde allí. Aun así, me quedé mirando la pared de madera que nos separaba, como si pudiera abrir un agujero y reconocer su cara al otro lado.

—Gretel —repitió Cait—. ¿Qué pasa, cielo? ¿Quieres un poco de agua? Espera, te la traigo.

Volvió al cabo de un segundo con un vaso lleno de agua helada que me bebí entero.

—Estoy bien —dije, pero las palabras se me atascaban en la garganta—. Es que... estoy un poco indispuesta, nada más.

—¿La regla? —me preguntó bajando un poco la voz.

—Sí, algo así.

—Ya, este calor no ayuda. —Me miró muy preocupada. Estiró un brazo y apoyó la palma de la mano en mi frente para comprobar si tenía fiebre, pero yo se la aparté. No me gustaba que me tocaran—. Espero que no te pongas enferma. ¿Por qué no te vas a casa y te echas un rato?

Asentí y me levanté con cuidado.

—Sí, eso haré —dije—. No te preocupes por mí, estoy bien.

Volvieron a llamarla; me miró fijamente una última vez antes de ir a atender a sus clientes. Sin embargo, mientras recogía mis cosas para irme a la calle, supe que no podía marcharme sin cerciorarme. No podía ser, me repetía. Estábamos a miles de kilómetros de Europa, a miles de kilómetros de Polonia. No podía ser él. Pero yo conocía demasiado bien aquella voz. Con cautela, confiando en que no me viesen, me dirigí despacio hacia la salita del fondo y, medio escondida en el umbral, eché un vistazo alrededor hasta que vi al hombre sentado solo a una mesa, de espaldas a mí, con el pelo rubio, abundante y bien peinado y el traje impecable. Estaba leyendo un periódico mientras se bebía la cerveza y, de momento, no parecía haberse percatado de mi presencia.

Sin embargo, al cabo de un momento levantó la cabeza y la ladeó ligeramente, sin mirar hacia atrás pero ofreciendo parte de su perfil. Si sabía que lo estaban observando, no pensaba mostrarse y se quedó muy quieto; yo casi no podía respirar. Pese a estar rodeada de gente y de conversaciones, por unos instantes tuve la sensación de que estábamos los dos solos allí. Él siguió en aquella postura y entonces supe que había notado que lo miraba. Aun así, no se volvió del todo. Al final no pude soportarlo más, giré sobre mis talones y salí a la calle.

No podía estar absolutamente segura, por supuesto. Sólo había oído una voz y visto parte de un perfil, pero aun así, en el fondo, sabía que era él.

5

Me incorporé bruscamente en el sillón, asustada por la urgencia de los golpes. Estaba viendo una película antigua en la televisión, pero era bastante deprimente y había empezado a quedarme dormida. Los golpes me devolvieron a la vida y fui hacia la puerta, esperando encontrar a Heidi, desorientada, buscando ayuda para resolver algún problema doméstico. Sin embargo, me llevé una sorpresa al ver que no era mi vecina de enfrente, sino la del piso de abajo.

—Hola, Madelyn —dije mirándola de arriba abajo; parecía que fuese ella, y no yo, la que acababa de despertarse. Llevaba el pelo alborotado, le costaba enfocar la mirada y se le había corrido el rímel. Estaba muy desaliñada—. ¿Te pasa algo?

—Me he olvidado —contestó arrastrando las palabras—. Me he olvidado de Henry.

Era evidente que había bebido. Miré la hora: las tres menos diez. Me pregunté a qué hora habría comenzado.

—Vaya. —Retrocedí un par de pasos—. ¿Quieres pasar? ¿Te preparo una taza de café?

—Me he olvidado de Henry —repitió ella—. Me he olvidado por completo. —Se encogió de hombros, rió un poco y se tapó la boca con una mano—. Debe de pensar que soy la peor madre del mundo.

—No digas tonterías —dije aunque no tenía claro de qué me estaba hablando—. ¿Te has olvidado de él? ¿Qué quiere decir que te has olvidado de él?

—En el colegio. —Miró hacia la escalera que conducía al piso superior de Winterville Court, donde un galardonado novelista y un destacado crítico literario viven uno frente a otro en el mismo pasillo, escribiendo para su mutua desaprobación—. Sale a las tres. No voy a llegar a tiempo. No me encuentro bien, Gretel. Necesito volverme a la cama.

—Entiendo —repliqué. No estaba segura de por qué había decidido implicarme en todo aquello, pero estaba de acuerdo en que lo mejor que podía hacer era acostarse—. ¿Tiene llave? ¿Temes que no sepa entrar? Si quieres, puedo vigilar y abrirle la puerta cuando...

—Necesito que vaya a recogerlo —dijo ella—. No tiene permiso para volver a casa solo. Es demasiado pequeño. Podrían secuestrarlo.

Me quedé mirándola. Me pareció completamente descabellado que esperara que yo me encargase de traer a su hijo a casa. Al fin y al cabo, yo no era su abuela. ¿No tenía amigos ni parientes a los que pudiera llamar en caso de emergencia?

—¿Y tu marido? —dije—. ¿Dónde está el señor Darcy-Witt? Puso cara de exasperación.

—¿Quién sabe? En la suite de algún hotel, supongo. Haciendo castings de actrices. —Hizo el signo de las comillas con los dedos para acompañar la palabra «castings» y yo fruncí el ceño. Creía que esa clase de comportamiento era cosa del pasado.

—¿Y no puedes ponerte en contacto con él? —le pregunté—. ¿No tiene teléfono móvil?

—No —me contestó cada vez más nerviosa—. Bueno, sí, claro, tiene uno, pero no puedo llamarlo. No soporta que lo moleste durante el día. Además, me mataría si se enterase de que me he olvidado de él. —Sacudió la cabeza como si estuviera enfadada consigo misma—. De que me he olvidado de Henry, quiero decir. No de Alex. Lo siento, ya sé que me explico fatal.

—Tengo más de noventa años, querida. —Me sorprendió estar utilizando mi edad como excusa para librarme de hacer algo—. No querrás que me pasee por toda Londres para ir a recoger a un crío. Tiene que haber alguien más a quien se lo puedas pedir.

—No, no hay nadie. —Madelyn respiraba hondo por la nariz como si tratara de serenarse—. No puedo tener mis propios amigos —añadió, y volvió a reír—. Antes los tenía, claro, tenía muchos amigos. Hombres y mujeres. Pero él dice que se interponen entre nosotros dos, que tienen celos de mí y me critican a mis espaldas. Dice que me odian. ¿Han tenido celos de usted alguna vez, Gretel?

—Que yo recuerde, no. Nunca he sido la clase de mujer a la que otros envidian.

—Estoy segura de que cuando era joven era una belleza. —Me miró de arriba abajo; luego sonrió y por un instante pensé que se iba a caer—. Basta con verle la cara. Tiene una piel preciosa para ser tan vieja. —Arrugó la frente, se llevó un dedo a los labios y su rostro se torció en una mueca de confusión—. ¿Para qué he venido? —me preguntó—. Ya no me acuerdo.

—Por Henry —le recordé—. Hay que ir a buscarlo al colegio.

—Coño, es verdad —dijo, y yo di un respingo al oír esa palabra.

Habíamos subido mucho la voz y, al otro lado del pasillo, Heidi abrió la puerta de su casa y asomó la cabeza.

—¿Qué pasa? —preguntó.

Por alguna misteriosa razón, llevaba un gorro de papel rojo como esos que salen en los *crackers* de Navidad, aunque ya hacía muchos meses de la pasada Navidad.

—Nada, Heidi. —Hice un ademán para tranquilizarla—. Métete en casa. No pasa nada.

—¿Quién es? —preguntó, y Madelyn se volvió enojada.

—¿No ha oído lo que acaba de decir Gretel? —le espetó—. Le ha dicho que se meta en casa y se ocupe de sus asuntos.

Cerré un instante los ojos. Yo no lo había dicho así, claro está, pero a juzgar por su cara Heidi debió de creer que sí y se metió en su piso con aire ofendido. Me dije que iría a verla después, aunque confiaba en que ya se habría olvidado de todo aquello. Una de las ventajas de su enfermedad era que pasaba por alto los desaires puntuales.

—No soporto a las cotillas —me dijo Madelyn—. Bueno, ¿puede ir a recogerlo, Gretel? Creo que yo no puedo ir. No estoy en condiciones. Si no puede, se verá solo y se asustará.

Suspiré. Francamente, esto es demasiado, pensé, pero no tenía alternativa. No podía dejar al pobre crío solo y esperando a su madre el resto de la tarde. Si era cierto lo que decían los periódicos, las calles estaban llenas de chiflados impacientes por secuestrar a un crío como él con intenciones perversas.

—De acuerdo —cedí y suspiré—. ¿A qué colegio va?

Me dijo el nombre y lo anoté en un bloc junto con la dirección. No estaba muy lejos, pero no tenía intención de ir andando, sobre todo porque el reloj de la repisa de mi chimenea acababa de dar la hora y los niños habrían empezado a salir.

—Es usted muy amable —dijo Madelyn.

Se dio la vuelta y echó a andar hacia la escalera, donde se agarró al pasamano con cuidado. Yo me quedé observándola con la esperanza de que no cayese.

—Si quieres, puedo darle la cena —le propuse—. Sería mejor que no te viese en este estado. ¿Te parece bien?

—Sí, sí —dijo ella sin volver la cabeza—. Muchas gracias. Me parece que me voy a echar un rato. ¡Ha sido un día muy duro!

Entré en mi casa, cogí mis zapatos, el abrigo y el bolso y me miré un momento en el espejo. No tenía ni idea de qué pensaría aquel pobre niño cuando me viera llegar para recogerlo y sabía que tendría que inventarme alguna excusa convincente que justificara mi presencia.

Abrí el portal de Winterville Court dispuesta a parar el primer taxi que pasara; en ese instante Madelyn salió precipitadamente y faltó poco para que me tirara al suelo. Llevaba en la mano otra copa de vino, que estuvo a punto de derramarse.

—No se lo diga —me susurró mientras me sujetaba por un brazo, y la expresión de su cara era escalofriante. No recordaba la última vez que había visto a alguien tan asustado—. Prométame que no se lo dirá.

—Claro que no —dije molesta, y me solté—. Le diré que tenías una cita de la que no podías librarte. Estoy segura de que me creerá. A esa edad los niños no se cuestionan lo que les dicen.

—A Henry no. —Puso cara de exasperación, como si yo fuese el ser más estúpido del mundo—. A Alex. No se lo diga a Alex. Me matará. Hablo en serio. Sería capaz de matarme.

—Tienes mala cara —dijo Cait el domingo por la tarde mientras dábamos un largo paseo por las afueras de la ciudad, hacia North Head. No hacía calor, pero yo llevaba sombrero porque temía que el sol me lastimara las cicatrices de la cabeza—. ¿Qué te pasa?

—Nada —contesté, pero debió de notarse que mentía.

—No te creo. ¿Es un chico? Le has echado el ojo a alguien, ¿no es eso?

Negué con la cabeza. Sí, estaba pensando en un hombre, pero no en el sentido que ella decía.

—¿Estás segura? Porque normalmente es un chico —continuó sin dejar de andar. Tenía las piernas largas y solía marcar el ritmo en nuestras salidas, mientras que yo tenía que esforzarme para seguirle el paso—. Aunque en esa tienda en la que trabajas no habrá mucho donde elegir. Todas las empleadas sois mujeres, ¿verdad?

—Sí —confirmé.

—Qué suerte tienes —replicó.

Fruncí el ceño; no sabía a qué se refería con eso.

—En el pub los hombres se ponen en ridículo a todas horas —siguió—. Ninguno aguanta el alcohol. Cuatro o cinco cervezas y ya está: empiezan a contarme lo que hizo su padre en Galípoli durante la Primera Guerra Mundial y lo que hicieron ellos en la segunda, y créeme, no sabes cómo dejan los lavabos cuando se ponen así. Lo único que tienen que hacer es apuntar y disparar, no entiendo que ni uno sea

154

capaz de dar en el blanco. No me explico cómo lo hacían para disparar un arma. ¿Y quién ha de fregarlo todo después? Esta menda.

Me reí. A Cait le encantaba hablar de forma despectiva de sus clientes, pero jamás la había oído quejarse de tener que ir a trabajar.

—En realidad, sí me gustaría preguntarte por alguien —dije tímidamente mientras seguíamos caminando por el promontorio rocoso.

—¿Ah, sí?

—La semana pasada, cuando fui a recoger el dinero del alquiler, había un hombre que me llamó la atención.

—Menuda granuja estás hecha —me dijo—. Acabas de decirme que no le has echado el ojo a ningún chico y ahora me preguntas...

—No, no es eso —la interrumpí—. No me interesa desde un punto de vista... romántico.

¿De verdad? No estaba del todo segura de lo que acababa de decir.

—Conoces a casi todos los clientes del pub, ¿no?

—Bueno, a los habituales sí —admitió—. Hace que el ambiente sea más agradable.

—Ese hombre al que vi...

—¿Estaba sentado a la barra?

—No, en la salita.

—Ah, ésos son diferentes. Los obreros siempre se sientan a la barra porque así pueden flirtear conmigo y con las otras camareras cuando les servimos las bebidas. Los jefazos, los ricachones con corbata, se sientan en la salita porque quieren que los dejen tranquilos para leer el periódico. Yo voy allí, les sirvo y nunca hablan mucho. Ese que tú dices ¿cómo era?

—Tendría unos treinta años —dije—. Alto y delgado. Con el pelo rubio y abundante. Muy guapo. —Me pregunté si podía añadir algún dato más a la descripción, pero sólo se me ocurrió remarcar lo último que había dicho—: Muy guapo.

—¿Australiano?

—No, aunque se esfuerza por aparentarlo. Creo que centroeuropeo, seguramente alemán.

Asintió.

—Ya sé a quién te refieres —dijo—. Es un cliente habitual, más o menos. Bastante callado. Y no es alemán. Un día, mientras estaba esperando a que le sirviera la cerveza, porque estábamos cambiando el barril, me preguntó de dónde era. Le dije que de Cork y le pregunté de dónde era él.

—¿Y qué te contestó?

—Que era de Praga.

Arqueé una ceja. Era tan checo como yo.

—Viene dos días por semana, los miércoles y los viernes, como un reloj —continuó Cait—. Siempre a la misma hora, a eso de las seis y cuarto. Supongo que viene directamente del trabajo. Alguien me dijo que es banquero. Tiene toda la pinta.

Asentí. Era el tipo de profesión que Kurt habría elegido. Incluía todas las cosas que le importaban: poder, influencia, dinero.

—¿Y sabes cómo se llama?

—Kozel —dijo Cait—. Bueno, ése es su apellido. No sé su nombre de pila. ¿Por qué lo dices? ¿Te gusta? Porque me temo que no tienes nada que hacer: está casado. Una vez vino su mujer. Iba vestida de punta en blanco, parecía una estrella de cine.

—¿Era australiana? —pregunté tratando de ignorar los vergonzosos celos que sentía de aquella mujer.

—Me parece que sí. —Cait se detuvo, se volvió hacia mí con los brazos en jarras y añadió—: ¿De qué va todo esto, Gretel? ¿Acaso tenías algún rollo con él del que yo no sé nada? Si así es, lo has disimulado la mar de bien.

Titubeé. Le tenía cariño a Cait, nos habíamos hecho muy amigas, pero sabía que no debía confiarle a nadie los secretos de mi pasado. Casi nunca mencionábamos la guerra y me daba la impresión de que ninguna de las dos quería hablar de cómo habíamos pasado aquellos terribles años. Aunque hubiésemos sido familia, no me imaginaba revelándole ni a ella ni a nadie la verdad sobre mi infancia.

—No, no es eso. Es que... —Negué con la cabeza—. Ya sé que soy tonta, pero me recuerda a alguien, nada más.

—¿A alguien que te gustaba?

—Sí —admití—. Alguien que me gustaba mucho.

—Pues si quieres que te dé un consejo —dijo ella, mientras daba media vuelta para emprender el camino de regreso—, no te acerques a él. Es muy educado, eso es cierto. Nunca me causa problemas, no como otros. Y sí, es atractivo, si es que te gusta ese tipo de hombre. A mí no. Pero tiene algo que me da repelús. Y tú ya me conoces bastante bien, Gretel: sabes que no me asusto fácilmente. Pero créeme, ese tipo no es trigo limpio.

7

Tal vez no debería haberme sorprendido que hoy en día no puedas presentarte en un colegio, elegir a un niño al azar y llevártelo a tu casa. Resulta que a los maestros les gusta comprobar que tienes alguna relación con el niño.

Mi taxi se detuvo delante del colegio de Henry a las tres y veinte, pero fuera no había ni rastro de él. Pagué la carrera y miré a mi alrededor, preguntándome si estaría paseándose por la calle en busca de su madre; pero las aceras estaban vacías, así que me dirigí a la recepción, donde me saludó una joven que estaba sentada detrás de una mampara de cristal y que levantó la cabeza cuando me acerqué a ella.

—¿En qué puedo ayudarla? —me preguntó, y yo miré en torno a mí con la esperanza de no tener que dar demasiados detalles.

—Me llamo Gretel Fernsby —dije—. Estoy buscando a Henry Darcy-Witt. Tengo que llevarlo a su casa.

La mujer pasó el dedo por un fajo de documentos que tenía delante, cogió el teléfono, marcó una extensión de tres dígitos y murmuró unas palabras inaudibles a través del cristal. Cuando colgó el auricular, me indicó que podía sentarme en una de las cuatro butacas de colores que adornaban la recepción.

Aun así, preferí no sentarme y me dediqué a examinar las fotografías de promoción de alumnos colgadas en las paredes. Habían decidido exhibir algunas de las fotografías más antiguas y me encontré contemplando los fantasmales rostros de niños que tenían nueve o diez años a principios de los años treinta. Estaban todos inmóviles, sentados con la espalda muy recta, las manos en el regazo y gesto sobrio. Junto a cada grupo había un maestro diferente, con su capa, su sombrero y su bigote de lápiz. Era difícil mirarlos y no pensar en el mundo donde habían crecido aquellos niños. Todos ellos debían de haber alcanzado la mayoría de edad en la época en que el Führer envió sus tanques a Polonia. Debían de estar cortejando a su primera novia y pensando en su carrera universitaria cuando el señor Chamberlain regresó a Londres con la promesa de paz para nuestra generación. Levanté una mano y pasé el dedo índice por las mejillas de aquellos niños perdidos. El discreto alboroto de la escuela se vio reemplazado por el sonido de trenes que llegaban de madrugada y los gritos de niños y niñas a los que separaban de sus padres. Y entonces recordé a aquel otro niño, un niño al que sólo había visto una vez, cuando lo sorprendí robando unas prendas de ropa. Me había suplicado que no lo delatara. «Me matará», me había dicho, y yo me había quedado mirándolo y le había preguntado a quién se refería. Él había mirado más allá de la cabaña, hacia el coche donde Kurt estaba esperando a Padre. Yo nunca había visto tanto terror como en los ojos de aquel niño. ¿Cómo se llamaba? Me lo dijo y lo recordé durante años. Luego, durante décadas, intenté olvidarlo.

Oí una voz detrás de mí que me sacó del ensimismamiento. Me di rápidamente la vuelta.

—Señora... Ferns, ¿no? —me preguntó un muchacho negro con un jersey verde. Tenía el cutis tan liso y era tan joven que costaba discernir si formaba parte del alumnado o del profesorado.

—Fernsby —lo corregí—. He venido a...

—¿Se encuentra bien? —me preguntó, y yo fruncí el ceño.

—Sí, creo que sí —le contesté—. ¿Por qué me lo pregunta?

—Si quiere, puedo ir a buscarle un pañuelo —dijo.

—¿Para qué necesito un pañuelo?

Me pareció que mi pregunta le resultaba embarazosa.

—Porque está llorando —dijo.

Levanté una mano, me toqué las mejillas y las noté mojadas de lágrimas. ¿Había empezado a llorar mientras observaba aquellas fotografías? Supuse que sí, aunque me sorprendió no haberme dado cuenta. Consternada, incluso un poco asustada, metí la mano en mi bolso y saqué un pañuelo de papel para enjugarme las lágrimas; preferí no contestar.

—He venido a buscar a Henry Darcy-Witt —dije una vez recompuesta.

—Lo sé. Soy el maestro de Henry —me contestó, aclarando por fin su categoría—. Me llamo Jack Penston.

—Encantada de conocerlo, señor Penston. Siento haber llegado tarde, pero he tenido que coger un taxi y...

—Verá, es que normalmente a Henry viene a recogerlo su madre —dijo él.

—Sí, lo sé, pero hoy está indispuesta.

Miré más allá de él con la esperanza de ver salir al niño de las sombras. No me gustaban las escuelas y no pensaba quedarme más tiempo del imprescindible en aquélla. Se respiraba un tufillo familiar, una mezcla de olores a tiza, goma, desinfectante y niños que me resultaba especialmente desagradable.

—Espero que no le haya pasado nada —dijo, y yo negué con la cabeza.

—No, no. No se encuentra bien, pero no es nada grave. Cosas de mujeres. —Por norma esa frase servía para hacer callar a los hombres, pero el señor Penston siguió sin inmutarse, así que me vi obligada a continuar—: Le he aconsejado que se acostara un rato. La familia Darcy-Witt y yo vivimos en el mismo edificio. Yo vivo en el piso de arriba. Supongo que ya estará durmiendo —añadí a pesar de que estaba convencida de que no era así. Sospechaba que Madelyn debía de estar tumbada en el sofá apurando una botella de vino—. Me ha pedido que viniese a recogerlo.

—Entiendo. —El señor Penston frunció un poco el ceño y se acarició el sitio donde algún día tendría la barba—. El único problema es que no está usted en la lista, señora Fernsby.

—¿En qué lista?

—En la lista de personas autorizadas. Los padres hacen una lista de los adultos autorizados a llevarse a los niños del colegio. La mayoría incluyen a uno o dos abuelos, a veces a un tío o una tía. Alguien de su confianza.

—Ah. —Asentí con la cabeza—. No, seguro que yo no estoy en esa lista.

—No —confirmó él.

—Pero ella me lo ha pedido —aseguré—. Se lo prometo.

—No tengo la menor duda. —Alargó la mano como si fuese a tocarme un brazo, pero entonces se lo pensó mejor y la retiró. Parecía nervioso. Supongo que no estaba acostumbrado a llevarles la contraria a las ancianas—. Pero estoy seguro de que lo entenderá. No puedo dejar que Henry se marche con alguien sin el permiso de sus padres.

Asentí. Su respuesta era completamente razonable, pero representaba un problema. Entonces, por fin, apareció una cabecita al final del pasillo y yo sonreí aliviada al comprobar que al menos Henry seguía con vida.

—Hola, Henry —dije, y lo saludé con la mano.

Él me sonrió y me saludó también.

—Hola, señora Fernsby —dijo. No parecía sorprendido de verme allí.

—Bueno, al menos ya sabe que soy quien digo que soy —le indiqué al señor Penston—. Si sirve de algo, también puedo enseñarle mi pase de autobús.

—¿Conoces a la señora Fernsby? —preguntó el profesor ignorando mi comentario y volviéndose hacia el niño.

—Su habitación está encima de mi habitación —dijo Henry—. La oigo cuando apaga la luz antes de dormir. Somos amigos.

Me quedé mirándolo ligeramente sorprendida de cómo me había descrito. Y no se equivocaba respecto a la geografía. Era lo lógico que mi dormitorio estuviese encima del suyo, porque la distribución de nuestros pisos era idéntica y yo me había trasladado a la habitación más pequeña tras fallecer Edgar.

—Si no le importa, voy a llamar por teléfono a la señora Darcy-Witt —anunció el señor Penston, y yo asentí, aunque no estaba segura de que mi vecina fuese capaz de mantener una conversación coherente.

El maestro pasó detrás de la mampara de vidrio y, tras teclear en un ordenador, presuntamente para buscar el número correcto, descolgó el auricular y marcó un teléfono. Henry se me acercó y me miró.

—¿Dónde está mamá? —me preguntó.

—En casa —le contesté—. Yo necesitaba estirar las piernas, porque tengo ciento veintiséis años y mi artritis empeora si me quedo sentada todo el día. Le he preguntado si podía venir a recogerte y acompañarte a casa para hacer un poco de ejercicio, y ella ha sido muy amable y me ha dicho que sí. No te importa, ¿verdad?

Henry me miró entornando los ojos. No parecía muy convencido.

—Usted no tiene ciento veintiséis años, ¿verdad? —dijo.

—Los cumplo este año. ¿Te imaginas? Cuando yo era pequeña, ni siquiera existían los niños. No los inventaron hasta los años sesenta.

Soltó una risita y me miró como si no supiera si creerme o no. Estiró muy despacio un brazo hacia el mío y entonces, como había hecho su maestro, se lo pensó mejor. ¿Qué pasaba? ¿Por qué habían hecho los dos lo mismo?

—¿Voy a buscar mi abrigo y mi mochila? —me preguntó, y yo asentí.

—Sí, por favor. Cuando el señor Penston termine de hablar por teléfono, seguro que nos da permiso para marcharnos.

Rápido como el rayo, echó a correr por el pasillo y yo sentí el extraño impulso de seguirlo y ver cómo eran las aulas hoy en día. Imaginé que no se asemejarían mucho a las de la escuela de Berlín donde yo había estudiado, con sus austeros pupitres de madera dispuestos en filas ordenadas. Y Jack Penston parecía mucho más simpático que herr Liszt, el maestro que venía a darnos clase a mi hermano y a mí todos los días cuando vivíamos en aquel otro sitio.

Se abrió la puerta del despacho y el señor Penston salió de detrás de la mampara.

—Todo en orden —dijo con una sonrisa.

—Me alegro —afirmé aliviada—. Entonces ¿no estaba durmiendo?

—De hecho, no he podido hablar con la señora Darcy-Witt. No se ponía al teléfono, así que he llamado al padre de Henry.

Intenté que mi ansiedad no se reflejara en mi semblante, aunque recordaba muy bien la expresión de Madelyn y el pavor con que había dicho: «No se lo diga a Alex. Me matará. Hablo en serio. Sería capaz de matarme.»

—Claro —dije—. ¿Y él está de acuerdo en que yo recoja al niño?

—Se ha sorprendido, pero le ha parecido bien. Cuando vuelva a ver a la señora Darcy-Witt, le preguntaré si quiere que la pongamos a usted en la lista de adultos autorizados para futuras ocasiones.

—Bueno, no se moleste. —Henry volvió a mi lado con el abrigo abrochado y una mochila que debía de pesar tanto como él—. No creo que esto vuelva a pasar. Sólo ha sido una emergencia.

Henry le dijo adiós con la mano a su profesor y nos dirigimos a la puerta. Los niños muertos me siguieron con la mirada.

—Ahora necesitamos encontrar un taxi —dije cuando salimos a la calle.

—Creía que quería usted andar —replicó Henry—. Por la artritis.

Lo miré. Tenía que admitir que al niño no se le escapaba una.

Shmuel, pensé. Así se llamaba el niño. El de aquel otro sitio. El que me había suplicado que no le dijese a Kurt que lo había descubierto robando ropa.

«Me matará», había dicho.

Sí, eso era.

Shmuel.

Un nombre que sonaba como el viento.

8

Cait había dicho que el hombre al que llamaba señor Kozel iba al Fortune of War dos veces por semana, así que el miércoles siguiente fingí que estaba enferma y pregunté si podía salir del trabajo antes de hora. Como la señora Brilliant siempre desconfiaba de las empleadas que lo pedían, pues creía que sólo querían marcharse a casa para cambiarse de ropa y salir con el novio, me pasé toda la mañana entrando y saliendo del lavabo para que se convenciera de que no me encontraba bien y así reforzar mi excusa. Aun así, a última hora de la tarde, cuando le pregunté si podía irme, me llevó a su despacho y me repasó de arriba abajo con mirada crítica, fijándose sobre todo en mi abdomen.

—¿Tienes algo que contarme? —me preguntó muy seria y con un tono inquisitivo.

—No, sólo que debo de haber comido algo que me ha sentado mal en el desayuno —dije—. Seguro que mañana por la mañana estaré mejor. Sólo necesito descansar un poco.

—Quiero dejarte muy clara una cosa, Gretel —dijo ella con las manos entrelazadas delante del cuerpo como si rezara—. No les pido nada del otro mundo a mis chicas, sólo sinceridad, puntualidad, higiene y buenos modales con la clientela. Pero éste es un establecimiento respetable y no voy a permitir que una dependienta que no lleve una alianza en el dedo trabaje en mi tienda en estado interesante.

Me quedé perpleja ante sus palabras. Nunca había oído aquella expresión y no tenía ni idea de qué significaba.

—Perdón, ¿cómo dice?

—¿Esperas una sorpresa para Navidad? —me preguntó, y pensé si se habría vuelto loca—. Porque, si es así, te agradecería que me lo dijeras ahora para que pueda empezar a entrevistar a tu sustituta.

—Lo siento, señora Brilliant... Creo que no...

La expresión de mi cara debió de confirmar que no sabía de qué me estaba hablando.

—¿Vas a tener un bebé? —me espetó con enojo, y yo me puse muy colorada sólo de pensarlo.

—¡No! —exclamé—. ¡No, claro que no! ¡Está usted muy equivocada!

—Porque llevas toda la mañana indispuesta y...

—Señora Brilliant, le aseguro que no estoy embarazada. Eso es sencillamente imposible, al menos si he entendido los fundamentos de la biología. Soy una persona muy decente. Lo único que me pasa es que tengo las tripas revueltas.

Por lo visto entonces me creyó, lo que me alivió mucho; hasta tuvo el detalle de parecer abochornada cuando me permitió marcharme. Mientras recogía mi bolso y mi abrigo y bajaba por George Street, no puede evitar reírme de aquel malentendido. Sólo había tenido un amante en mi vida, Émile, y desde nuestra única noche de pasión ya habían pasado seis años. Cierto era que, desde entonces, otros hombres me habían hecho proposiciones, pero nunca había cedido a ellas, ni siquiera cuando yo también había sentido deseo. Mi actitud no se debía a ningún rígido sentido de la moral por mi parte, sino sencillamente a que no podía confiar en los hombres. De todos modos, eso no significaba que no me atrajeran los chicos, y más allí, en Sídney, donde eran robustos, atractivos y estaban bronceados. A menudo observaba sus cuerpos y anhelaba gozar de cierta intimidad con ellos, pero siempre me había contenido, convencida de que aquella abstinencia autoimpuesta duraría para siempre.

Fui al Fortune of War poco antes de las seis, aunque no entré enseguida; me quedé vigilando la puerta de lejos desde la acera de enfrente, junto a los escalones por los que se accedía a First Fleet Park. Las calles del barrio de The Rocks estaban muy concurridas a esa hora del día, con gente que iba y venía y una gran afluencia de hombres que querían pasar un par de horas rodeados de amigos al salir del trabajo, bebiendo cerveza y charlando sin que los observara ningún capataz. Eran tantos que temí no distinguir a Kozel entre ellos, pero la mayoría eran obreros vestidos con pantalón corto y camiseta sin mangas, lo que ayudaría a localizarlo entre la multitud.

Y así fue. Hacía apenas quince minutos que esperaba cuando lo vi acercarse. Iba solo y llevaba un maletín y un sombrero que sin duda era del todo innecesario en aquel clima. Se detuvo en un quiosco para comprar un periódico; pagó con unas monedas y se quedó un momento en la calle leyendo los titulares. Luego lo dobló, se lo puso bajo el brazo y entró en el pub; fue directo a la parte de atrás, parando en la barra sólo para pedir su consumición antes de desaparecer en la salita del fondo.

Poco antes había fingido que me encontraba mal, pero ahora era verdad: se me estaba revolviendo el estómago mientras valoraba mis opciones.

Podía marcharme y no volver a pisar el lugar de trabajo de Cait, y así jamás me encontraría con él de nuevo. Podía entrar y hablar con él. Pero ¿qué iba a decirle después de tanto tiempo, si ambos fingíamos ser lo que no éramos?

Al final respiré hondo y crucé la calle. Me temblaban tanto las piernas que estuve a punto de tirarme encima de un coche que se interpuso en mi camino. Ni siquiera levanté una mano para disculparme y entré en el pub con decisión antes de que me diera por cambiar de idea. No vi a Cait por ninguna parte, pero su compañero, Ben, que estaba detrás de la barra, me saludó por mi nombre y me preguntó si quería una cerveza. Le hice una señal afirmativa con la cabeza y me agarré a la barra de madera mientras él me la servía, viendo cómo el líquido frío y dorado burbujeaba al entrar en el vaso. Dejé unas monedas encima de la barra y me llevé la cerveza a la salita de la parte de atrás.

Allí no había nadie más: estaba él solo y, como la vez anterior, leía el periódico en silencio. Fui hasta el rincón opuesto y me senté; clavé la vista en la mesa y luego la desvié hacia su mesa. Ya no tenía ninguna duda respecto a su identidad. Era casi una década mayor, desde luego, pero no había error posible.

Él percibió mi interés, alzó la vista y se volvió hacia mí. Esperé a ver si mudaba la expresión, pero no parecía que me hubiese reconocido. De hecho, sonrió un poco, como si estuviera acostumbrado a que las chicas jóvenes lo mirasen embelesadas; me saludó con la cabeza y yo me sonrojé. Luego siguió leyendo su periódico con aquella sonrisita presuntuosa en los labios, pero después, al cabo de unos segundos, algo cambió. Volvió a mirarme como de pasada, y entonces, al desviar la mirada, su sonrisa se borró muy despacio y se le endureció la mandíbula, como si apretara los dientes con fuerza. Encima de su mesa había un bolígrafo sencillo y, tras lo que se me antojó un silencio eterno entre los dos, lo cogió, lo destapó y escribió algo en la parte superior del periódico.

Nerviosa, quise coger mi bebida, pero me temblaban tanto las manos que se me cayó el vaso y la cerveza se derramó por la mesa. Ben vino de inmediato con un trapo para limpiarlo y me hizo un par de comentarios banales, aunque yo era incapaz de concentrarme en nada de lo que me decía. Fijé la vista en el suelo y hasta que Ben no se hubo marchado con los cristales rotos no me atreví a levantar la cabeza y volver a mirar hacia la otra mesa.

Pero ya estaba vacía: me había quedado sola en la salita. Tampoco estaban el sombrero ni el maletín, y lo único que delataba la presencia de aquel hombre eran el periódico y el bolígrafo.

Me levanté, crucé la salita y cogí el periódico de la mesa. Resultó que no eran palabras lo que había escrito, sino una especie de dibujo. Al principio no lo entendí, pues a primera vista sólo parecía una serie de líneas entrecruzadas vertical y horizontalmente. Pero entonces vi que en la base había una franja de hojas de hierba, y entonces comprendí que aquello era un mensaje para mí. O una advertencia.

Porque Kurt Kotler, el antiguo *Untersturmführer* de aquel otro sitio, el edecán de mi padre y el primer chico del que yo me había enamorado, había dibujado una alambrada.

9

¿Qué le das de comer a un niño de nueve años?

Hacía décadas que no entretenía a ningún crío en mi casa y no tenía ni idea de qué alimentos podían gustarle a Henry, así que preparé un par de huevos escalfados y los puse encima de unas tostadas con unas alubias al lado, y él pareció perfectamente satisfecho con aquella comida tan sencilla. Yo tomo leche desnatada, pero él hizo una mueca cuando la probó, así que la sustituí por una lata de naranjada que siempre guardo en la nevera por si me baja un poco el azúcar, y Henry se puso muy contento.

Me senté a su lado con una taza de té y lo observé mientras comía. Al llegar a Winterville Court, me había fijado en las ventanas de su piso con la esperanza de que Madelyn no estuviera esperándonos y no insistiera en quedarse a su hijo estando todavía borracha, pero no vi ningún movimiento, así que me lo llevé arriba, le escribí una nota para explicar dónde estaba Henry y la deslicé por debajo de la puerta de los Darcy-Witt. Me preocupaba lo que pudiese pasar cuando despertara Madelyn. Me había insistido tanto en qué el padre del niño no debía saber que yo había ido a recogerlo... Era cierto que yo no tenía ninguna culpa y mi vecina no podía reprocharme nada, pero ahora él lo sabía todo.

—¿Está rico? —pregunté, y Henry me miró con una sonrisa de satisfacción en los labios.

Me fijé en que movía el brazo derecho con cuidado y me pregunté si todavía le dolía a pesar de que ya le habían retirado el yeso.

—Cocina usted muy bien, señora Fernsby —dijo con un tono tan maduro que no pude evitar reírme.

—Esto no es cocinar. Cualquiera puede preparar un plato como ése. ¿En el colegio no te dan de comer?

—Sí, hay una cafetería. —Hizo una mueca—. Pero no puedo comer nada de lo que dan allí. Sabe todo a vómito.

—¡Qué horror! ¿Qué os dan?

—*Nuggets* de pollo —contestó—. Pasta. Pizza. También hay unas bandejas muy grandes de verdura, pero siempre está reseca.

—En mis tiempos, teníamos que llevarnos nuestra propia comida a la escuela —le expliqué—. Maria me preparaba dos *halve hahns* y los ponía en una bolsa de papel junto con una manzana todas las mañanas.

—¿Quién es Maria? —me preguntó.

—Una chica que trabajaba para mi familia cuando yo era pequeña —dije por fin—. Una criada, supongo que era eso. Ahora la gente ya no tiene criadas, pero en aquella época las familias ricas tenían al menos una. Y a veces más.

Siguió comiendo, pero más despacio, mientras cavilaba sobre lo que acababa de explicarle.

—Mi papá tiene a mucha gente que trabaja para él —señaló.

—Deben de ser ayudantes —observé—. O quizá secretarias. Las criadas trabajan en las casas. Limpian y hacen las camas. Y, en nuestro caso, nos preparaban la comida a mi hermano y a mí.

Esa aclaración pareció satisfacerlo, pero todavía no había terminado.

—¿Y qué es un *halve... halve...*?

—*Halve hahn* —dije—. Maria era de Colonia, y allí son muy populares. Sólo son panecillos con queso, cebolla y pepinillos. Muy sencillos, pero muy sabrosos.

—No me gusta el queso, no me gustan los pepinillos y no me gustan las cebollas —declaró Henry con decisión.

—Entonces dudo que te gustaran los *halve hahn* —afirmé, y él sonrió y siguió comiéndose sus alubias cocidas.

—¿Aquí también tiene criada? —me preguntó al cabo de un momento, y yo negué con la cabeza.

—No, no. No la necesito, porque vivo sola. No he vuelto a tener criada desde que era niña.

—¿Y dónde está ahora Maria?

Lo miré fijamente. No sabía la respuesta a esa pregunta y la verdad era que hacía años que no me la había planteado. Cuando Madre y yo nos marchamos de aquel otro sitio, ella sólo nos acompañó hasta Berlín, donde nos separamos. Madre quería que se quedara con nosotras, pero ella dejó muy claro que no lo haría por nada del mundo. Dijo cosas muy desagradables y me impresionó descubrir cuánto odio había sentido siempre hacia mis padres. Si Madre no hubiese temido llamar la atención, estoy segura de que le habría pegado. Con todo, y a pesar de aquel incidente, al principio yo la había echado de menos, aunque una vez que llegamos a París ya no hubo tiempo para pensar en esos lujos.

—Es una pena, pero le perdí la pista hace décadas —dije—. Claro que seguramente habrá muerto. Si siguiera viva, tendría casi cien años.

—La reina tiene casi cien años —dijo Henry.

—Sí, pero la reina está rodeada de sirvientes. Eso hace que la vida sea un poco más fácil. Además, sospecho que la reina es inmortal.

—¿Qué significa «inmortal»?

—Significa que nunca te mueres.

Arqueó una ceja.

—Todo el mundo se muere —dijo.

—Sí, es verdad.

Terminó de comer y, sonriente, apartó el plato hacia un lado.

—Me ha gustado mucho —afirmó.

Parecía un adulto en el cuerpo de un niño pequeño: hasta se recostó en la silla y se acarició la barriga describiendo círculos, y entonces fui yo quien se rió.

—Me alegro. —Me levanté y llevé su plato al fregadero—. Supongo que ahora te apetecerá algo dulce, ¿verdad?

—Sí, por favor —dijo él con una sonrisa radiante.

Hurgué en otro armario convencida de que encontraría algo adecuado y abrí un paquete de galletas de chocolate; iba a darle una, pero me lo pensé mejor y le ofrecí dos.

—Gracias —dijo Henry.

Primero mordisqueó los bordes, como un ratón, para comerse todo el chocolate exterior. Me senté otra vez y seguí observándolo. Parecía completamente autónomo.

—¿Estás contento de haber venido a vivir aquí? —le pregunté por fin—. Me refiero a Winterville Court.

Se encogió de hombros.

—Cambiamos mucho de sitio. Ya no me acuerdo de en cuántas casas he vivido. Es agotador.

Sonreí. Su tendencia a emplear expresiones adultas que evidentemente les había oído a sus mayores me recordó a mi hermano, famoso por escuchar por el ojo de las cerraduras y a través de las puertas. Recuerdo que siempre decía que yo «había sido un problema desde el primer día». Debía de haber oído a Padre o a Madre describirme así y había adoptado aquella expresión. Y, por supuesto, eso era justo lo que yo temí cuando murió el señor Richardson y pusieron su piso en venta: que resurgieran recuerdos incómodos.

—¿Y les gusta este estilo de vida nómada a tu papá y tu mamá? —le pregunté.

Arrugó mucho la frente.

—Si les gusta cambiar de sitio —aclaré—. No quedarse mucho tiempo en el mismo.

—Creo que sí —respondió—. Vivimos un año en Estados Unidos y luego volvimos aquí. Pero aquí ya habíamos estado antes. Y creo que cuando yo era muy pequeño vivimos en Europa, pero de eso no me acuerdo.

—¿En qué sitio de Europa? —pregunté.

—En Francia.

—Yo viví un tiempo en París —dije.

—Usted no es inglesa, ¿verdad? Se le nota en la voz.

—Eres muy perspicaz. Ya casi nadie nota mi acento. No, soy alemana. Aunque no he vuelto a Alemania desde que tenía doce años.

—¿No tiene familia allí? ¿No hay nadie a quien le gustaría visitar? —me preguntó.

Negué con la cabeza.

—No. Mi única familia es mi hijo y vive aquí. Aunque él ya es mayor. Tiene más de sesenta años.

—No tiene muchas fotografías —observó mirando a su alrededor.

—No me gustan —dije.

—¿Por qué?

—Porque decidí no vivir en el pasado.

Frunció el ceño mientras reflexionaba sobre eso. Como es lógico, no le hablé de la única fotografía que conservaba en el joyero Seugnot que tenía al fondo del armario. Seguro que él se empeñaría en verla, pero yo no había osado mirarla desde hacía décadas y no pensaba sacarla de allí ahora.

—¿No tiene nietos?

Antes de que pudiese contestar, sonó el timbre.

—Debe de ser tu madre —dije con una sonrisa, aunque me fastidió un poco no poder continuar nuestra conversación.

Henry enseguida se mostró incómodo, como si él también hubiese preferido quedarse allí charlando conmigo un rato más. Abrí la puerta del piso sin mirar por la mirilla, convencida de que encontraría a Madelyn allí de pie, con suerte más o menos sobria.

Pero no era Madelyn, sino Alex. Estaba escribiendo algo en el teléfono y, cuando abrí la puerta, levantó la cabeza y me miró, pero ni sonrió ni me dijo «hola».

—Creo que ha secuestrado a mi hijo —dijo.

10

A la mañana siguiente fui a desayunar a la cocina y me llevé una sorpresa al encontrar a una desconocida sentada a la mesa fumando un cigarrillo y bebiendo café. Me dio los buenos días como si estuviera en su casa, y me quedé mirándola y preguntándome quién sería y cómo habría entrado. Cait y yo, recelosas de que algún intruso entrara de madrugada en nuestro piso al salir de los pubs cercanos, siempre cerrábamos la puerta principal con llave antes de acostarnos.

—Tú debes de ser Gretel —dijo la mujer con un marcado acento de Sídney.

—Así es —contesté.

—Me llamo Michelle —continuó ella—. Pero puedes llamarme Shelley. Es como me llaman todos.

No supe qué decir pero, por suerte, justo entonces apareció Cait en la puerta, desaliñada y un poco aturullada.

—Hola, Gretel —me saludó, y se sonrojó ligeramente—. Pensaba que ya te habrías marchado al trabajo.

—Me he retrasado un poco —dije mientras llenaba de agua el hervidor y lo encendía. No comía mucho a primera hora de la mañana, pero para ponerme en marcha necesitaba el té—. La señora Brilliant me va a matar.

—Ésta es Shelley —dijo ella señalando a su invitada.

—Sí, ya nos hemos presentado.

—Shelley es amiga mía.

Asentí. Sabía que Cait había hecho algunas amigas en el Fortune of War, pero todavía no me había presentado a ninguna y era la primera vez que mencionaba a una por su nombre.

—Siéntate, cielo. —Shelley se quitó el cigarrillo de los labios y tiró la ceniza sobre un periódico, como si aquélla fuese su casa y no la mía—. Me pones nerviosa ahí plantada como un pasmarote.

Me senté con mi taza de té y las miré a una y a otra con la esperanza de obtener algún tipo de explicación, pero como nadie me la ofrecía y el silencio era cada vez más insoportable, al final habló Cait.

—Me han dicho que ayer por la noche estuviste en el pub —dijo.

—Sí, pero sólo un rato.

—Ben me dijo que te marchaste a toda prisa. Y que parecías un poco disgustada por algo.

—No fue nada. Ya estoy bien. —Me había planteado contarle a Cait mis dos encuentros con Kurt, pero en ningún caso iba a hablar de él delante de una desconocida.

—¿Te gusta bailar? —me preguntó Shelley.

Me volví hacia ella sorprendida por aquella pregunta. Me fijé en que tenía un tatuaje en el antebrazo derecho: una imagen de Betty Grable vista desde atrás, con sólo un bañador y unos zapatos de tacón, con el pelo cardado, mirando hacia atrás y guiñando un ojo.

—¿Si me gusta bailar? —dije—. Bueno, antes bailaba, pero... No, no he ido a bailar desde que vine a vivir a Sídney. ¿Por qué me lo preguntas?

—Sólo para darte conversación, cielo —replicó ella. Encendió otro cigarrillo y me lanzó el humo; luego agitó una mano para disiparlo, con lo que sólo consiguió empeorar las cosas—. Katie y yo fuimos a bailar anoche, ¿verdad, cielo? Lo pasamos de fábula.

—¿Adónde fuisteis? —pregunté. No me interesaba especialmente, pero quería parecer simpática.

—A Miss Mabel's Rooms —dijo Shelley—. ¿Has estado allí alguna vez?

—No, nunca.

—No te gustaría, Gretel —dijo Cait un poco abochornada, pero también me había fijado en cómo había sonreído cuando Shelley la había llamado «Katie».

—¿Por qué no? —pregunté.

—Porque no. Digamos que no es un sitio para chicas como tú.

Fruncí el ceño; no sabía si lo había dicho con sorna. Me dolió que mi amiga pensara que Miss Mabel's Rooms, u otros sitios a los que ellas iban, era demasiado sofisticado para mí.

—¿Por qué no? —insistí.

—Tú no eres irlandesa como Katie, ¿verdad? —dijo Shelley—. ¿De dónde eres?

—De Europa continental —contesté sin ninguna intención de precisar más.

—Eso es grande de narices —replicó ella—. Yo nunca he salido de Nueva Gales del Sur. No, miento: cuando era pequeña mi padre nos llevó a mi hermano y a mí a Melbourne a pasar un fin de semana, pero no lo recuerdo muy bien. Y tampoco tengo intención de volver allí.

—Ya entiendo —dije, aunque no entendía nada.

—Bueno, sintiéndolo en el alma, tengo que irme —anunció Shelley, y apagó el cigarrillo, pero luego apretó bien la punta y se lo puso detrás de la oreja, lo que me pareció muy poco elegante—. Ha sido una noche maravillosa, cielo.

Se levantó, rodeó la mesa, se inclinó hacia delante y entonces, para mi sorpresa, besó a Cait en los labios mientras la sujetaba con la mano izquierda por la nuca. No fue un besito de amigas, sino un beso largo, y me di la vuelta sin saber dónde mirar.

—Ha sido un placer conocerte, Gretel —dijo Shelley. Me guiñó un ojo y se fue.

Cuando salió de la cocina Cait y yo guardamos silencio. Sentada a la mesa tomándome el té, yo sólo deseaba una cosa: que me tragara la tierra. Al final me atreví a mirar a mi amiga y vi que ella también estaba incómoda.

—Lo siento —dijo cabizbaja—. Me habría gustado que os hubierais conocido de otra forma.

—No pasa nada —dije.

—Supongo que ya has descubierto mi secreto —añadió, y esbozó una sonrisa.

—Creo que sí.

—¿Estás escandalizada?

Lo pensé un momento. Sentía que debería estarlo: nunca había conocido a ninguna mujer ni a ningún hombre interesados en las relaciones sentimentales con personas del mismo sexo. Pero me sorprendió comprobar que no me importaba demasiado. Todo parecía insignificante comparado con los traumas que habíamos superado en los últimos trece años.

—Podrías habérmelo contado antes —dije.

—Entonces ¿no te importa?

—En absoluto —contesté.

—Me alegro —afirmó con una sonrisa, y me cogió una mano por encima de la mesa.

Me odié a mí misma porque me puse un poco nerviosa cuando me tocó y me pregunté si sospecharía que yo tenía inclinaciones parecidas a las suyas. Entonces, quizá percibiendo mi turbación, Cait me soltó rápidamente, se levantó y fue a lavar los platos del desayuno.

—Bueno —dijo desde el fregadero—. ¿Qué fue lo que te disgustó tanto anoche? ¿Por qué te marchaste corriendo?

—Entré a ver si estaba aquel hombre —confesé.

Me di la vuelta en la silla y la miré mientras ella enjuagaba las tazas.

—¿Qué hombre?

—Ese del que te hablé. Al que tú llamas «señor Kozel».

—¿Aún vas detrás de él? Ya te dije que está casado.

—No voy detrás de él —insistí enojada—. Ya te lo dije, me pareció reconocerlo, nada más. Creo que lo conocí cuando era muy joven.

—No. —Cait negó con la cabeza—. Me dijiste que te recordaba a alguien. —Se sentó a mi lado—. ¿Qué pasa, Gretel? ¿Quién es?

—No puedo decírtelo. Me gustaría, pero no puedo.

—¿No te he contado yo algo muy personal? Hay mujeres en la cárcel por lo que tú has descubierto hoy sobre mí. Sea cual sea el secreto que escondes, no puede ser peor que eso, ¿no?

No dije nada. No podía.

—No te hizo daño, ¿verdad? —me preguntó—. No te... Bueno, no te... hizo algo que tú no le habías pedido y que no querías que te hiciera, ¿no?

Negué con la cabeza.

—No, no, no es eso —dije—. Es más complicado. —Aunque me pesara, me eché a reír—. Hubo una época de mi vida en que creía estar enamorada de él, imagínate.

—Pero ¿no se aprovechó de ti? ¿Me lo prometes? Porque si se aprovechó...

—No, te lo prometo —la tranquilicé. Le cogí una mano y entonces, como si quisiera demostrarle mi amistad y asegurarle que nada había cambiado entre nosotras, me incliné y la besé en ambas mejillas—. Eres una buena amiga, Cait —dije, y me levanté—. Me alegro de tenerte en mi vida. —Vacilé un momento cuando ya me alejaba; luego me volví con una sonrisa traviesa en los labios e, imitando el acento australiano, añadí—: ¿O prefieres que te llame Katie, cielo?

Cait me sacó la lengua y me lanzó una servilleta.

11

Eleanor era una cuarentona bastante guapa, pero iba demasiado maquillada para mi gusto. Yo la había evitado durante los diez meses de su noviazgo con Caden, suponiendo que no duraría mucho, pero ya se había fijado la fecha de la boda y por lo visto no tenía más remedio que conocerla.

La primera mujer de mi hijo, Amanda, había sido mi nuera favorita. Había dado por hecho que estaríamos para siempre la una en la vida de la otra, así que me había esforzado de lo lindo para cultivar mi amistad con ella, que era recíproca, y lo lamenté muchísimo cuando se separaron. Beatrice, la segunda, era una grosera que se interesaba muy poco por mí y no paraba de suplicarle a Caden que vendiera su empresa de construcción y se dedicara a otra profesión más acorde con sus delirios de grandeza. A la tercera, Charlotte, sólo la vi unas cuantas veces y sospecho que nunca me perdonó por no haber ido a la boda, pero su desprecio no me importaba lo más mínimo. Desde el principio supe que su relación estaba condenada al fracaso. Y ahora aparecía Eleanor.

Tras una larga discusión sobre las fechas, un nublado domingo por la tarde fui a regañadientes a un concurrido gastropub de Chelsea. Una vez dentro me llevé una sorpresa: el local me pareció agradable y acogedor, con techos altos, mucho espacio entre las mesas —la resaca de la pandemia, supuse— y música a un volumen lo bastante discreto para no interferir en las conversaciones. Tenía entendido que Eleanor vivía cerca, y Caden había pedido un taxi para llevarme hasta allí y otro para devolverme a Winterville Court, recalcando que él iba a beber («Lo voy a necesitar», fueron sus palabras exactas) y que por tanto no podría acompañarme a casa después.

Nada más dejar mi abrigo en la entrada, vi a la feliz pareja sentada en un rincón. Eleanor examinaba su teléfono mientras Caden leía la carta muy concentrado, como un diplomático que repasara un acuerdo de comercio internacional. Un camarero me acompañó hasta la mesa y los dos se levantaron al verme. Caden me dio un beso en la mejilla y Eleanor me tendió la mano.

—Encantada de conocerla al fin, señora Fernsby —dijo, e hizo una pequeña genuflexión, como si saludara a una anciana de la realeza.

Estuve a punto de pedirle que me tuteara, pero entonces decidí no hacerlo. Mantengamos las formas un poco más y veamos hasta qué punto queremos intimar, pensé.

—¿Ha ido todo bien? ¿Ha habido problemas con el taxista? —me preguntó Caden.

—No, ninguno. —Le hice una seña al camarero, que se acercó mientras yo examinaba las bebidas de la carta—. Aunque me ha dicho que si lo reconocía era porque hace siete años participó en un concurso televisivo de canto. Pero no lo he reconocido y él no se lo ha tomado nada bien cuando se lo he dicho.

Pedí una copa de rosado y Eleanor quería otra, así que en lugar de dos copas pedimos una botella.

—Evidentemente, en otros tiempos habría venido a pie sin dudarlo —continué—. Pero ahora me daría miedo llegar por los pelos.

Caden frunció el ceño.

—¿Llegar por los pelos?

—Sí. ¿Qué pasa?

—Esa expresión la usarías si temieras no llegar a tiempo al lavabo y tener un «accidente».

—Ah... —Me extrañó cometer aún esos errores después de tantos años, y revelar así, sin darme cuenta, que en realidad el inglés no era mi lengua materna—. Quería decir que podría fatigarme y entonces necesitar sentarme a descansar.

—Es muy importante caminar —dijo Eleanor—. Yo intento hacer veinte mil pasos todos los días.

Alargó un brazo por encima de la mesa y me mostró un pequeño accesorio parecido a un reloj de color rosa chillón que llevaba en la muñeca. Dio unos golpecitos en la pantalla y apareció una imagen de dos pies con un numerito encima.

—Hoy ya llevo once mil cuatrocientos, y sólo son las doce y media. De hecho, eso está por debajo de mi media. Después tendré que andar un poco más.

—Como puedes ver, Eleanor se cuida mucho —dijo Caden con orgullo casi paternal.

—Sí, ya lo veo —admití, pues no cabía duda de que la mujer estaba en muy buena forma física, aunque llevaba un ligero exceso de equipaje, por así decirlo, en la zona del pecho. Me pregunté si habría sido eso lo que había atraído a mi hijo. Siempre he pensado que los hombres pueden ser muy superficiales con esas cosas, y estoy segura de que no era ninguna coincidencia que mis anteriores nueras también hubiesen estado muy bien dotadas en la región mamaria.

—¿A usted le gusta andar, Gretel? —me preguntó.

Le sonreí, sorprendida por la familiaridad con que se había dirigido a mí, aunque no ofendida. Me gustó la inocencia, la sincera curiosidad, con que había formulado la pregunta.

—Seguro que Caden te ha contado que vivo enfrente de Hyde Park —repliqué—. Vivo allí desde hace décadas. Y raro es el día que no doy un paseo por el parque. De joven, a veces caminaba dos horas seguidas sin darme cuenta.

—Lo que explica por qué nunca estaba en casa cuando yo volvía de la escuela —terció Caden.

Me volví hacia él y analicé su tono, pero no me pareció que tuviese mala intención. Quizá sólo había querido hacer una broma.

—Tiene que comprarse uno de éstos —dijo Eleanor, que volvió a mostrarme la muñeca.

—¿Qué es? —pregunté.

—Se llama Fitbit.

—Ah, sí, he oído hablar de ellos.

—Le dices cuántos pasos quieres hacer cada día y los registra, y te da pequeñas bonificaciones cada vez que consigues tu objetivo.

Sonreí. Supuse que era un juguetito inofensivo, y yo siempre he sido muy metódica, así que la idea me gustó y pensé que tal vez invertiría en uno, sí. Me ayudaría a hacer ejercicio con regularidad, lo que a su vez me haría más longeva, aunque eso impediría que Caden heredara hasta al cabo de unos cuantos años más.

El camarero vino de nuevo a la mesa y nos tomó nota: bistec, patatas fritas y huevos para Caden, una ensalada de kale y remolacha para Eleanor y un pastel de pollo para mí. Ya nos habíamos bebido media botella de vino y me dio la impresión de que Eleanor y yo fácilmente nos beberíamos como mínimo otra más entre las dos.

—Bueno, creo que ya tenéis fecha, ¿no? —dije por fin, y sonreí a Eleanor, que parecía sinceramente feliz.

—Sí —me confirmó—. El 16 de mayo.

—Qué bien. Tu familia debe de estar muy emocionada.

—Sí, sí. Quieren mucho a Caden.

Me molestó un poco que mi hijo ya hubiese conocido a su familia política y que yo acabara de conocer a su novia, pero no le di mayor importancia. Al fin y al cabo, en gran parte yo era la responsable de esa situación.

—¿Será tu primer matrimonio? —le pregunté.

—El segundo —me contestó—. Mi primer marido falleció hace cinco años.

—Lo siento mucho. ¿Y de qué murió, si no es indiscreción?

—De cáncer.

—Vaya. Pero ¿no tienes hijos?

Negó con la cabeza y adoptó una expresión triste. Me pregunté si no habría querido o no habría podido tenerlos, pero pensé que sería de mala educación preguntárselo.

—Bueno, pues has encontrado un filón —añadí, y le di unas palmaditas a Caden en el dorso de la mano.

No quería parecer insolidaria, aunque en el fondo no entendía por qué mi hijo estaba pasando por todo aquello. En tres años ya no estaría casado con ella, no digamos ya en cinco o diez. Lo único seguro era que ella acabaría llevándose una buena parte de su dinero, se convertiría en otra receptora de pensión alimenticia y lo dejaría destrozado. La última vez que eso había sucedido, Caden se había quedado muy deprimido. Y esta vez quizá yo ya no estuviera disponible para ayudarlo a remontar cuando Eleanor le diera el pasaporte.

—Ya lo sé, ya —dijo ella.

Se inclinó y lo besó en la mejilla. Caden sonrió y tuve que admitir que los dos parecían felices. Quizá Eleanor lo quisiera, al menos. Por algo se empezaba.

12

No me costó mucho rastrear a Kurt hasta el Commonwealth Bank —me bastó con esperar los ferris de la mañana hasta verlo llegar y seguirlo a su lugar de trabajo—; y, en mi día libre, aguardé frente al edificio después de las seis de la tarde hasta que lo vi salir. Iba muy guapo, con su traje hecho a medida, y se dirigió a Circular Quay, donde se embarcó en el ferri de Manly. Fui tras él, manteniendo cierta distancia. Todavía no sabía qué quería de él ni si me atrevería a hablarle en caso de que nos encontráramos a solas, pero sentía la necesidad imperiosa de investigarlo y descubrir más detalles de su vida. Era como si creyese que siguiéndole la pista podría impedir que hiciera más daño.

Me intrigaba saber qué debía de explicarles a sus compañeros de trabajo sobre su pasado. Me lo imaginaba comiendo con sus colegas, riéndose de las historias que le contaban y luego regresando a su casa, donde lo esperaba su mujer, y llevando una vida completamente normal sin pensar en quién ni qué era. ¿Dormía bien por las noches, o tenía pesadillas como yo? Estaba segura de que habría intentado convencerse de su inocencia, igual que yo lo había intentado, pero ¿lo habría conseguido?

Era una tarde soleada y Kurt estaba sentado en uno de los bancos de la cubierta del barco; yo me quedé dentro tratando de no observarlo embobada mientras él leía el periódico. El ferri iba lleno, pero hacía el trayecto directo, sin escalas, por tanto yo sabía que no podía perderlo de vista. Un joven se sentó a mi lado y me pidió fuego para encender un cigarrillo; cuando le dije que no fumaba, se sacó una cerilla del bolsillo y la encendió rozándola con la suela de su zapato, un sistema que yo sólo había visto en las películas.

—Si tenías una cerilla —le dije sin entender su comportamiento—, ¿por qué me has pedido una?

—Porque quería hablar contigo —me dijo, y me puso una mano en la rodilla.

Yo se la aparté y me levanté, ofendida porque se hubiera atrevido a tocarme, pero él se limitó a encoger los hombros y se rió, y otros hombres que había cerca se sonrieron también y me silbaron cuando me cambié de asiento y fui hacia la popa del barco, donde me quedé contemplando las olas.

Viajar en ferri se había convertido en mi atracción favorita en Sídney. Algunos días, cuando no estaba en el trabajo, me embarcaba en uno al azar y visitaba Parramatta, Pyrmont o Watsons Bay; me sentaba fuera a leer mi libro con el viento alborotándome el pelo y recibiendo en la cara la fina rociada que saltaba del oleaje. Pasaba la tarde en alguna cafetería tranquila y luego regresaba a la ciudad tocada por el espíritu de aventura. En aquellos ratos Berlín, París y aquel otro sitio parecían parte de un universo completamente diferente, una pesadilla de la que me había librado.

Cuando el ferri llegó al muelle de Manly, me uní a la masa de pasajeros que esperaba para desembarcar sin perder de vista a mi presa. Era más alto que la mayoría, de modo que no me costó localizarlo, y cuando llegamos a tierra firme él torció a la derecha y siguió por el paseo marítimo antes de girar por Cove Avenue hacia Addison Road. Por último se detuvo ante una bonita casa de madera orientada hacia el mar, abrió el pestillo de una valla de madera y entró. Me mantuve a distancia confiando en que no se hubiera fijado en mí, y vi cómo se abría la puerta y un crío de unos cinco años salía corriendo y se lanzaba a sus brazos. Al cabo de un momento salió una joven tan rubia como Kurt que iba en pantalón corto y la parte de arriba de un bikini. Él sonrió y se inclinó para besarla. Para mi vergüenza, sentí una punzada de celos ante aquella muestra de cariño, y me alegré cuando el niño tiró de su padre y se lo llevó a un lado del jardín que quedaba parcialmente oculto detrás de unos árboles.

Ya no podía verlo desde donde estaba y no me atreví a acercarme más, pero tampoco quería marcharme todavía, así que eché a andar despacio por la acera de enfrente, como si viviera por allí cerca. La mujer de Kurt miró hacia la calle y nuestras miradas se encontraron; entonces le sonreí, y ella me saludó con la cabeza antes de meterse de nuevo dentro de la casa y dejar la puerta entreabierta. Cuando llegué al final de la calle, a Smedley's Point, di media vuelta, como habría hecho una vecina que hubiese salido a dar un paseo, pero reduje el paso para observar mejor lo que sucedía en el jardín.

En medio del césped había una mesa de pícnic y Kurt se había quitado la chaqueta y la corbata y las había dejado encima. Estaba de pie detrás de su hijo, con la camisa arremangada y los primeros botones desabrochados. El niño estaba montado en un columpio y Kurt lo empujaba; el pequeño sonreía entusiasmado, sujeto con fuerza a las cadenas del columpio, y chillaba de alegría cada vez que el asiento se elevaba.

—¡Más alto, papá, más alto! —gritaba, y él lo complacía y lo empujaba con tanto ímpetu que temí que el niño saliera despedido.

Me detuve junto a un árbol: un recuerdo se removió y al instante estaba en aquel otro sitio, recordando aquel otro columpio mucho más rudimentario que mi hermano había montado en nuestro jardín años atrás. Recordé que había acudido a Kurt para pedirle un neumático y que Kurt lo había menospreciado, como solía hacer.

Con cautela, me acerqué más a la casa y observé a padre e hijo, imaginando qué sucedería si se me escapara un grito. ¿Saldría disparado el niño del asiento, sorprendido, volaría por los aires y caería al suelo? Hasta podría empalarse en la valla. Estiré un brazo y la toqué. Era de madera, no de alambre, y no había nadie en una torre de vigilancia cercana dispuesto a disparar a cualquiera que intentara cruzarla. Entonces ¿por qué me daba tanto miedo? Sabía que había vallas como aquélla en todo el mundo. ¿Cuánto rato se quedaría Kurt allí de pie, antes de correr a auxiliar a su hijo?, me pregunté.

Kurt fue frenando el columpio hasta que se detuvo por completo. Desde dentro de la casa, su mujer le dijo que la cena estaba lista y, cogidos de la mano, el niño y él se dirigieron a la puerta. El niño, aún lleno de energía, echó a correr mientras Kurt se descalzaba; yo ya sólo veía su sombra oscura en el soleado zaguán. Al cabo de un momento, cerró la puerta y los Kotler —o los Kozel— recuperaron su intimidad.

Me di cuenta entonces de que tenía la mano izquierda, con la que me había estado sujetando a la valla, ensangrentada. Pero no era alambre de espino lo que se me había clavado, sino sólo alguna astilla de madera.

13

La comida, cuando llegó, estaba bastante rica. El pastel de pollo me gustó mucho y Caden se zampó el bistec en un periquete, aunque Eleanor parecía más interesada en deconstruir su ensalada y pasear los ingredientes por el plato que en comérsela.

—Eres enfermera, ¿verdad? —le pregunté cuando me pareció que la conversación empezaba a flojear.

Ella negó con la cabeza.

—Soy médica —me corrigió.

Era obvio que aquello había sido un injusto prejuicio por mi parte, pero dudo que nadie hubiese adivinado que era doctora. Francamente, parecía más bien una cabaretera.

—¿Y de qué especialidad? —continué.

—Soy cardiocirujana —me contestó.

Me quedé mirándola sorprendida; luego miré a Caden, que rebañaba el kétchup de su plato con las patatas fritas. No podía creer que mi hijo no me hubiese informado de aquel detalle.

—¡Pero esto es extraordinario! —Me incliné hacia delante para demostrar interés. Aquella revelación me hizo verla desde un punto de vista del todo distinto, lo que delataba una terrible estrechez de miras por mi parte—. Debes de ser muy inteligente. Caden, ¿por qué no me habías contado nada de esto?

—Sí te lo conté —dijo mi hijo.

—No es verdad. Me dijiste que era enfermera.

—Te equivocas —insistió—. ¿No te acuerdas de que me hiciste la bromita de que me había robado el corazón?

Fruncí el ceño. No, no me acordaba. Tal vez estuviese empezando a perder la chaveta, como Heidi.

—Pues estoy muy impresionada —dije. Volví a recostarme en la silla y miré a Eleanor con renovado respeto—. En mis tiempos, eso habría sido imposible, desde luego.

—¿A usted le interesaba la medicina, Gretel? —me preguntó.

Negué con la cabeza.

—No, no. Yo jamás habría podido hacer una cosa así.

—A duras penas podía ponerme una tirita en la rodilla cuando me caía —masculló Caden, y cogió su cerveza.

—Eso no es cierto —protesté herida por aquel comentario, aunque era cierto.

—Papá era el que se encargaba de curarme cuando me hacía daño —añadió mi hijo mirándome a los ojos—. Lo sabes perfectamente.

Me volví hacia Eleanor e intenté tomármelo a risa.

—La verdad es que no me gusta nada la sangre, querida —dije—. No sé cómo puedes dedicarte a lo que te dedicas.

—Bueno, te acostumbras —dijo ella—. Lo que peor llevo son las muertes.

No dije nada. Siempre había pensado que los médicos se volvían inmunes a ellas.

—Antes de que un paciente se someta a cirugía cardiaca, normalmente ya ha tenido una larga relación con el equipo médico —me explicó—. Hoy en día se supone que tenemos que verlos como meros «clientes», por supuesto. Se supone que debemos eliminar todo sentimiento y toda emoción, pero yo no puedo. Lo cierto es que nadie puede. Y la mayoría de la gente se recupera bien de la operación: cirugía *maze*, corrección de aneurisma, revascularización coronaria... Lo que sea. Sin embargo, es inevitable que a veces se te muera un paciente. Y eso te afecta mucho, sí. Los médicos de más edad lo llevan mejor: para algunos sólo es otro día más en la oficina, pero para mí... Bueno, sentirse culpable es horrible, pero en el fondo espero no acostumbrarme nunca tanto como para que desaparezca ese sentimiento de culpa.

Me quedé mirándola. Tenía la boca seca y aun así era incapaz de alargar la mano para coger mi copa.

—¿Y eso es lo que sientes? ¿Culpabilidad? —le pregunté.

—Sí, claro.

—Pero ¿por qué? Tú sólo haces lo que te han pedido.

—Supongo que pienso que no he hecho todo lo que estaba en mi mano para salvarlos. Esos pacientes han acudido a nosotros, han depositado su fe en nosotros, y les hemos fallado. He participado en cientos de operaciones a lo largo de estos años y he perdido a quince pacientes. No me acuerdo del nombre de los que sobrevivieron, pero sí del de todos los que fallecieron.

Me quedé callada reflexionando sobre sus palabras, consciente de que esa mirada ética de Eleanor la definía como mujer y como médica, y que recordaría a aquellas quince personas y a cualquier desafortunado que se añadiese a la lista hasta el día de su muerte. ¿Qué le falta a mi configuración psicológica que me impide compartir eso con ella?, me pregunté. Cuando contemplaba mi pasado, veía mi vida forjada alrededor de la evasión y el engaño, con el impulso de protegerme en lugar del de proteger a los demás.

—Pero no debes pensar que eso es culpa tuya —dije por fin con tono casi suplicante.

—Sí debo —replicó ella en voz baja, casi con ternura—. Si quiero vivir en paz.

—Si tuviesen que operarme —intervino Caden, irrumpiendo en la conversación y sofocando nuestras voces con la suya, como suelen hacer los hombres—, preferiría que lo hiciera una cirujana y no un cirujano. Son más cariñosas.

—Sigue comiendo todos esos bistecs y puede que se cumplan tus deseos —dijo Eleanor sonriente, y él le devolvió la sonrisa y no se sintió en absoluto insultado. Es más, estiró un brazo, le cogió la mano y le dio un apretoncito, y esa pequeña interacción me conmovió.

—Enhorabuena —dije por fin, lista para cambiar de tema. Si hubiésemos estado las dos solas, habría seguido hablando de aquello con ella toda la tarde, pero con mi hijo allí eso parecía imposible—. Bueno, estoy segura de que Caden se empeñará en decir que esto también me lo ha contado, pero ¿cómo os conocisteis?

—En la fiesta para celebrar la jubilación de uno de los mejores arquitectos de Londres —contestó—: Mi tío. Caden había trabajado con él varias veces en los últimos años.

—¿Y enseguida hicisteis buenas migas?

—Su hijo es un caballero, Gretel —dijo Eleanor, y volví a sonreír mirando a Caden—. Caí rendida a sus pies.

Me costaba mucho imaginarlo, pero decidí concederle el beneficio de la duda.

Para ser justos, las anteriores esposas de Caden también habían dado fe de su caballerosidad. Antes de divorciarse de él, claro.

—Y no quiero parecer grosera, pero ¿usted trabajaba? —preguntó Eleanor mirándome a los ojos, y yo negué con la cabeza.

—No —admití. No había percibido ninguna crítica en su tono—. Bueno, fui madre, claro. Dicen que es el trabajo más importante que existe.

—¡Ja! —dijo Caden.

Lo miré. Me daba la impresión de que esa tarde estaba molesto conmigo, pero no tenía ni idea de por qué. Quizá fuese la cerveza. Ya iba por la cuarta.

—Lo hice lo mejor que pude —me defendí de manera poco convincente.

—Sí, no lo dudo —replicó él con gravedad.

—Quizá debería haber trabajado fuera de casa —continué, dirigiéndome Eleanor—, pero la verdad es que no tenía muchos estudios. En mi época era normal que las niñas no estudiasen. Pero no creas que nunca he trabajado. Antes de conocer al padre de Caden trabajé en unos grandes almacenes. De hecho, fue allí donde nos vimos por primera vez. Yo no trabajaba de dependienta, sino en el departamento de contabilidad. Y me gustaba, en cierto modo, pero nunca me lo planteé como una carrera profesional.

—¿Eso fue en Berlín?

Arrugué el ceño sorprendida por esa pregunta.

—¿Por qué en Berlín? —pregunté.

—Caden me dijo que creció usted allí.

Miré brevemente a mi hijo, que esquivó mi mirada. Caden sabía que no me gustaba que le contara a nadie ni el más mínimo detalle de mi pasado. Había decidido mucho tiempo atrás que cuantas menos personas supieran cosas de mí, mucho mejor.

—Bueno, viví en Berlín hasta los doce años —dije—. No sé si a eso se le puede llamar «crecer» allí. Después llevé una vida muy nómada y viví en varios países hasta que me afinqué en Inglaterra.

—¿En qué países? —me preguntó Eleanor—. A mí me encanta viajar, aunque no tengo ocasión de hacerlo a menudo.

—Primero estuve un tiempo en Francia. Y luego en Australia.

—Y en Polonia —dijo Caden en voz baja—. No te olvides de Polonia.

—Sí, también en Polonia.

Me sorprendió que mi hijo lo mencionara. Caden lo sabía, pero siempre había sido muy ambigua respecto a aquella etapa de mi vida y él no había indagado mucho. O al menos no me había preguntado nada a mí directamente. Me pasó por la cabeza que quizá se lo hubiese preguntado a Edgar.

—No pienso en aquella época —continué, quitándole importancia—. Pasé varios años en París después de la guerra y luego, en 1952, emigré a Sídney. De hecho, creí que pasaría el resto de mi vida allí.

—¿Y por qué no se quedó? ¿No le fueron bien las cosas?

—No.

—¿Por qué no? —insistió ella.

Hice todo lo posible para encogerme de hombros aparentando indiferencia.

—Ah, ¿quién sabe? —mentí—. Yo era muy joven. Y el clima era insoportable. A lo mejor todavía no estaba preparada para establecerme en un lugar. Sin embargo, tengo recuerdos muy vívidos de Francia y de Australia, aunque nunca he regresado a ninguno de los dos sitios.

—Estoy seguro de que también tendrías recuerdos muy vívidos de Polonia si te tomaras la molestia de recordar aquel tiempo —dijo Caden.

No quise mirarlo. No sabía a qué estaba jugando mi hijo, pero no pensaba consentirlo. Y además estaba asustada.

—Yo estuve en Polonia una vez —dijo Eleanor apartando su plato, del que no se había comido ni la mitad—. Fue un viaje escolar. Nos llevaron tres días a Cracovia y el segundo fuimos a visitar Auschwitz.

Me bebí mi copa de vino de un trago y señalé la botella para que Caden me sirviera más.

—Pasé mucho miedo allí —continuó Eleanor. Hasta tembló un poco—. He visto todas esas películas, por supuesto. *La lista de Schindler*, *El pianista*, *La decisión de Sophie*... También he visto unos cuantos documentales y he leído varios libros. Pero no te haces una idea hasta que estás allí, ¿verdad? ¿Usted ha estado alguna vez, Gretel?

No contesté.

—Yo sí —dijo Caden, y lo miré sorprendida.

—No, nunca has estado —dije.

—Sí.

—¿Cuándo?

—Antes de morir papá.

—¡Eso no es cierto!

—Sí lo es —dijo Caden con absoluta serenidad—. De hecho, fuimos juntos.

Me quedé mirándolo perpleja, sin dar crédito a sus palabras.

—Pero si... —empecé a decir, aunque no sabía cómo terminaría la frase—. No es verdad. No fuisteis.

—Fuimos, madre. ¿Te acuerdas de aquel viaje que hicimos papá y yo a Varsovia antes de su muerte?

Hice memoria. Caden tenía un contacto allí que iba a ayudarlo a importar acero a unos precios muy económicos. Había hecho un viaje de cuatro días y había invitado a su padre a acompañarlo. Entonces me pareció un gesto muy bonito. Y Edgar estaba encantado.

—Sí, me acuerdo —dije.

—Pues fuimos.

—Edgar nunca me lo dijo.

—Ah, ¿no?

Por su tono de voz supe que Caden sabía que su padre no me lo había contado.

—No —confirmé.

Él se volvió hacia Eleanor.

—Mi padre murió un año después. Fue bonito poder pasar aquellos días con él. Nos abrimos mucho el uno al otro.

—Pero ¿por qué? —pregunté; no quería que Caden tirase de ese otro hilo—. ¿Por qué allí? ¿Por qué a aquel sitio?

Caden no me contestó y se limitó a mirarme fijamente. Yo le sostuve la mirada y conté los segundos que separaban cada parpadeo. El silencio fue horrible. Por un instante creí que me iba a poner a gritar. Que iba a dar un grito que haría que todos los comensales que había en el restaurante dejaran de hablar y abrazaran a sus hijos.

«El monstruo», pensarían.

«El monstruo está aquí, entre nosotros.»

—¿En qué parte de Polonia vivía? —preguntó Eleanor por fin, y yo me volví hacia ella aturullada.

—¿Cómo dices?

—En Polonia —repitió—. ¿En qué ciudad estaba?

—No te sonará. —Me faltaba el aire hasta tal punto que temí desmayarme—. Era un pueblo muy pequeño.

—A mi abuelo lo ascendieron en el trabajo —explicó Caden volviéndose hacia ella—. Él, mi abuela y mi tío tuvieron que recogerlo todo y mudarse con él. Y mamá, por supuesto.

—¿Tienes un tío? —preguntó Eleanor arqueando una ceja—. Nunca lo habías mencionado.

—No llegué a conocerlo —dijo él—. Murió durante la guerra.

—Oh. —Eleanor se volvió de nuevo hacia mí—. ¿Perdió a un hermano? Lo siento mucho.

—De eso hace ya muchos años —le dije.

—Sí, pero una cosa así es muy difícil de superar, ¿verdad?

—Sí, y tú lo sabes bien, estoy segura —le espeté con un tono innecesariamente seco.

Eleanor se echó un poco hacia atrás en la silla, sorprendida.

—Madre —me previno Caden.

—Pues sí —dijo ella—. También perdí a un hermano. Yo tenía seis años y él, ocho. Cruzó la calle sin mirar y lo atropelló un coche. Mi madre nunca volvió a ser la misma. Ni mi padre. Tenían tres hijos más, pero siempre tuvimos la sensación de que no podíamos compensar la pérdida de Peter.

—Lo siento. —Me tapé los ojos con una mano y mantuve los párpados cerrados. No quería seguir allí. Quería volver a casa. Quería estar muerta—. No lo sabía.

—No tenía forma de saberlo. —Esbozó una sonrisa para que yo supiera que no se había sentido insultada—. No me acuerdo mucho de él, claro, porque era muy pequeña. Pero todavía pienso en él. Me pregunto a menudo qué habría hecho con su vida. Mi madre dice que le encantaban los aviones, y me gusta pensar que habría sido piloto. ¿Su hermano era soldado, Gretel?

—No —contesté—. No, claro que no. Era muy pequeño. Era sólo un crío.

—¿Y estaban muy unidos?

Asentí con la cabeza.

—¿Cómo se llamaba?

Como yo no contestaba, se lo dijo Caden. Yo no había vuelto a pronunciar aquel nombre desde el día en que mi hermano había pasado al otro lado de la alambrada. No había vuelto a pronunciarlo ni una sola vez en setenta y nueve años.

—Y si usted hubiese trabajado —continuó Eleanor mientras el camarero se llevaba nuestros platos—, si se hubiera dedicado a algo, ¿cuál cree que habría sido su profesión?

Cavilé en busca de una respuesta y me entristeció terriblemente no encontrar ninguna. La verdad era que no creía que hubiese podido hacer nada. No me habían educado para eso.

—Ninguna —confesé por fin, al borde de las lágrimas; estiré los brazos y creo que la asusté cuando le cogí ambas manos y se las apreté con fuerza—. No habría podido hacer nada. ¿No lo entiendes? ¿No te das cuenta? Aunque hubiese querido, habría sido imposible.

14

Esperé hasta el martes siguiente, mi día de media jornada en el trabajo, para ir a hacer otra visita, pero esta vez con un plan bien definido.

Desembarqué del ferri poco después de la una de la tarde y recorrí el paseo marítimo con el convencimiento de que Kurt aún tardaría como mínimo cinco horas en regresar a su casa, y de que entonces mi premio y yo ya nos habríamos esfumado. Pese a mis malévolas intenciones, me sentía extrañamente serena al dirigirme a la casa, a buen seguro porque ya no estaba espiando a una presa imaginaria sino que me había convertido en una depredadora con un objetivo bien definido. Al aproximarme, oí voces y vi a la mujer de Kurt y a su hijo en el jardín. Pasé de largo por la otra acera de la calle y la vi a ella sentada en el porche, leyendo a la sombra, mientras el niño, sentado cerca de ella, repartía una serie de órdenes muy detalladas a una colección de soldados, todos ellos en posición de firmes a lo largo del patio, preparados para la batalla. Igual que la vez anterior, seguí caminando hasta Smedley's Point y una vez allí volví sobre mis pasos. Cuando llegué a una distancia suficiente para que pudiesen verme, empecé a tambalearme, lancé un grito lastimero y me sujeté a la valla.

La mujer se levantó de inmediato y salió corriendo hacia la acera mientras el niño observaba intrigado aquella escena tan dramática e inesperada.

—¿Estás bien? —me preguntó la mujer, y me tendió una mano para ayudarme a tenerme en pie.

—Es el calor. —Negué con la cabeza e hice todo lo que pude para aparentar debilidad—. He salido de casa sin desayunar, qué tonta soy. Pero estoy bien, gracias. Eres muy amable.

—Ven a sentarte —me dijo señalando el porche—. Voy a buscarte un poco de agua.

—No hace falta —repuse con un hilo de voz, pero, tal como había previsto, ella no quiso oír mis protestas.

—Claro que sí —insistió.

La seguí hasta el porche y, una vez allí, me sentó en otra silla y entró en su casa. Al cabo de un momento oí correr el agua del fregadero. El niño me miró con recelo y siguió con sus soldados.

—¿A qué juegas? —le pregunté.

—A la guerra.

—¿Es un juego eso?

—Es el mejor juego del mundo.

—¿Y vas ganando?

—No lo sabré hasta que haya terminado.

—Y quizá ni siquiera entonces lo sepas.

—Toma —ofreció su madre, que había reaparecido con un vaso de agua fría que acepté de buen grado.

Lo primero que hice fue dar un gran sorbo para demostrar que el calor me había afectado mucho.

—Gracias —dije cuando la mujer se sentó a mi lado—. Ahora me siento ridícula.

—No seas tonta —replicó—. Estas cosas pasan.

—Pero te estoy estropeando el día.

—Quédate todo el tiempo que necesites. —Agitó una mano en el aire—. Estamos mi hijo y yo solos y, la verdad, me viene bien un poco de compañía adulta.

La miré mientras ella se colocaba de nuevo las gafas de sol. Volvía a ir vestida con la mínima cantidad de ropa necesaria y no se podía discutir que era hermosa. Sin embargo, el niño no me recordó mucho al Kurt que yo había conocido, salvo quizá por los ojos.

—Por cierto, me llamo Cynthia —dijo la madre—. Cynthia Kozel. ¿Y tú?

Mis planes no habían llegado tan lejos y, pese a tener todo un universo de nombres a mi disposición, me costó decidirme por uno.

—Maria —dije por fin acordándome de la criada que había servido a mi familia en aquel otro sitio. Fui a decir el apellido, pero me di cuenta de que no tenía ni idea de cómo se apellidaba Maria, así que no lo dije.

—¿Eres de Sídney?

—No. Vivo aquí, pero soy europea. Francesa.

—¡Oh, me encanta Europa! —dijo con teatralidad.

—¿Has estado allí alguna vez?

—No, pero quiero ir. A lo mejor, algún día... Cuando este enano crezca un poco. De todos modos, supongo que no es el mejor momento. Europa todavía se está reconstruyendo, o eso he leído en los periódicos. Después de tantos disgustos, quiero decir.

Casi se me escapa una carcajada. Me pareció una forma muy extraña de referirse a seis años de guerra, millones de muertos y un mundo roto.

—¿Y tú? —pregunté por fin—. ¿Naciste aquí?

—No, en Melbourne —me contestó—. ¿Has estado alguna vez?

Negué con la cabeza.

—A veces la echo de menos. Sídney es bonita, desde luego, pero Melbourne es mi hogar.

—Tienes una casa preciosa —dije mirando a mi alrededor, aunque era normal y corriente, sin nada digno de mención.

—Pero ¡qué amable eres!

—¿Y cómo se llama tu hijo? —pregunté señalando al niño.

—Hugo —contestó Cynthia.

—Tengo cinco años —anunció él, que se volvió hacia nosotras en cuanto supo que lo habíamos incluido en la conversación.

—¡Qué mayor! —dije.

—En octubre cumpliré seis.

—Si todo va bien.

Cynthia me miró con una ceja arqueada, tal vez sorprendida por mi comentario, pero yo no intenté justificarlo; ni siquiera di muestras de haberme percatado de su confusión. En lugar de eso me limité a pasear la mirada por el jardín y suspirar satisfecha. Entendía por qué a Cynthia le gustaba sentarse allí fuera. Parecía otro jardín del Edén, apartado del mundo real.

—¿Me lo parece a mí o cada año hace más calor? —comenté.

—Es curioso que lo menciones —dijo Cynthia, y volvió a sonreír—. Anoche le dije lo mismo a mi marido. A él no parece afectarle el calor, a pesar de que no es australiano.

—Ah, ¿no? ¿Y de dónde es?

—De Europa, igual que tú.

—¿De qué parte?

Cynthia vaciló un segundo.

—Bueno, es alemán. —Bajó la voz y se llevó un dedo a los labios—. Pero no se lo decimos a nadie. Decimos que es checoslovaco. Desde que terminó la guerra, por aquí hay un fuerte sentimiento antigermánico. Ya ha pasado todo, le digo yo a la gente. Hay que pasar página. Pero nadie lo hace. Si el rencor fuese un deporte olímpico, habría mucha gente compitiendo por el oro.

—Sí, estoy segura.

—La verdad es que cuando nos conocimos me dijo que era de Praga. Seis meses después vi su pasaporte y tuvo que contarme la verdad.

—Empezar con mentiras no es bueno —dije.

—Supongo que no.

No quería parecer demasiado curiosa y seguí callada un buen rato.

—Entonces... ¿tu marido era soldado? —pregunté por fin—. ¿En Alemania?

Horrorizada por esa sugerencia, Cynthia sacudió la cabeza.

—¿Kurt? ¡Dios mío, no! Él es demasiado buena persona para eso. No, él era... ¿Cómo se llama eso? Objetor de conciencia. Salió del país nada más estallar la guerra. Se fue a vivir a Inglaterra y ayudó con el esfuerzo bélico desde allí. Odiaba a Hitler y a todos esos hombres horribles.

No podía reprocharle a Kurt que negara su pasado —Madre y yo habíamos hecho exactamente lo mismo—, pero otra cosa muy diferente era que se presentara casi como un héroe.

—¿Crees que sigue vivo? —me preguntó Cynthia.

—¿Quién?

—Hitler.

Estaba harta de leer artículos de prensa que sugerían que el Führer no se había suicidado en su búnker, ni lo habían incinerado fuera de él, sino que llevaba una vida de lujo en algún lugar de Sudamérica, protegido por sus verdaderos creyentes, dispuesto a salir a la luz cuando llegara el momento apropiado.

—Espero que no —dije.

—Yo creo que está vivo. Todavía no nos hemos librado de ese malnacido, fíjate lo que te digo.

—¿Lleváis mucho tiempo casados? —pregunté.

—Cinco años —me contestó, antes de señalar al niño con la cabeza—. Sí, ya lo sé. Pero al final hicimos lo que teníamos que hacer, y eso es lo que importa, ¿no? Mi padre no estaba muy contento. Amenazaba con romperle la cabeza a Kurt. Por eso vinimos a Sídney. Ahora mis padres sólo piensan en venir a visitar a su nieto. —Se incorporó—. ¿Me perdonas un minuto? Tengo que ir al baño. Y luego tengo que meter un pollo en el horno para la cena. Échale un ojo a éste, ¿te importa?

Asentí y ella entró en la casa. Di otro gran trago de agua y dejé el vaso en una mesita auxiliar.

—Veo que tienes un columpio —le dije a Hugo. Él se dio la vuelta y asintió—. ¿Quieres que te columpie?

Dijo que sí, completamente confiado, y fuimos hacia allí. Me coloqué en la misma posición en que había visto a Kurt la semana anterior cuando había estado espiándolos. Empujé con suavidad a Hugo, que empezó a ascender.

—La semana pasada estabas paseando por la calle —me dijo con voz clara—. Yo te vi.

Esta vez fui yo la que se sorprendió.

—Me estabas espiando —dijo.

—Eso no es verdad.

—Sí. Yo te vi.

—Te prometo que no.

Lo empujé más fuerte; cada vez que mis manos impactaban contra su espalda, yo notaba que su cuerpecito se tensaba un poco, como si temiera hacerse daño.

—Entonces debías de estar espiando a papá —dijo.

—¿Tu papá es bueno? —le pregunté.

—¡Claro que sí! —exclamó, y su voz se elevó a la vez que su cuerpo ascendía.

—Ya sabes que hay hombres que sólo fingen ser buenos —le dije.

Entonces dejé de empujarlo y me coloqué delante del columpio, manteniéndome a cierta distancia de él para que no me diera una patada mientras perdía impulso.

—¿Y por qué lo hacen? —me preguntó, e hizo una mueca de confusión.

—Porque por dentro son monstruos —dije.

Hugo se detuvo del todo y se agarró con fuerza a las cadenas del columpio, con los pies firmemente plantados en el suelo.

—Mi papá no es ningún monstruo —me aseguró.

—¿Y cómo lo sabes? —le pregunté.

Metí una mano en mi bolso, saqué un sobre que tenía escrito el nombre de «Kurt Kotler» y lo dejé sobre la silla. Le puse encima una piedra del arriate de flores para que no volara; luego regresé al columpio, me incliné y agarré firmemente al niño de la mano.

—Ven conmigo —le dije, y lo llevé hacia la calle—. Tú y yo vamos a vivir una gran aventura.

15

Mi siguiente encuentro con Madelyn Darcy-Witt tuvo lugar casi una semana después de que fuese a recoger a su hijo al colegio. Había imaginado que al día siguiente llamaría a mi puerta para darme las gracias, pero no había tenido noticias de los vecinos del piso de abajo desde entonces, y en cierto modo me alegraba. No vi temblar sus cortinas hasta el martes, cuando volvía de mi paseo; diez minutos más tarde, cuando ya estaba arriba, descalza y con el hervidor en marcha, llamaron a mi puerta. Suspiré: sabía exactamente quién era y hubiera preferido que me dejase en paz, pero era obvio que ella me había visto subir los escalones del portal, así que no podía fingir que no estaba en casa.

—Hola, Madelyn —dije al abrir la puerta, y compuse una sonrisa forzada—. Me alegro de verte.

—Hola, Gretel. —Me tendió ambas manos; miré hacia abajo y vi que sostenía una cajita de exquisitos bombones—. Son para usted. Para agradecerle que fuese a recoger a Henry la semana pasada.

—No hacía falta. —Dejé el regalo en una mesita—. Me alegré de poder ayudarte.

—Sí, pero no debería habérselo pedido. Usted no tenía por qué verse implicada en mis mierdas.

Me sorprendieron las palabras que escogió y el hecho de que sonaran como si estuviera leyéndolas de un guión. Mi fastidio se transformó en preocupación, así que la invité a pasar y le ofrecí asiento, pero no una taza de té, pues no quería que se quedara mucho rato.

—¿Estás bien, querida? —le pregunté tras sentarme enfrente de ella—. Tienes mala cara, si no te importa que te lo diga.

Se encogió de hombros y se frotó los brazos con las manos.

—Estoy bien —aseguró—. Lo que pasa es que últimamente no duermo bien, eso es todo.

—Las siestas a mediodía no ayudan mucho. Alteran el ciclo del sueño. Lo mejor es dormir ocho horas todas las noches y hacer mucho ejercicio.

Sonrió, pero no dijo nada.

—¿Y Henry? —pregunté—. ¿Cómo está?

—Ah, bien. En el colegio. No se preocupe, iré a recogerlo más tarde. —Rió, pero su risa tenía un deje de histeria.

—No estaba preocupada —dije.

—Se supone que también tengo que darle las gracias por haberle dado de comer.

Fruncí el ceño.

—¿Cómo que se supone? ¿Qué quieres decir?

—Bueno, eso. Usted le preparó el té, y se lo agradezco. Me parece que yo no tenía nada en casa. Suelo llamar a restaurantes de comida a domicilio y ese día me había olvidado de hacer el pedido. Alex dice que debería cocinar más.

—A lo mejor Alex también debería cocinar más —sugerí—. Que yo sepa, los hombres son igual de capaces que las mujeres de encender un horno. Sí, estoy segura de haber leído eso en algún sitio.

—No, él no hace esas cosas. —Negó con la cabeza—. Está demasiado ocupado para preocuparse por tareas domésticas insignificantes.

—Yo no diría que prepararle la comida a su hijo sea una tarea doméstica insignificante —opiné.

—No importa, de todas formas se ha ido de viaje unos días. Tiene que hacer una localización en París. O eso me ha dicho.

Dudé por un momento; no quería entrometerme, pero estaba intrigada.

—Lo dices como si no estuvieras convencida del todo —dije—. ¿Tienes algún motivo para sospechar que te miente?

—¿No tendrá...? —Parecía un poco abochornada por lo que se disponía a decir, pero se sobrepuso con valentía—. Si por casualidad tuviese una botella de vino abierta, me tomaría una copita. O, si lo prefiere, podríamos bajar a mi casa.

—Ni siquiera he comido todavía, querida —dije riendo un poco—. Sólo son las doce.

—Claro. Es verdad.

Aun así, se quedó mirándome con la esperanza de que cediera, pero yo no tenía ninguna intención de empezar a beber a aquellas horas, ni quería animarla a ella a hacerlo.

—Tengo que irme —dijo por fin, aunque no hizo ademán de levantarse.

—Madelyn, ¿seguro que estás bien? —insistí—. Pareces un poco alterada.

—Estoy bien. Bueno, quizá no del todo. La verdad es que la semana pasada cometí un terrible error. Y por eso tuve que pedirle que fuese a recoger a Henry. Le pedí que no se lo contara a Alex, ¿se acuerda?

—Y no se lo conté. Se lo contó el director del colegio, porque tú no cogías el teléfono.

—Me lo imagino. Pero aun así... —No parecía muy convencida, y eso me enojó—. Cometí una estupidez, pero creo que debería explicarme.

—A mí no me debes ninguna explicación —aseguré, intrigada por saber a qué se refería, pero convencida de que, cuanto más supiera sobre ella, más me hundiría en sus problemas.

—Yo creo que sí. Debió de pensar usted que soy una madre terrible por presentarme de aquella forma y exigirle que fuese a recoger a mi hijo. Y había bebido. Bueno, eso creo que no hace falta que se lo diga.

—No —admití, porque había sido muy obvio—. ¿Qué pasó?

—Me encontré a un viejo amigo —dijo sin mirarme, con la vista fija en el suelo y retorciéndose las manos con nerviosismo—. Hará cosa de una semana. Fue por casualidad; yo no lo planeé. Había perdido el contacto con él. Estaba en una librería de Oxford Street y de pronto apareció. Se plantó delante de mí.

—¿Un ex novio tuyo? —pregunté.

—Sí. De hace mil años, claro. Estudiamos teatro juntos, pero mi amigo, Jerome, no era muy buen actor, la verdad sea dicha, y se pasó a dirección. Allí sí que encontró su sitio. Ha dirigido varias obras de teatro en el West End y acaba de rodar su primera película.

Me dijo el título de la película en cuestión y quedé muy impresionada. Había oído hablar de ella, había leído críticas en los periódicos, todas ellas positivas, y, como estaba ambientada durante el Raj británico, un período de la historia que siempre me ha interesado, Heidi y yo habíamos ido a verla al cine.

—En su momento estuvimos muy unidos —continuó—. Pero me porté fatal con él y se fue todo al traste.

Arrugué el ceño.

—¿Te portaste fatal? —pregunté.

—Le puse los cuernos.

—Ah, ya.

—Dice Alex que en esa época yo era una guarra —continuó mientras examinaba el papel pintado de las paredes como si allí pudiese encontrar la solución a sus problemas—. Y supongo que tiene razón.

—¿Cuantos años tenías entonces? —le pregunté.

—Dieciocho. Diecinueve. Algo así.

—Que yo sepa, a esa edad lo normal es que los jóvenes mariposeen —dije—. Eso no significa que sean indignos ni mucho menos. Forma parte del proceso de crecimiento.

—Alex no piensa así. En fin, me alegré mucho de volver a ver a Jerome. Me propuso ir a tomar algo y al final pasamos varias horas juntos, charlando de los viejos tiempos y recordando a amigos comunes.

—¿Y hubo alguna indiscreción entre vosotros dos? —le pregunté—. ¿Se trata de eso?

—No, no —dijo negando con la cabeza—. Nada de eso. Yo no le intereso en ese sentido. Ahora es gay. Bueno, supongo que siempre lo fue, pero en aquella época se acostaba con mujeres y ahora ya no. Total, el caso es que lo pasamos muy bien, fue como si no hubiésemos dejado de vernos, y me preguntó... —Cerró los ojos un momento y empezó a tamborilear con los dedos en el cojín del asiento—. Me dijo que estaba haciendo el casting de su nueva película y que había un papel en el que creía que yo encajaba a la perfección. Me aseguró que había estado pensando en mí para ese papel y preguntándose cómo podía ponerse en contacto conmigo, de modo que había sido providencial que los dos nos hubiésemos encontrado. Quería saber si me interesaría presentarme al casting.

—Eso es maravilloso, Madelyn —dije con una gran sonrisa—. Espero que le dijeras que sí.

—Sí. Pero no debería haberlo hecho. Me refiero a que no debería haberle dicho que sí sin hablar antes con Alex.

—Pero si tú querías...

—Es mi marido, Gretel —dijo ella, y de nuevo tuve la sensación de que estaba recitando de memoria aquellas palabras en lugar de pensarlas por sí misma—. No debería tomar decisiones como ésa sin consultárselas antes a él.

—Por amor de Dios, no estamos en los años cincuenta —protesté—. No tienes que revisar cada decisión que tomas con él.

—En fin, le dije que sí, que me encantaría hacer el casting —continuó, sin prestarle atención a mi último comentario—. Así que al día siguiente fui a su despacho y leí el papel con otro actor. Me pareció que había salido muy bien. Sorprendentemente bien. Estaba nerviosa, por supuesto, porque llevaba mucho tiempo sin hacer nada parecido, pero el guión estaba muy bien escrito y era una delicia recitar las frases. Me metí de lleno en el papel. Jerome estaba muy contento. Dijo que todavía no podía tomar una decisión, que tenía que consultarlo con otras personas, productores y demás, pero que sin ninguna duda quería que leyera el papel otra vez. No era un papel protagonista ni nada parecido, ¿me explico? Sólo era un papel secundario, pero muy bueno, en mi opinión. El tipo de papel que, bien interpretado, podría hacer que se fijaran en ti. Antes se fijaban en mí siempre, claro, pero ya no. Desde que me he dejado y he engordado tanto, ya no.

Huelga decir que no le sobraba ni un solo gramo de grasa.

—Total, que me marché de allí como flotando. Y entonces Alex se enteró.

Guardó silencio.

—¿Se lo contaste? —pregunté.

—No, lo leyó en un e-mail.

—¿Tu marido lee tus e-mails?

Apretó la lengua contra la mejilla mientras cavilaba su respuesta.

—Debí de dejarme el ordenador abierto. Y él lo vio por casualidad.

Guardé silencio, pero esa explicación me pareció muy poco probable.

—¿Y no se alegró? —pregunté por fin.

—No.

—A mí me parece que un buen marido se alegraría de que su mujer disfrutase de sus pequeños éxitos y sus pequeños momentos de felicidad al margen del resto de la familia.

—Alex no piensa así. Dijo que había actuado a sus espaldas, lo que no es cierto. Me encontré a Jerome por casualidad, de verdad. Aunque supongo que sí tiene razón en que fui al casting sin decírselo. Ahí me equivoqué.

—O sencillamente quisiste explorar aquella oportunidad en privado, sin ninguna presión —sugerí—. Y si las cosas hubiesen salido bien, habrías compartido la buena noticia con él.

—Bueno, ahora ya no importa. Al final el papel se lo quedó otra actriz.

—¿Por qué?

—Alex dijo que no debía hacerlo. Y tenía razón, claro. Habría sido bochornoso. Porque míreme, ya no estoy tan delgada como antes, y la cámara te añade unos cuantos kilos. Habría parecido un elefante en la pantalla. Él no quería que sufriera una humillación.

—Pero, querida, si estás hecha un palillo —dije con ternura.

—Muchas gracias por decirlo, pero no, no es verdad. En fin, yo sabía que Alex tenía razón, pero me daba muchísima vergüenza llamar a Jerome, así que Alex lo llamó e incluso lo puso en contacto con una actriz muy prometedora con la que ha trabajado últimamente y ella se presentó al casting y le dieron el papel. Ése fue el día que me olvidé de Henry. Cuando me enteré, me disgusté un poco, así que abrí una botella de vino. Y luego otra. Hice muy mal, y fui muy injusta con Alex.

—Querrás decir con Henry.

—Le prometo que no volverá a pasar. Soy una madre espantosa, lo sé. Deberían pegarme un tiro.

Se levantó tan de golpe, sin darme siquiera tiempo a contradecirla, que me asusté.

—Tengo que irme —dijo—. Sólo quería traerle los bombones. Y pedirle perdón.

—Yo me alegro de haber podido ayudarte.

Ya me había levantado y la acompañé hasta la puerta. Me habría gustado decirle muchas cosas más, pero no parecía el momento idóneo. Una parte de mí quería que Madelyn se quedara un rato más, que hallase protección entre mis paredes, mientras que la otra deseaba que saliera de mi casa, cerrara la puerta y no volviera a molestarme nunca más.

—Gracias, Gretel —dijo al marcharse.

Entonces, para mi sorpresa, se dio la vuelta y me plantó dos besos en las mejillas. Cuando me abrazó, me llegó un olor a colonia, pero también un tufillo subyacente, como si llevara un par de días sin ducharse y estuviese enmascarando su olor corporal a base de desodorante. De camino a la escalera, levantó una mano para decirme adiós y la manga de la blusa se le bajó hasta el codo. Heidi acababa de salir de su piso y la estaba viendo marcharse.

—¿Qué le ha pasado en el brazo? —me preguntó cuando Madelyn se perdió de vista—. Tiene un cardenal horrible.

16

Recorrí el paseo marítimo a toda prisa, aferrada a la mano de Hugo, y compré dos billetes del ferri de regreso a Sídney. De vez en cuando el niño se daba la vuelta y miraba hacia su casa, pero, para mi gran alivio, no parecía especialmente nervioso por el hecho de que una desconocida estuviese llevándoselo en barco sin que lo acompañaran ni su padre ni su madre. Me pidió varias veces que no corriera tanto, pero yo suponía que, a esas alturas, Cynthia ya estaría buscando desesperadamente a su hijo, y no podía arriesgarme a que nos siguiera hasta el muelle y nos encontrara allí.

Hugo había ido en ferri varias veces, me dijo, y prefería sentarse arriba y en el sentido de la marcha.

—¿Vamos a ver a papá? —me preguntó cuando el puente apareció en el horizonte.

—Esta noche no —le contesté—. Papá volverá tarde de trabajar y después llevará a mamá a cenar a un restaurante. Por eso me han pedido que me quede contigo.

Frunció el entrecejo; estaba empezando a sospechar.

—Pero si mamá no te conoce —dijo.

—Claro que me conoce. Somos viejas amigas.

—Pues cuando te has desmayado en la calle —insistió—, mamá y tú os habéis dicho vuestros nombres.

—Quería decir que tu padre y yo somos viejos amigos —rectifiqué, y en sentido estricto no mentía—. Y él me ha pedido que le haga este favor.

—Pero ¿no tendríamos que haberle dicho a mamá que nos íbamos?

—Ah, no te preocupes por eso. Mamá quería darse un baño y ponerse guapa. Tú piensa en esto como en una gran aventura, Hugo. ¿Te gusta la idea? Imagínate que eres el capitán Cook y que estás explorando la ciudad por primera vez.

—Me encantaría ser explorador —dijo con entusiasmo, y me sorprendió la crueldad con que ese comentario me hizo retroceder en el tiempo.

—Yo tenía un hermano que quería ser explorador —le dije a Hugo con la mirada fija en el agua que surcaba el ferri.

—¿Lo consiguió?

—No.

—¿Por qué?

—Porque le pasó algo malo.

Entonces Hugo me miró con interés y abrió mucho los ojos.

—¿Qué le paso? —me preguntó con voz entrecortada.

—Se murió —expliqué.

—¡Oh! ¿Y era un niño pequeño?

—Sí. Era mayor que tú, pero no mucho. Tenía nueve años cuando lo perdimos.

—Mi vecina, la señora Hamilton, se murió el año pasado —dijo mirándose los zapatos—. Siempre me dejaba jugar con su perro, pero después del funeral alguien vino y se lo llevó.

—Es una pena. Aunque estoy segura de que le habrán encontrado un buen hogar.

—Le he pedido a papá un perro por mi cumpleaños.

—¿Y crees que te lo regalará?

Se encogió de hombros y lanzó un hondo suspiro, como si cargara con el peso del mundo sobre los hombros.

—¿A qué hora volveremos a casa? —me preguntó por fin.

—Bueno, esta noche no volverás a casa, Hugo —dije—. Te quedarás conmigo en la ciudad.

Arrugó la frente.

—¿Toda la noche? —preguntó.

—Sí. Te parece bien, ¿verdad?

—Es que yo nunca he dormido fuera de casa —señaló completamente confundido por ese concepto—. ¿Me dejan, papá y mamá?

—Sí. Piensa que es algo especial. Después podrás contárselo a tus amigos.

Se quedó callado; debía de estar dándole vueltas a todo eso en su cabeza. Sospeché que su instinto le decía que era un poco raro lo que estaba pasando, pero estaba dispuesto a aceptar que debía de haber alguna razón que lo justificara. Yo sabía que, por lo general, los niños confiaban en los adultos y daban por hecho que cualquier plan que hicieran era para bien. Y en realidad, resultaba paradójico, teniendo en cuenta que los adultos son las últimas personas en las que deberíamos confiar.

Cuando atracamos en Circular Quay, volví a agarrarlo de la mano y lo llevé a uno de los puestos de helados para comprarle uno, y entonces le cambió la cara. No había que andar mucho para llegar a Kent Street y, una vez allí, Hugo se sentó a la mesa y le serví un vaso de leche. Yo había confiado en que Cait ya se hubiera marchado a trabajar, pero todavía estaba en el piso, y cuando salió de su dormitorio le sorprendió ver a un niño de cinco años sentado en la cocina. Sin embargo, eso no me preocupó ni alteró mis planes, y pensé que al menos ella sabría el nombre del niño cuando, inevitablemente, se convirtiera en la persona que descubriese su cadáver.

—Vaya, ¿a quién tenemos aquí? —preguntó Cait con una sonrisa en los labios, mirándonos a los dos.

—Se llama Hugo —contesté, y me la llevé a mi dormitorio, donde bajé la voz para que el niño no pudiera oírnos—. Su madre trabaja conmigo en la tienda. En los últimos tiempos ha tenido problemas con su marido y me ha preguntado si podía cuidar de él esta noche.

—¿Tú?

—¿Por qué no? —pregunté frunciendo el ceño.

—No sé, porque no entiendes mucho de niños, ¿no?

—No puede ser muy complicado. No es ningún bebé. Tiene cinco años. Casi seis. Supongo que se quedará dormido enseguida y entonces lo meteré en la cama.

—¿Y dónde va a dormir?

—Aquí. Conmigo. Y mañana por la mañana lo llevaré a su casa.

—Me parece un poco raro —replicó Cait—. ¿No tiene más familia, nadie que pueda ocuparse de él?

—Creo que no —dije con la esperanza de que no insistiera.

Fue un alivio que lo dejara correr. Cait volvió a la cocina, estuvo un rato charlando con el niño y se fue a trabajar. Agucé el oído a la espera de que sonara el teléfono del piso de abajo. No tardaría en hacerlo: Cynthia ya debía de haber encontrado la nota mientras buscaba a su hijo y probablemente habría llamado a Kurt a su despacho y le habría dado mi número. Me pregunté qué habría pensado ella al ver el apellido Kotler en el sobre. Y cómo su marido le explicaría ese detalle. Él quizá estuviera asustado por el secuestro de su hijo, pero aquello podía tener consecuencias mucho más aterradoras. Y dentro del sobre no había ninguna nota, sólo un número de teléfono. Quería hablar con él por última vez antes de ejecutar mi plan. Me imaginé a Cynthia insistiendo en llamar a la policía, pero seguro que él, consciente del peligro que eso entrañaba, sería sensato e insistiría en que lo dejara ocuparse personalmente del asunto.

—¿Ya puedo marcharme a casa? —preguntó Hugo después de comer, y lamenté no haber comprado algunos juguetes o unos pocos cuentos para tenerlo entretenido.

—No, todavía no, ya te lo he dicho —dije tratando de no perder la paciencia para no asustarlo.

Al fin y al cabo yo no quería causarle al niño ningún sufrimiento innecesario y mi plan consistía en esperar a que se quedara dormido para llevarlo a la cocina y tenderlo sobre una manta en el suelo, a mi lado. Luego, sólo tendría que abrir la llave de gas y dejar la puerta del horno abierta. Me parecía un final apropiado para los dos.

—Será una noche. Y mañana podrás contárselo todo a mamá.

Ahora parecía compungido y se enjugó unas lágrimas. Entonces me acordé de la niña que vivía en la planta baja de la casa de al lado. Tenía un perro, y él había mencionado que le gustaban. A lo mejor la niña dejaba que Hugo jugara con él.

—Vamos abajo.

Le di la mano, salí con él afuera y miré por encima de la valla, donde mi vecina estaba lanzándole una pelota a un simpático labrador.

—¡Sarah!

La niña se dio la vuelta.

—Te presento a mi amigo Hugo. ¿No le dejarías jugar contigo un rato? Le gustan mucho los perros.

Sarah, como suele pasar con los críos, no estaba segura de querer hacer amistad con un desconocido, pero vio a Hugo tan emocionado con la idea de jugar con el animal que al final cedió. Me quedé un rato observándolos correr juntos por el jardín y me alegré de haber encontrado algo para entretener al niño.

—Vendré a buscarte dentro de un rato —dije.

Subí otra vez al piso de arriba, cogí los rollos de cinta adhesiva que había comprado el día anterior y sellé las ventanas de la cocina y la rejilla de ventilación. Al poco rato la habitación había quedado estanca por completo. Luego cogí unas mantas y las extendí en el suelo. Allí sería donde lo llevaría cuando llegara el momento. Cerraría la puerta y también la sellaría; cogería a Henry en brazos, nos tumbaríamos en las mantas y sencillamente nos quedaríamos dormidos.

Saber que el final estaba cerca me producía una sensación extraña y liberadora. Sentía alivio, aunque también estaba asustada. No sabía si creía en el cielo, pero sabía que existía el infierno porque había vivido en él.

Y entonces sonó el teléfono.

Al oír los fuertes timbrazos me dio un vuelco el corazón. Fui hacia el aparato, inspiré hondo y descolgué el auricular, pero me quedé en silencio.

—¿Hola? —dijo una voz al otro lado.

Sonreí un poco. Él se esforzaba para adaptarse a su nuevo país, pero su acento no había desaparecido del todo.

—Hola, Kurt —dije por fin tratando de controlar mi voz para que no temblara.

—Hola, Gretel. Sabía que eras tú.

17

Me sorprendió recibir una llamada de Eleanor. Me explicó que era su día libre y que había quedado para comer en Piccadilly con un colega suyo, y me preguntó si me apetecía quedar un rato con ella después. Sólo hacía unos días que Caden, Eleanor y yo habíamos comido juntos, pero, para no parecer antipática, le dije que sí y reservé un taxi para ir a Fortnum & Mason a las tres. Las dos llegamos a la puerta principal a la vez, lo que resultó un poco incómodo, porque tuvimos que charlar de camino al salón de té, y Eleanor se empeñó en pasar por la sección de ropa de mujer para decirme que estaría «espectacular» con una prenda que a todas luces estaba pensada para una mujer de treinta o cuarenta años, y no para una anciana casi centenaria.

—Mis días de estar espectacular han pasado a la historia —dije cuando por fin nos sentamos y consulté la carta—. Ahora me contento con parecer bien conservada o ir bien arreglada.

—Bobadas. —Eleanor descartó mi modestia con un ademán—. Ya me gustaría a mí estar la mitad de bien de lo que está usted a su edad. Y Caden estaría encantado.

—Querida —dije esbozando una sonrisa—, si tienes la mala suerte de llegar a ser tan vieja como yo, Caden tendrá casi ciento diez años y es muy poco probable que todavía le importen esas frivolidades.

—Es verdad —concedió—. Entonces quizá haga lo contrario y a los noventa y nueve me busque un novio de veintidós.

Me abstuve de aclararle que yo todavía no era tan vieja.

—Muchas gracias por la invitación —dije cuando terminamos de pedir.

—Quiero que nos conozcamos, Gretel —afirmó ella—. Al fin y al cabo, va a ser usted mi suegra.

—Es verdad.

—¿Con las otras se llevaba bien? Con las tres primeras esposas de Caden.

—Con alguna sí —admití—. La primera, Amanda, era encantadora. A las otras dos las traté muy poco. Y supongo que, visto lo visto, era mejor así. Habría sido derrochar mucha energía.

—No puedo creer que vaya a convertirme en la cuarta señora Fernsby —dijo, aunque no parecía ni remotamente incómoda por ese hecho.

Me gustaba la franqueza de Eleanor y pensé que no le importaría que yo expresara mi curiosidad respecto al marido que había escogido.

—¿Te importa que te haga una pregunta un poco personal? —dije.

—Va a preguntarme por qué una mujer de mi edad se casa con su hijo, ¿no?

—No quiero ofender a Caden. Tiene muchas virtudes, pero no se puede decir que esté en la flor de la vida, ¿no? Tú, en cambio, todavía eres joven.

—¡Tengo cuarenta y cinco años!

—Eso es ser joven, cielo.

—Gracias, pero a mí no me lo parece —replicó poniéndose más seria—. Para la mayoría de los hombres ya me he vuelto invisible. Pero no es usted la única persona que me ha hecho esa pregunta. Mis amigas también están intrigadas. Seguro que hablan de mí a mis espaldas. Por lo visto no consigo hacérselo entender.

—Hacerles entender ¿qué?

—Que lo quiero.

Asentí y medité sobre sus palabras. El camarero regresó con nuestros tés y nuestros *scones* y yo esperé a que se marchara antes de volver a hablar.

—Me alegra saber que lo quieres —dije—. Para que conste, lo cierto es que ya me di cuenta el domingo. Pero ¿por qué, exactamente?

—¿No es un poco raro que una madre haga esa pregunta? ¿Es que usted no lo quiere?

—Sí, claro que lo quiero. Pero todas las madres quieren a sus hijos, ¿no? Eso está grabado en nuestro ADN.

—Ya sé que la relación entre su hijo y usted no siempre ha sido fácil —dijo, y yo bajé la vista hacia los potecitos de mermelada para no mirarla a los ojos y me pregunté cuánto le habría contado Caden sobre su infancia. Yo procuraba no pensar en aquel año que había pasado lejos de casa, pero suponía que, incluso después de tanto tiempo, a él todavía lo perturbaba aquel recuerdo. Aunque no me gustaba pensarlo, estaba segura de que había influido negativamente en su relación con las mujeres. Imaginaba que cualquier psicólogo se habría puesto las botas con eso.

—Digamos que... —expliqué por fin sin poder disimular un hondo suspiro— no tenía un gran instinto maternal. Las experiencias que había vivido en la guerra me dejaron una huella muy profunda. No se me dan bien los niños, eso no se puede negar. ¿Quieres que te diga una cosa? Una cosa que nunca le he confesado a nadie, ni siquiera a mi difunto esposo.

Se inclinó hacia delante, intrigada, y yo me pregunté por qué demonios estaba haciendo esto. Quizá Eleanor había empezado a caerme bien.

—Cuando vivía en Australia hice algo terrible —dije.

—¿Qué? —me preguntó ella mientras servía nuestras tazas de té.

—Secuestré a un niño.

Eleanor se echó hacia atrás y abrió mucho los ojos.

—¿Cómo dice?

—Secuestré a un niño —repetí—. A un niño pequeño.

—Pero ¿por qué?

—Había conocido a su padre muchos años atrás. Ese hombre había participado en algo que había provocado una inmensa pérdida en mi vida. Yo quería que supiera lo que se sentía al perder a un ser querido.

—¿Fue durante la guerra?

Asentí con la cabeza.

—Pero lo devolvió, ¿no? Al niño.

—Sí, claro. Al día siguiente.

—Entonces ¿sólo se lo quedó una noche? No es tan terrible. Bueno, ya sé que no está bien, pero...

—Lo que pasa, Eleanor, es que yo no tenía pensado devolverlo.

—¿Qué tenía pensado hacer?

—Matarlo. Y suicidarme.

Me sorprendió que Eleanor no se mostrara impresionada por aquella revelación. Quizá sus años de formación médica la hubieran hecho inmune a esas confesiones. ¿Quién sabía qué cosas espantosas habría visto en el hospital?

—Pero es evidente que no lo hizo.

—No.

—Bueno, menos mal. ¿Cómo se llamaba el niño?

—Hugo. Hugo Kozel.

—¿Y la...? —Miró a su alrededor para comprobar que nadie nos oía y bajó la voz—. ¿La condenaron por ello?

—No. Había circunstancias atenuantes, por llamarlas de algún modo. De entrada, su padre no me denunció, aunque supongo que su madre quería hacerlo. Y al cabo de un par de días me marché de Sídney. Me embarqué hacia Inglaterra y me establecí aquí. Me pareció demasiado peligroso quedarme en Australia.

—¿Por si la encontraba la policía?

—La policía era la menor de mis preocupaciones. Había otros que habrían podido encontrarme y castigarme por lo que había hecho. Lidiar con ellos habría podido conducir a... Bueno, a situaciones muy desagradables.

Eleanor caviló sobre todo eso mientras se tomaba el té.

—¿Caden lo sabe? —me preguntó.

—No, no lo sabe nadie. El padre del niño... Bueno, me imagino que ya habrá muerto. Era mayor que yo. Y el niño sólo tenía cinco años. Me sorprendería mucho que recordase algo.

—Entonces ¿por qué me lo cuenta?

—Porque necesito que entiendas que he sido una madre espantosa y que muchas veces me he preguntado si el escaso éxito de Caden con las mujeres se debe...

—¡Pero si ha tenido tres esposas! —protestó ella.

—¿Y no es eso una señal de fracaso? ¿Su incapacidad para conservarlas? No quisiera parecer cruel, ya sé que él siempre ha hecho todo lo que ha podido, pero de alguna manera, pese a los inicios prometedores, al final siempre acaba solo. Y me pregunto si será todo culpa mía. Porque no estuve cuando me necesitaba. Porque lo abandoné.

—Me ha preguntado por qué estoy enamorada de él, ¿no? —dijo Eleanor. Se inclinó hacia delante y me cogió las manos—. Pues piense que, al menos en parte, a ese hombre lo ha creado usted. Es bueno, Gretel. Es gracioso. Se interesa por mí. Me hace preguntas sobre mi vida y me escucha cuando le contesto. No pregunta por preguntar. Es trabajador, y eso es algo que yo admiro. No podría estar con un hombre que no fuese trabajador. Y hace que me sienta segura. Es un desastre con el dinero, creo que eso lo sabemos las dos, pero por lo demás es una bendición.

Al oír esa descripción de mi hijo, que yo no reconocía del todo, se me llenaron los ojos de lágrimas. Tal vez no hubiese sido una madre tan espantosa, a fin de cuentas. O tal vez Edgar lo hubiese compensado siendo un padre excelente. No era fácil saberlo.

—Pero ¿por qué lo abandonó? —me preguntó—. Si prefiere no contármelo, no me lo cuente, claro. Pero si quiere, yo la escucharé. Quizá me ayude a conocerlo mejor.

Me lo pensé y suspiré. Tal vez me aliviara sacarme aquello de dentro, por fin. Miré nuestras tazas de té, que estaban casi vacías.

—Supongo que no te tomarías una copa de vino conmigo, ¿verdad, Eleanor?

18

No habría podido matarlo, por supuesto. Ni habría podido suicidarme. Si hubiese tenido ese nivel de coraje, ya me habría quitado la vida en París mucho tiempo atrás: tan sólo tenía que colgar una cuerda del techo de nuestra habitación, atármela alrededor del cuello, subirme a una silla y saltar. Y cuando Kurt me preguntó si podíamos vernos, le dije que sí sin dudarlo.

Al fin y al cabo, desde que tenía doce años mi mayor deseo había sido estar con él. Había transcurrido una década desde nuestro último encuentro, pero por lo visto había cosas que nunca cambiaban.

Él quería ir a buscar a su hijo esa misma noche, pero me negué e insistí en que Hugo se quedaría conmigo hasta la mañana siguiente; me levanté más temprano de lo habitual para bañarme y lavarme el pelo, e incluso me maquillé, lo que casi nunca me molestaba en hacer. Me puse un vestido de tirantes amarillo con lunares blancos, consciente de que me favorecía, y cuando me miré en el espejo no vi a Gretel sino a una versión más joven de mi madre cuando yo todavía era una cría, en Berlín, y ella estaba en su apogeo. Antes de que naciera mi hermano. Antes de que aquel otro sitio existiese siquiera. Antes de todo aquello.

Quedamos a las diez en una pequeña cafetería, la Dandelion, a un paso de Kent Street. Cait dijo que no le importaba vigilar a Hugo mientras yo estuviera fuera. Por suerte, el niño parecía más relajado después de haber dormido toda la noche y se animó mucho cuando le dije que al cabo de un par de horas Cait lo llevaría con su padre.

—¿No me dijiste que su madre trabajaba contigo en la tienda? —dijo Cait mientras yo me ponía los pendientes y me aplicaba un poco más de pintalabios.

—Sí, pero lo va a recoger su marido.

—¿Y a qué viene todo esto? —me preguntó, sin dejar de mirarme de arriba abajo—. ¿Por qué te arreglas tanto? Cualquiera diría que tienes una cita.

—¿Es delito ponerse guapa? —le pregunté subiendo un poco la voz.

Estaba nerviosa, emocionada y asustada, todo a la vez, y no me apetecía dar explicaciones. Lo único que quería era salir al fresco y poner en orden mis ideas.

—De acuerdo, de acuerdo —dijo ella mostrándome la palma de las manos—. No hace falta que me muerdas, sólo era una pregunta.

—Lo siento —me disculpé—. Es que... tengo muchas cosas en la cabeza.

—No entiendo por qué vas a tomar café con su padre —dijo ella con gesto de desconcierto—. En serio, Gretel, aquí hay algo raro y me gustaría que...

—Confía en mí —le supliqué—. Esta noche te lo explicaré todo, te lo prometo.

Veinte minutos más tarde estaba sentada en la cafetería esperando a Kurt. Recordé la primera vez que lo había visto, sólo unas horas después de llegar a aquel sitio, cuando él apareció vestido de uniforme: entró con decisión en el despacho de Padre para presentarse ante su nuevo comandante y, por primera vez en mi vida, entendí lo que era el deseo. Yo sólo tenía doce años y todavía no había pensado mucho en los chicos, pero él era alto y apuesto, y llevaba el pelo, rubio, perfectamente peinado hacia atrás y la cara despejada. Jamás había visto a nadie tan atractivo. Era como estar ante un dios.

Padre nos había presentado y Kurt me había mirado con absoluta indiferencia. Me habría gustado decirle «hola», estrecharle la mano, saber qué sentiría mi piel al estar en contacto con la suya, pero era como haber olvidado cómo funcionaba el lenguaje. Salí corriendo del despacho, subí al piso de arriba y me senté en mi nueva cama en un estado de completa turbación, jadeando, diciéndome que aquello, *aquello*, era lo que había leído en los libros desde que era pequeña. Era real. Era todo real.

Estaba tan absorta en esos recuerdos que por poco no veo abrirse la puerta ni oigo sonar la campanilla que anunciaba la entrada de un cliente. Kurt miró a su alrededor hasta que me vio sentada a la última mesa junto a la ventana. Ladeó la cabeza, me miró unos segundos y esbozó una sonrisa; entonces se volvió para hablar con la chica de la barra y le pidió un café. No llevaba el formal atuendo con el que iba al banco todos los días, sino un pantalón blanco y una camisa sin corbata con las mangas enrolladas. La piel bronceada lo favorecía. Me pasó por la cabeza que ese día se había preocupado tanto por su aspecto físico como yo por el mío. Cogió su taza y echó a andar despacio hacia mí.

—Gretel —dijo. Me cogió la mano y se la llevó a los labios—. *Du wirst es vielleicht nicht glauben, aber ich habe immer geahnt...*

—No —lo interrumpí. En cuanto oí el sonido de mi lengua materna el pánico se apoderó de mí. Me aterraba que alguien pudiese oírnos—. En alemán no, por favor. En inglés. Siempre en inglés.

Me miró a los ojos y vi que los suyos conservaban aquella mezcla de belleza y crueldad que me había cautivado desde nuestro primer encuentro.

—*Wie du möchtest* —dijo, y se sentó frente a mí—. Esto quizá te sorprenda, pero siempre sospeché que volveríamos a encontrarnos algún día.

—Entonces, ¿has pensado en mí?

—Bueno, no muy a menudo, pero a veces sí. ¿Y tú?

—No muy a menudo —mentí—. Pero a veces sí.

Él asintió y tomó un sorbo de café. No quería que la responsabilidad de hablar primero recayera sobre mí y lo imité.

—Estamos muy lejos de... —empezó él, y lo corté de inmediato.

—No lo digas. Odio esa palabra. Nunca la utilizo.

—Pero de alguna forma tenemos que llamarlo.

—Yo lo llamo «aquel otro sitio».

—Tu hermano lo llamaba «*Auchviz*», si no recuerdo mal.

Se me revolvió el estómago al oírlo mencionar a mi pobre hermano.

—*Auchviz* —repitió él en voz baja y, negando con la cabeza, soltó una risita.

—Teniente Kotler... —dije, y puse las manos en el regazo; me temblaban un poco y no quería que él se percatara de mi nerviosismo.

—Si yo no puedo utilizar el nombre de aquel otro sitio, como tú lo llamas —indicó él—, entonces tú tampoco puedes llamarme por un nombre que ya no uso. El teniente Kotler al que conociste ya no existe. Murió en algún lugar de Alemania hacia el final de la guerra. Me llamo Kurt Kozel.

—Entonces siempre me sentía insolente cuando te llamaba Kurt. Padre y Madre insistían en que debía dirigirme a ti con toda la formalidad de tu rango.

—Pero tú los desobedecías.

—Ahora no sé cómo llamarte. Kozel suena a farsa.

—Puedes llamarme Kurt —dijo él—. Pero antes de continuar, y a pesar de que me encanta recuperar estos recuerdos tan nostálgicos, tienes que decirme dónde está Hugo, dónde está mi hijo.

—Él está bien. Lo he dejado con una amiga mía. En cuanto terminemos de hablar te lo devolveré.

—¿Le has hecho daño?

—Jamás podría hacerle daño a un niño.

—¿Y quién sí? —dijo él sonriente.

Noté que mi rostro se endurecía.

—No seas sarcástico, por favor.

—Es humor negro —señaló él encogiéndose de hombros—. Nada más.

—No tiene gracia.

—Supongo que no. Pero si le has hecho el mínimo daño a...

—Hugo está bien, Kurt, y tú lo sabes. Mi amiga lo traerá aquí más tarde. Cuando hayamos terminado de hablar.

Me pareció que lo aceptaba y se relajaba un poco; entonces añadió azúcar a su café y lo removió lentamente.

—Bueno —dijo por fin—. ¿Por qué no me cuentas qué quieres de mí? ¿Es dinero? Porque no tengo mucho.

—No, no quiero tu dinero.

—¿Cómo me encontraste, por cierto?

—Por casualidad. No estaba buscándote. Si te hubiera buscado, creo que nunca me habría acercado a menos de mil kilómetros de ti. La verdad es que no hace ni un año que estoy en Sídney. Una noche estaba sentada en el Fortune of War hablando con una amiga mía, oí tu voz y la reconocí. La habría reconocido en cualquier sitio. Creía que me había librado de todo aquello...

—Yo también.

—Pero allí estabas, pidiendo una consumición con toda la tranquilidad del mundo.

—¿Y luego?

—Te seguí. Una noche me senté cerca de ti en ese mismo pub.

—Ya me acuerdo —dijo él—. Me di cuenta de que me observaban, pero no estaba seguro de quién eras. Podías ser una antigua reclusa, pero también podías ser una cazadora. Nunca se me ocurrió pensar que fueses tú. Pero dejé un mensaje; ¿lo encontraste?

—El dibujo de la alambrada —dije.

—Eso es.

—¿Por qué?

—Siempre lo he visto como un símbolo de aquella época. Un símbolo que cualquiera de los que estuvimos allí, a un lado o al otro, reconoceríamos.

—¿Te preocupa que te descubran?

—Claro que sí. Pero no tengo ninguna intención de dejarme capturar, Gretel. Nunca bajo la guardia. Supongo que tendré que seguir haciéndolo el resto de mi vida.

—Otra noche te seguí hasta Manly y no me viste. No estaba segura de lo que quería. Hasta que te vi con tu hijo.

—Su madre se ha pasado la noche histérica —dijo él—. Ha faltado poco para que llamara a la policía.

—¿Cómo la has disuadido?

Esbozó la misma sonrisa sensual y brutal con la que en el pasado siempre conseguía cautivarme.

—Cynthia sabe que le conviene acatar mis decisiones —dijo escogiendo con cuidado sus palabras.

—Eres cruel con ella —repuse, y no era una pregunta sino una afirmación.

—No, no lo creo —replicó—. Quiero a mi mujer. Pero soy una persona tradicional. Creo que el marido es el cabeza de familia. Tu padre tenía esas mismas convicciones.

—No te pareces en nada a mi padre —afirmé.

—No, mi nombre no caerá en la infamia y el suyo sí. Al fin y al cabo, él era quien estaba al mando, ¿no? Él era un adulto, tenía más de cuarenta años. Yo sólo era... ¿Cómo se llama? Un cómplice. Un adolescente que jugaba a disfrazarse y a disfrutar del poder que le habían otorgado. Tu padre era el monstruo. Yo sólo era el aprendiz de monstruo.

Lo fulminé con la mirada. Aquello no era lo que yo hubiera dicho, pero habría sido difícil contradecirlo.

—De todas formas —continuó—, la paciencia de Cynthia no es infinita y, si tardo mucho, no podré impedir que llame a la policía.

—Ya te he dicho que te lo devolveré —aseguré—. Y yo no miento.

—Claro que mientes. —Se echó a reír—. Debes de haber mentido todos los días de tu vida estos seis últimos años. ¿Cómo te haces llamar aquí, por ejemplo? —Se lo dije y él volvió a reír—. Así que mantienes tu nombre de pila, igual que yo. Pero te cambiaste el apellido, igual que yo. ¿Lo ves? No somos tan diferentes.

—Habría sido imposible conservar mi apellido —dije.

—¿Cuándo te lo cambiaste? ¿En el barco que te trajo a Australia?

—No. Nada más terminar la guerra. Madre y yo nos marchamos a París en cuanto se pudo salir de Berlín.

—¿Y qué tal os fue allí?

—No muy bien. —Noté un leve cosquilleo en el cuero cabelludo al recordar la navaja, la sangre resbalando por mi frente, los escasos mechones miserables que conservé—. Procuro no pensar en el pasado.

—Y supongo que sin éxito, ¿verdad?

—Claro. Igual que tú, ¿no?

—No —dijo él—. Pero es que soy de esas personas que logran todo lo que se proponen.

Me volví y miré por la ventana; no sabía cómo podría derribar su muro de confianza en sí mismo. Pasaron unos colegiales por la calle, por parejas y cogidos de la mano, con grandes sombreros para protegerse del sol. Parecían de lo más inocentes.

—Creí que no sobreviviría —dijo al cabo de un momento con voz más pausada—. Tu padre me envió al frente.

—Sí, lo recuerdo.

—Pero ¿recuerdas por qué?

Me acordaba, o al menos eso creía, pero esperé a que él me lo dijera.

—Tu abuelo había venido de visita. Me invitaron a cenar con la familia. Y se me escapó que mi padre se había mostrado reacio a abrazar el Reich. ¿Ahora te acuerdas?

—Me acuerdo de que mataste a Pavel a patadas.

—¿A quién?

—A nuestro camarero. Se llamaba Pavel.

—Ah, sí. El judío. Creo que me había contestado mal.

—No, no había dicho ni una palabra. Tenía demasiado miedo. Sólo había derramado un poco de vino en la mesa.

Kurt sonrió.

—Dudo mucho que matara a un hombre a patadas por derramar vino.

—Pues lo hiciste —dije—. Me acuerdo perfectamente. Mi madre le suplicó a mi padre que interviniera, pero él no dijo nada y siguió comiendo tan tranquilo.

Kurt fijó la vista en el mantel y deslizó la palma de la mano por él. Lo observé minuciosamente y me sorprendió adivinar que aquel recuerdo lo turbaba.

—Yo no lo he olvidado —dije con la voz quebrada—. Jamás había visto algo así con mis propios ojos.

—Y sin embargo, lloraste cuando me enviaron al frente.

—Sí —admití—. Estaba muy confusa. Es obvio que todavía no era lo bastante madura para gestionar los sentimientos que me inspirabas, pero entonces hiciste aquello y...

—En aquel otro sitio, como tú lo llamas, pasaron muchas cosas. Pero a mí también me castigaron por lo que había hecho mi padre. Un precio que tú no tuviste que pagar, si me permites hacer esta puntualización. Yo había sido leal al comandante y él me despachó. Y sólo por eso. ¿Acaso temía que su imagen quedara dañada si los otros se enteraban?

—No lo sé —dije—. Él nunca hablaba conmigo de esas decisiones.

—Pero lo cierto es que me sentenció a muerte. Y he de admitir que yo estaba aterrorizado, al fin y al cabo sólo era un crío. Pero no me mataron. Los otros soldados que estaban conmigo fueron cayendo uno detrás de otro... Yo aguanté. No pudieron acabar conmigo. Una vez me dispararon, pero me dieron en el hombro. Entonces me enviaron a Berlín, a un despacho, y me sentaron detrás de una mesa. Para mí era un buen puesto. Si hubiese sabido que acabaría trabajando en un lugar como aquél, le habría pedido a alguien que me disparara mucho antes. Incluso habría podido pedírtelo a ti.

—¿Y no te arrestaron? Me refiero a después. Cuando terminó la guerra.

Negó con la cabeza.

—Sabíamos que los aliados estaban en camino, claro. Era evidente que podían llegar en cualquier momento. El Führer venía casi todos los días al edificio donde yo estaba destacado y cada vez parecía más desesperado, más irracional. Era aterrador contemplar su ira. La mayoría hacía todo lo posible para no cruzarse con él, pero a mí me gustaba observarlo.

—¿Por qué?

—Me fascinaba. —Kurt se encogió de hombros—. Bueno, nos fascinaba a todos, ¿te acuerdas?

—Sí, me acuerdo —dije, porque era verdad: nos fascinaba.

—Era como estar en presencia de algo sobrenatural. Yo lo observaba desde cierta distancia e intentaba aprender de él. Hasta que un día nos informaron de que se había retirado a su búnker. Algunos oficiales fueron con él. Y también el personal administrativo, los cocineros y demás. Recibí un mensaje en el que me decían que se había dejado unos lentes encima de su escritorio y que tenía que llevárselos. Los lentes de Hitler, ¿te imaginas? Los cogí y salí del edificio, pero los ejércitos ya nos estaban rodeando; era obvio que no tardarían más de un día o dos en caer sobre nosotros, así que eché a correr. Corrí tan rápido como pude.

—¿Y adónde fuiste?

—Hacia el norte. Primero a Dinamarca, y luego continué hasta Suecia. Pasé unos años allí, cambié de identidad, de voz, de acento. Cuando surgió la oportunidad de trasladarme a Australia, no la dejé pasar. Me pareció una buena forma de empezar de cero.

—Y de librarte de ellos —sugerí.

—¿De quiénes?

—De quienes podrían tener tu nombre en una lista. De quienes querrían encontrarte y llevarte ante la justicia.

—Si esas personas existen, están buscando al teniente Kotler. No les interesa un respetable banquero apellidado Kozel que lleva una vida apacible con su bella esposa, Cynthia, y su hijo. Aquí hay cazadores de nazis, desde luego. Pero son muy pocos comparados con los que hay en Norteamérica y Sudamérica. Creo que se les ha olvidado Australia.

—Algún día se acordarán.

—Puede que sí. ¿Y tú qué harás entonces?

—¿Yo?

—Visto desde una perspectiva general, yo soy prácticamente insignificante. En cambio, tú...

—Yo no tuve nada que ver con todo aquello —protesté inclinándome hacia delante—. Sólo era una cría.

Arqueó una ceja.

—Tu padre era el comandante del campo de concentración más importante —replicó Kurt—. Y has decidido no presentarte ante las autoridades en todos estos años que han transcurrido desde la liberación del campo.

—Esa decisión la tomó Madre, no yo.

—Sí, claro. Siempre hay alguna excusa. Pero ¿no crees que a los jueces también les gustaría hablar contigo?

—¿Por qué? ¿Yo qué podría contarles?

—Algo. Cualquier cosa. Cualquier información, por pequeña que fuera, podría proporcionarles consuelo a los familiares de las personas a las que nosotros... —Se mordió la lengua—. Puedes fingir otra cosa, Gretel —dijo al cabo de un momento—, pero tú y yo somos lo que llaman «presuntos implicados». Y seguro que ellos encontrarían alguna forma de argumentar que tú fuiste tan culpable como cualquiera de nosotros. Más allá de la edad que tuvieras entonces.

Sentí una mezcla de emociones. Llevaba mucho tiempo tratando de convencerme de que era inocente, pero Kurt tenía razón. Yo había conocido a muchos judíos durante mi estancia allí, no sólo a Pavel, y sabía perfectamente cómo los habían tratado y cómo habían muerto. Habría podido contárselo a las autoridades. Pero también sabía que, si me descubrían, haría exactamente lo mismo que Kurt había hecho aquel día en Berlín: echar a correr.

Metió la mano en el bolsillo de su camisa y sacó unos pequeños lentes de montura redonda y patillas estrechas que puso encima de la mesa, delante de mí. Los miré sin saber qué quería decirme con aquello, pero entonces lo entendí y contuve un grito de horror.

—¿Eran suyos? —pregunté.

—Sí.

—¿Y los has conservado todos estos años? ¿Por qué?

Kurt se encogió de hombros.

—¿Como recuerdo, quizá? —sugirió—. Algo para recordarme que no fue un sueño. Que fue real y que, al menos una vez en la vida, formé parte de algo muy hermoso. Y por cierto, hablando de cosas hermosas, ¿sabes que te has convertido en una joven increíblemente atractiva? —añadió.

Estiró un brazo y deslizó un dedo por mi mejilla. Cerré los ojos. Hubo un tiempo en que habría hecho cualquier cosa, hasta arrastrarme por un suelo cubierto de cristales rotos, con tal de notar el roce de su piel.

—¿Quieres probártelos? —me dijo bajando la voz.

Yo seguí mirando al frente; no oía ni veía nada que no fuese a él.

—¿Probarme qué?

—Sus lentes. Pruébatelos. Verás el mundo a través de sus ojos, por así decirlo.

Miré la mesa y vi que mi mano se acercaba a ellos. Los lentes del Führer. Los toqué con la yema de un dedo como si esperara recibir algún tipo de calambrazo cuando mi piel entrara en contacto con ellos. Sentí mareo, emoción, debilidad. Me sentí poderosa.

—Pruébatelos, Gretel —insistió Kurt, esta vez inclinándose hacia delante y reduciendo la voz a un susurro.

—No puedo —dije.

—Pero quieres. Yo sé que quieres.

—No.

Me pareció que el tiempo se detenía mientras los contemplaba. Recordé su voz. El sonido de los talones entrechocando. Mi padre pronunciando su nombre en voz alta.

Volví a estirar los brazos y, con manos temblorosas, levanté los lentes por las patillas. Tenerlos en las manos me producía asco pero, para mi vergüenza, también me hacía sentir privilegiada.

¿Podría ponérmelos? ¿Me atrevería? Al cabo de un momento los tenía en la cara y de mis labios escapó un sonido extraño que habría podido interpretarse como un gemido de placer o de angustia.

—Es emocionante, ¿a que sí? —dijo Kurt.

Lo veía borroso porque aquella graduación era muy alta para mí.

—Dime cómo te sientes.

Era demasiado complicado para expresarlo con palabras: una potente combinación de autoridad, horror y culpabilidad, todo junto.

—¿Notas su presencia?

—Siempre. Pero ahora más que nunca.

—¿Y cómo te sientes?

—Asqueada. Horrorizada. Avergonzada.

—¿Y qué más?

Me quedé mirándolo.

—Di la verdad, Gretel.

—Emocionada —dije en voz baja.

Sonrió, me quitó los lentes de la cara con suavidad y volvió a dejarlos encima de la mesa.

—Dime que no lo echas de menos —dijo en voz baja, inclinándose hacia delante—. Dime que no te habría gustado que él hubiera llegado hasta el final y hubiésemos logrado la victoria. Imagina el mundo en el que viviríamos ahora. Lo diferente que sería todo. Yo lo deseaba con toda mi alma. Que el Reich durase mil años, como él nos había prometido. Sé sincera contigo misma, Gretel. Tú también querías eso, ¿no?

19

Cuando regresé a Winterville Court después de pasar la tarde con Eleanor, encontré a Henry sentado en la escalera leyendo un libro. Esta vez no era *La isla del tesoro*; debía de haberlo terminado y ahora estaba enfrascado en *Chitty Chitty Bang Bang*. Me intrigó que prefiriera los libros infantiles clásicos a la literatura contemporánea y me pregunté si sería su madre, su padre o una bibliotecaria escolar quien le suministraba las lecturas. Al verme levantó la cabeza y compuso una sonrisa que combinaba el bochorno con el alivio de saber que al menos había un adulto responsable en el edificio.

—Hola, Henry —lo saludé.

—Hola, señora Fernsby.

—¿Se puede saber por qué estás sentado en la escalera? A mí no me importa. Si estás cómodo ahí, me parece muy bien. Sólo es una pregunta.

Parecía reacio a dar explicaciones, pero cedió. Esquivó mi mirada y centró toda su atención en sus dedos.

—Mamá está echando una siesta —dijo—. No he querido despertarla llamando muy fuerte a la puerta.

Suspiré y me pregunté en qué estado se encontraría Madelyn detrás de la puerta cerrada con llave.

—¿Y cómo has venido del colegio? —pregunté.

—Andando.

—¿Tú solo?

Asintió con la cabeza.

—Creía que no tenías permiso para venir solo.

—Parecía lo más fácil —dijo—. Porque nadie había venido a buscarme.

Miré hacia la puerta, preocupada por lo que habría podido pasarle al niño por el camino.

—¿Quieres venir a mi casa? —pregunté.

Henry se lo pensó unos instantes y luego negó con la cabeza.

—Estoy bien aquí —aseguró—. Pronto se despertará.

—De acuerdo.

No tenía intención de insistir demasiado. Me dirigí a la escalera y él se hizo a un lado para dejarme pasar. Una vez arriba, me asomé y volví a mirar a aquel crío diminuto sentado en el peldaño sin nadie que se preocupara por él. Parecía muy pequeño y muy triste. Me pregunté si sus compañeros de clase se burlarían de él por su escasa estatura.

—¿Quieres que te traiga un vaso de leche? —pregunté desde arriba—. ¿O unas galletas?

—No, gracias.

Henry no se volvió y yo seguí mi camino. Era raro que un niño de su edad rechazara una invitación así, pero no quise darle vueltas. Sin embargo, cuando sólo llevaba unos minutos en mi casa, llamaron a la puerta y sonreí dando por hecho que Henry había cambiado de idea. Pero al abrir no encontré a Henry en el umbral, sino al nieto de Heidi Hargrave.

—Oberon —dije sorprendida—. Hola.

—Señora Fernsby —saludó él muy formal—. ¿Podemos hablar un momento?

Asentí y esperé a que dijera algo, pero miró más allá de mi hombro y, como era evidente que quería hablar en privado, me aparté a regañadientes y lo invité a pasar. Sus andares tenían algo que me recordó a Padre, lo que me resultaba inquietante.

—¿Sabe que hay un niño pequeño sentado en la escalera? —me preguntó mientras yo cerraba la puerta.

—Sí, es Henry —le dije—. Vive en el edificio. Dime, ¿en qué puedo ayudarte?

—Tengo que aclarar una cosa con usted —me contó.

Yo iba a invitarlo a sentarse, pero al escuchar eso cambié de idea. Si había venido a discutir, lo acompañaría a la puerta tan deprisa como lo había dejado entrar.

—¿Ah, sí? ¿Se puede saber de qué se trata?

—Dice mi abuela que usted le ha aconsejado que no se vaya a vivir a Australia.

—Tu abuela tiene razón —concedí.

—¿Y le importaría explicarme por qué?

—Porque creo que es un disparate —contesté—. Puede que tú seas su nieto, Oberon, pero yo la conozco hace bastante más tiempo que tú. Su vida está aquí. Sus amigos están aquí. Me preguntó si me parecía buena idea que se marchara a vivir a la otra punta del mundo. Ella pensaba que no se adaptaría a la cultura, ni a la gente, ni al clima. Y yo le dije que estaría mucho mejor en Winterville Court. ¿Habrías preferido que le mintiera?

—Habría preferido que no se hubiera entrometido.

—¡Pero si tú me pediste ayuda! Y si un hombre llamara a su puerta haciéndose pasar por empleado de la compañía del gas y le pidiese que lo dejara entrar en el piso pero no quisiera mostrarle su identificación, ¿también preferirías que no me entrometiera?

Puso ojos en blanco, en señal de exasperación, y me entraron ganas de darle un bofetón.

—No es lo mismo —dijo—. Yo no soy un empleado de la compañía de gas. Soy su nieto. Sólo quiero lo mejor para ella.

—¿Y crees que eres el más capacitado para decidir qué es lo mejor para ella?

—Pues sí —me contestó—. Mi abuela chochea —añadió a la vez que hacía movimientos circulares con el dedo en la sien—. No sabe qué es lo que más le conviene.

—Pues yo sí, por suerte.

—Le agradecería que se mantuviera al margen —dijo irritado, y noté que yo también estaba poniéndome de mal humor.

Estaba harta de que los hombres me intimidaran. Era algo que me había pasado toda la vida, desde que tenía uso de razón.

—Tu abuela no va a vivir eternamente —dije con acritud—. Estoy segura de que cuando llegue el momento recibirás tu herencia, si es eso lo que te preocupa.

—¿De verdad cree que es un tema de dinero? —contestó él, pero era muy mal actor y no sirvió de nada que intentara hacerse el ofendido.

—Sí —admití—. Es terrible por mi parte, ya lo sé, pero es que tengo noventa y un años. Seguramente yo también chocheo un poco. Y ahora, si no te importa, voy a pedirte que te marches. Tengo cosas que hacer.

Me fulminó con la mirada, molesto e incluso dolido, y me pregunté si habría sido injusta con él.

—Sí, estoy seguro de que tiene un montón de compromisos esta tarde —dijo.

—No hay ninguna necesidad de ser maleducado —le advertí.

—Lo siento. —Abrió la puerta—. Sé que sus intenciones son buenas, pero me veo obligado a pedirle que en el futuro no se inmiscuya en nuestros asuntos. Creo que sé qué es lo mejor para mi abuela.

—Sí, sí —dije mientras lo empujaba hacia el pasillo y cerraba la puerta, pero antes le eché un vistazo a Henry.

Seguía sentado en el mismo sitio donde lo había dejado, sólo que ahora miraba hacia arriba atento a lo que estaba sucediendo y claramente preocupado por el tono de nuestras voces. Supuse que ya tenía bastantes gritos en su vida.

Me preparé un té y pasé una hora o más leyendo; luego encendí la radio y escuché las noticias. Me estaba preguntando qué podía cenar cuando me pasó una idea por la cabeza. La descarté y pensé que no, que no podía ser; pero acto seguido, curiosa, casi angustiada, abrí la puerta del piso y volví a asomarme por el hueco de la escalera.

El niño seguía allí.

—Henry —lo llamé, y él me miró. Estaba llorando, pero se enjugó las lágrimas; no quería que lo viera disgustado—. ¿Qué haces ahí sentado todavía?

—He llamado a la puerta —dijo en tono lastimero—. Pero no me contesta.

—¡Mecachis!

Suspiré y bajé la escalera. Aquello pasaba de castaño oscuro. Llamé a la puerta tan fuerte que estoy segura de que me oyeron los vecinos del edificio de al lado.

—¡Señora Darcy-Witt! —dije a voz en grito—. Madelyn, ¿estás ahí? ¿Puedes abrir la puerta, por favor?

No se oía ningún ruido dentro del piso. Pegué la oreja a la puerta con la esperanza de oír pasos por el suelo de madera.

—¡Madelyn! —insistí, y volví a golpear la puerta con los nudillos—. ¡Abre, Madelyn!

Nada.

Miré a Henry, que estaba muy afligido. Por primera vez me fijé en que llevaba un apósito muy aparatoso en la mano derecha.

—¿Qué te ha pasado en la mano? —le pregunté.

Fui a tocársela, pero él la escondió rápidamente.

—Me quemé —señaló.

—¿Cómo te quemaste?

—Con el horno.

Me quedé mirándolo. Quería hacerle más preguntas, pero no sabía si debía. Llamé otra vez a la puerta; entonces Heidi abrió la suya en el piso de arriba y se asomó.

—¿Qué pasa, Gretel? —preguntó.

—El pobre crío no puede entrar en su casa —dije—. Su madre está... No lo sé. Bueno, no contesta.

Entonces Heidi también bajó. Me dio la impresión de que la pillaba en uno de sus días buenos.

—El niño lleva horas ahí sentado —le conté.

—¿No tienes llave de tu casa? —le preguntó ella a Henry.

—No, no me dejan —explicó él, casi al borde de las lágrimas.

Heidi frunció el ceño y luego, como si hubiese tenido una revelación, su rostro se iluminó. Levantó un brazo y deslizó la mano por encima del marco de la puerta. Cuando la bajó la tenía vacía y manchada de polvo; sopló para limpiársela, pero apuntando hacia mí. Me puse a toser y agité una mano delante de mi cara.

—¿Qué demonios haces? —pregunté.

Heidi no me contestó. Se volvió hacia el tiesto que había junto a la puerta y metió una mano en la tierra. Cuando la sacó, tenía una llave plateada.

—El señor Robertson siempre dejaba una llave aquí —dijo, y me la tendió con gesto triunfante.

—El señor Richardson —la corregí mientras sacudía la tierra de la llave—. ¿Crees que funcionará? ¿No habrán cambiado la cerradura?

Se la devolví.

—Sólo hay una forma de averiguarlo —dijo ella.

Introdujo la llave en la cerradura y la hizo girar. La puerta se abrió.

—¡Hurra! —exclamé—. ¡Muy hábil, Heidi!

Heidi sonrió con satisfacción y entró en el piso como si fuera su casa. Yo estaba menos dispuesta a entrar sin haber sido invitada, pero Henry se puso en pie de un brinco y entró corriendo. Lo seguí y me quedé en el salón mirando a mi alrededor. Me pareció que todo estaba en su sitio. Henry dejó su mochila en el suelo y fue a la cocina, lo que no me extrañó nada, pues debía de estar hambriento. No sabía dónde se había metido Heidi, pero todavía no había empezado a buscarla cuando la vi salir del pasillo que conducía a los dormitorios.

—Gretel —dijo, blanca como la cera—. Tienes que llamar a una ambulancia.

20

—Yo también lo conocí.

Arqueó una ceja mientras se guardaba los lentes en el bolsillo de la camisa.

—¿A quién conociste? —preguntó Kurt.

—Al Führer.

Me miró con gesto de incredulidad.

—Es verdad —dije—. Vino a cenar a nuestra casa de Berlín. Fue esa noche cuando le dio las nuevas órdenes a Padre, las órdenes que nos llevarían a todos allí. Yo quise impresionarlo diciéndole que sabía hablar francés. Él me miró y me preguntó para qué quería hablarlo. No supe qué contestar.

—Yo nunca hablé con él —replicó Kurt con un deje de resentimiento—. Ni siquiera cuando pasaba por delante de mi mesa y me miraba me atrevía a decirle nada.

—Podrías venderlos, ¿lo sabes? —Señalé los lentes—. Hay coleccionistas que seguramente pagarían una fortuna por ellos.

—Quizá algún día —dijo él—. Quizá debería considerarlos mi jubilación.

Parecía mentira que estuviéramos hablando como un par de viejos amigos que se ponen al día tras años sin verse. En la cafetería había otras personas, además de la mujer de la barra, y me pregunté qué harían si supieran nuestra verdadera identidad. Sentí un extraño deseo de contársela, el mismo tipo de sensación que te invade cuando te asomas a un precipicio: aunque nunca se te ha pasado por la cabeza la idea de suicidarte, en ese momento experimentas un irrefrenable deseo de saltar.

—No me has hablado del resto de tu familia —dijo Kurt al cabo de un rato.

Lo miré y negué apenas con la cabeza, como si acabara de despertarme.

—A tu padre lo ahorcaron, ¿verdad?

Asentí con un gesto.

—Lo leí en el periódico —dijo—. ¿Tú estabas...?

—Por entonces ya nos habíamos escondido. También nos enteramos por los periódicos.

—¿Te afectó mucho la noticia?

—Era mi padre.

—¿Y a tu madre?

Me encogí de hombros.

—Ella estaba exclusivamente centrada en sobrevivir.

—¿Vino a Australia contigo? No será ella la persona que está con mi hijo, ¿verdad?

—Mi madre está muerta.

Eso pareció sorprenderlo.

—¿En serio? ¿Tan joven?

—Nunca se recuperó.

—¿De qué?

—De todo aquello.

—Supongo que argumentaba que ella no sabía nada de lo que estaba pasando.

Asentí con la cabeza.

—Pero es imposible —continuó—. Lo sabía. Todos lo sabían. Su generación fue la que lo puso en marcha. Y la nuestra fue la que pagó por ello.

—Espero que tú no te consideres una víctima más —dije, y él se apresuró a negar con la cabeza.

—No, eso no. Pero...

—Pero ¿qué?

—Pero no recuerdo haber tomado ninguna decisión consciente respecto a mi vida. Todo estaba organizado para mí desde que era muy joven.

—Las cosas que hiciste... —empecé a decir.

Pero él inspiró hondo, cerró las manos y apretó los puños, y fui incapaz de continuar por miedo a que me diera la espalda. No quería tener que enfrentarme al hecho de que, como él ya había señalado, no éramos tan diferentes.

—¿Y tu hermano? —me preguntó al cabo de un momento—. Yo no le caía muy bien, ¿verdad?

—No.

—¿Cómo has dicho que se llamaba? No me acuerdo.

Cerré los ojos y tragué saliva. Nunca pronunciaba el nombre de mi hermano. No lo soportaba. Confié en que Kurt no volviese a preguntármelo.

—Espera, ya me acuerdo —dijo, y chasqueó los dedos. Cuando pronunció el nombre, me recorrió un escalofrío al oír aquellas dos sílabas en voz alta—. ¿Y dónde está? Era demasiado pequeño para ir al frente, así que... A ver si lo adivino. Debe de estar estudiando en algún sitio. Era un ratón de biblioteca, ¿verdad? Siempre llevaba encima aquel ejemplar de *La isla del tesoro*. Se lo leía una y otra vez.

—Le encantaba —confirmé.

—Entonces ¿he acertado?

—No. Él también murió.

Por primera vez vi un destello de sorpresa en su cara, incluso de conmoción.

—¿En serio? ¿Cómo fue?

Negué con la cabeza.

—No puedo hablar de ello —respondí.

Bajé la vista y por un instante me planteé coger el cuchillo que estaba encima de la mesa y clavárselo en un ojo. Habría sido fácil; él no habría tenido tiempo de reaccionar. Lo peor era que todavía sentía el roce de sus labios en el dorso de mi mano y que deseaba que volviera a besármela.

—De acuerdo —dijo por fin—. Pero me parece que tenemos que decidir una cosa, ¿no crees?

—¿El qué?

—Estamos los dos aquí y sabemos los secretos el uno del otro. ¿Qué vamos a hacer?

—Es obvio, ¿no? —dije.

—Para mí no.

—Tienes que pagar por lo que hiciste.

—¿Y qué hice?

—Sabes perfectamente lo que...

—Sé lo que tú crees que hice. Pero me gustaría oír cómo lo describes.

—Formaste parte de aquello —dije—. Una parte importante.

—¿Una parte de qué? —Ahora su voz delataba cierta irritación—. En serio, Gretel, no entiendo por qué tu padre se molestó en contratar a herr Liszt para educarte cuando por lo visto eres incapaz de traducir tus ideas a palabras.

—Dices que mi madre sabía lo que estaba pasando —afirmé—. Pero tú también lo sabías. Y no hiciste nada. Lo aprobabas.

—Te refieres a las matanzas.

—Sí.

—¿Por qué te cuesta tanto llamar a las cosas por su nombre? ¿Por qué tanto ofuscamiento? Había judíos. Había cámaras de gas. Había crematorios. Había matanzas. No quieres pronunciar el nombre de tu hermano. No quieres pronunciar ningún...

—¡Basta! —Hice una mueca de repugnancia—. Tú lo sabías desde el principio.

—Por supuesto que lo sabía. Es la razón por la que me enviaron allí. Para que ayudara a llevar a cabo los exterminios.

—¿Y no había una parte de ti que pensaba que aquello estaba mal?

Arrugó la frente. Me di cuenta de que eso era algo en lo que se esforzaba en no pensar.

—Al principio fue... difícil —admitió—. Soy un ser humano. Pero con el tiempo lo olvidé.

—¿Qué olvidaste?

—Que ellos también eran personas.

—A ti te gustaba aquello.

Negó con la cabeza.

—No —dijo.

—Sí. Me acuerdo.

—Me gustaba el poder que me otorgaba. Era emocionante y espeluznante al mismo tiempo. ¿Qué querías que hiciera? Era un soldado, y los soldados obedecen órdenes. Si me hubiese negado, me habrían ejecutado. Sólo era un chico de diecinueve años. No podía renunciar a la vida tan fácilmente. Me habían adoctrinado desde que tenía uso de razón. A los diez años me obligaron a ingresar en los Deutsches Jungvolk. Cuatro años más tarde ya formaba parte de las Hitlerjugend. Yo no sabía nada de nada. Sólo hacía lo que me ordenaban. Y fui ascendiendo hasta convertirme en miembro de pleno derecho de las ss.

—Dijiste que tu padre se oponía a...

—¡Mi padre era débil! —dijo subiendo la voz—. Era un hombre débil. Yo no quería ser como él. Quería ser más fuerte. Por eso no me pareció una mala solución a la cuestión.

—¿Qué cuestión?

—La cuestión judía. Era ambiciosa. Seguramente demasiado ambiciosa para triunfar.

—¿No lamentas nada?

—Lamento lo que perdimos —dijo—. Me hubiera gustado continuar mi carrera militar. Creo que habría alcanzado un rango bastante alto si las cosas hubieran ido de otra manera. Todavía me sorprende. Durante un par de años todo parecía muy positivo. ¿Tú no piensas que ojalá hubiésemos ganado?

Me quedé mirándolo sin saber qué responder.

—Sé sincera conmigo, Gretel. Si pudieras chasquear los dedos para que los aliados hubiesen sido derrotados, ¿no lo harías? Tu padre, tu madre y tu hermano aún estarían contigo. Serías una chica admirada, la hija de un hombre con un poder y una influencia enormes. Imagina cómo habría podido ser tu vida. Dime, si te diesen esa oportunidad, ¿no lo harías?

—No. No podría.

—Mientes.

—No.

—Sí, mientes. Lo veo en tu cara. Necesitas decirte a ti misma que no lo harías para sentir cierta superioridad moral, pero yo no te creo. —Estiró un brazo y me agarró por la muñeca—. Chasquearías los dedos, Gretel, para recuperar todo lo que has perdido, aunque fuera a costa de millones de vidas más. Puedes negarlo si quieres, pero yo sé que es mentira.

Retiré la mano. Me había agarrado con tanta fuerza que me había lastimado la muñeca y me la froté con los dedos de la mano izquierda.

—Sólo quieres hablar de mí para no tener que enfrentarte al papel que jugaste tú en esta historia —señalé.

—No. Si crees que tengo la conciencia tranquila, te equivocas. Nunca tendré la conciencia tranquila. Pero tampoco dejo que me domine.

—Fuiste cruel.

—Fui obediente.

—Los niños...

—Sí, ya, debemos compadecernos más de los niños —dijo mirando al techo—. Los benditos niños. ¿Qué diferencia hay?

—Una vez te oí —afirmé.

—¿Qué oíste?

—Estabas con mi hermano en la cocina. Mis padres iban a dar una fiesta y tú llevaste a otro niño para que limpiara las copas. Dijiste que sus dedos eran perfectos para hacer aquel trabajo porque eran muy delgados. Creo que el niño se comió algo de la nevera. Se lo dio mi hermano, pero luego él lo negó y tú le pegaste un puñetazo al niño. No podía tener más de nueve años y tú le pegaste un puñetazo en la cara.

—No me acuerdo —dijo Kurt encogiéndose de hombros.

—Ahora tienes un hijo. ¿Cómo te hace sentir eso?

—No hables de Hugo.

—¿Y si Hugo hubiese ido en uno de aquellos trenes?

—Cállate —dijo entre dientes.

—Aquel día yo estaba escuchando en la escalera. Estaba demasiado asustada como para bajar a detenerte.

—¿Qué quieres de mí, Gretel? —me preguntó inclinándose hacia delante con la ira reflejada en la cara—. ¿Esperas que me derrumbe y me ponga a llorar? Porque si lo hiciera, sólo sería teatro. Una farsa para apaciguar tu patético sentimiento de culpa. Me niego a vivir pensando en estas cosas.

—Si tú y otros como tú os hubieseis negado... Si os hubieseis alzado en contra de...

—Vives en un mundo de fantasía —dijo, y volvió a recostarse en el respaldo y se serenó—. Una utopía donde el único propósito del hombre es ayudar a sus semejantes. ¿No te das cuenta de que no es natural?

—Pero ¿por qué no?

—Porque no es así como estamos hechos. Todo empieza en el patio del colegio, cuando los críos se pelean unos con otros. En los años cuarenta, el Reich encontró un pueblo al que odiar. Ahora, diez años más tarde, nosotros somos los perseguidos. Cuando nos descubren, nos llevan ante un tribunal para que el mundo se entere de nuestros crímenes, pero en realidad lo único que quieren es pegarnos un tiro, ahorcarnos, matarnos de la forma que sea. Todos hacemos lo mismo: intentamos sobrevivir. Tú también, igual que todos. Al fin y al cabo, ¿qué haces aquí, en Australia, tan lejos de casa? La verdad es que a ti también te da miedo que te capturen.

Tenía razón, pero yo detestaba reconocerlo.

—Pienso todos los días en lo que hizo mi padre —dije.

—¿Sigues defendiendo tu inocencia? Tú veías llegar los trenes. Veías apearse a la gente. No había tantos barracones, y sin embargo seguíamos llenándolos, aunque nunca veías a nadie salir por la verja de la entrada. ¿Y pretendes que me crea, precisamente yo, que nunca te cuestionaste nada? El olor de los cuerpos quemados; ¿no lo notabas? Los días en que la ceniza caía sobre nuestras cabezas como si fuera nieve; ¿dónde estabas, dentro de tu casa jugando con tus muñecas?

Se me llenaron los ojos de lágrimas.

—Yo no lo sabía —insistí.

—A mí puedes mentirme si quieres, pero ¿mentirte a ti misma? Sé por qué estás aquí. Has venido a trasladarme todo el sentimiento de culpa de tu alma, pero no puedes hacerme eso, Gretel, porque me niego a aceptarlo. Yo sólo tengo que lidiar con mi propio sentimiento de culpa.

—Si puedo hacer alguna buena obra —insistí—, si puedo compensar lo que...

Negó con un gesto de lado a lado.

—Eres una cabeza hueca —aseguró—. Eras una cría idiota entonces y eres una mujer idiota ahora. ¿Piensas decirme cómo termina esta entrevista, o tengo que seguir con las adivinanzas?

—Quería verte, hablar contigo antes de denunciarte —dije, y me erguí en el asiento tratando de serenarme—. Voy a ir a la policía a decirles quién eres.

—Y me detendrán y me juzgarán. Y lo más probable es que pase muchos años en la cárcel. No creo que sea eso lo que buscas.

—Quiero que pagues por tus crímenes.

—Y librarte de pagar los tuyos. Pero yo sólo seré otra muerte más sobre tu conciencia. No creas que no entiendo lo poderosa que eso te hace sentir. No hay nada comparable. ¿Crees que dar la vida es algo maravilloso? Sí, claro que lo es. Pero es mucho más emocionante quitarla.

Detecté movimiento al otro lado de la ventana. Eran Cait y Hugo, que cruzaban la calle. Levanté una mano para pedirle a mi amiga que esperara fuera y ella asintió. Kurt también miró hacia fuera, vio a su hijo y lo saludó con la mano, y entonces dio un hondo suspiro de alivio. En ese instante se abrió la puerta de la cafetería y entraron dos policías. Se dirigieron a la barra y se pusieron a leer el menú colgado en la pared.

—Qué casualidad —dijo Kurt mirando a los policías, y luego volvió a sonreírme—. Aquí tienes la oportunidad que buscabas de limpiar tu alma mancillada. ¿Vas a llamarlos, o quieres que lo haga yo? Puedes contárselo todo. No voy a huir. Lo admitiré todo con la única condición de que tú también te responsabilices de tus actos. Has sido muy sincera, Gretel, pero éste es el momento hacia el que estaba enfocada tu vida. Sólo necesitas unos segundos para llamarlos y decirles quién soy y quién eres. Que nos detengan y juntos veremos qué hace con nosotros el sistema jurídico internacional. Para mí eso al final significaría inevitablemente la muerte. ¿Y para ti? Quién sabe. Pero será muy interesante observar tu viaje.

—¡Pero si soy inocente! —protesté.

—Aunque eso fuese cierto, no tendría ningún valor. Tu vida ya no será tuya. ¿De verdad crees que un mundo que vive conmocionado va a absolver a la única descendiente viva de tu padre? En cuestión de días tu fotografía aparecerá en la primera plana de todos los periódicos del planeta y, créeme, tú generarás mucho más interés que yo. Hablarán de mí durante un tiempo, pero escribirán libros sobre ti. Y eso es lo que tú siempre quisiste, ¿no? —Me cogió ambas manos—. Que tú y yo estuviésemos unidos de alguna forma. ¡Las cosas que habría podido hacerte en aquel entonces, Gretel! —añadió—. Porque tú me habrías dejado hacerte lo que hubiese querido. Pero resulta que en el fondo yo era una persona decente.

—Pero no de esta forma —dije, y retiré las manos.

—Arruinarás tu vida. Y la suya. —Señaló a su hijo, al otro lado de la ventana—. Y si algún día tienes hijos, su vida también estará arruinada. —Alargó una mano y me acarició suavemente la mejilla con un dedo—. Tienes unas cicatrices preciosas, Gretel —dijo—. Algunas te las hizo tu familia; otras quizá yo. Pero éste es tu momento. Dices que vives atormentada; bueno, pues ahora puedes aliviar ese dolor. Dices que estás llena de arrepentimiento; pues líbrate de él. Mi vida está en tus manos. Igual que, en el pasado, la vida de todas aquellas personas inocentes estaba en las mías.

Me quedé mirándolo sin parpadear; no sabía qué otra cosa hacer. Todo cuanto había dicho era cierto. Podía desenmascararlo, pero, si lo hacía, también me desenmascararía yo. ¿Estaba dispuesta a sacrificar mi vida sólo para castigarlo? Se produjo un silencio que me pareció eterno, y entonces Kurt volvió a hablar.

—¿Lo ves? —dijo, y se levantó—. Resulta que tú y yo somos exactamente iguales. La gente jamás nos perdonaría por lo que hemos hecho, así que ¿qué sentido tiene revelar nuestra identidad?

Yo también me levanté y, sin saber cómo, de pronto estábamos besándonos. Aquél era el beso que yo tanto había ansiado desde que tenía doce años y, al separar los labios, descubrí que en sus brazos podía olvidarme por completo de todo. Y entonces, tan deprisa como había empezado, terminó. Kurt dio un paso atrás, hizo una pequeña reverencia y sonrió.

—Adiós, fräulein Gretel. Ha sido un placer disfrutar de su compañía una vez más, pero ésta será la última. No volveremos a vernos.

Lo vi salir con desparpajo de la cafetería. Pasó al lado de los policías dándoles los buenos días y luego cruzó la calle y habló un instante con Cait, que rió a carcajadas de algo que él había dicho; a continuación cogió a su hijo de la mano y se marchó andando con él por la calle.

Menos de cuarenta y ocho horas más tarde me levanté temprano, le dejé una nota de disculpa a Cait en la mesa de la cocina junto con el alquiler de un mes y me dirigí a Circular Quay, donde embarqué en un barco rumbo a Southampton. Lo último que hice antes de irme de Australia fue echar al buzón una carta dirigida a Cynthia Kozel en la que explicaba con todo detalle mi relación con su marido, desde la mañana en que mi familia salió de Berlín hasta el momento en que Kurt salió de la cafetería Dandelion. No me dejé ni un solo detalle: revelé quién era, quién había sido mi familia y las actividades en las que había participado Kurt. En retrospectiva, entiendo que lo único que hacía era delegar una vez más mi responsabilidad y dejar que una desconocida decidiera si debían castigarme, pero sabiendo que, si ella decidía denunciarme, seguramente también desencadenaría un trauma en su propia vida. Porque ¿qué garantías tenía ella de que entonces yo no denunciaría a su marido?

Al cruzar el mundo para irme a Sídney, había hecho lo que creía que estaba en mi mano para dejar atrás mi pasado, pero ahora ya sabía que eso era imposible. No importaba que estuviera en Francia, Australia o Inglaterra; podía irme a vivir a Marte, pero estuviera donde estuviese, las preciosas cicatrices que Kurt había mencionado siempre me arrastrarían a aquel otro sitio. Jamás podría escapar de allí.

INTERLUDIO

El niño

Polonia, 1943

Madre no quería, pero Padre insistió.

Ya tenía doce años y, según él, era lo bastante mayor para entender su trabajo; además, sobre el papel era miembro de la Jungmädelbund, aunque había tenido la desgracia de no poder asistir a las reuniones ni participar en sus actividades debido a lo que a Madre le gustaba llamar nuestro «exilio» en Polonia. Había sido Padre quien me había regalado la fotografía de Trude Mohr que tenía colgada en la pared de mi dormitorio, y la idealizaba del mismo modo que él idealizaba al Führer. Si no nos hubiésemos marchado de Berlín, sin duda yo habría sido una líder de la organización gracias al elevado estatus de Padre, quizá incluso una *Untergauführerin* o una *Ringführerin*; pero en aquel otro sitio la única persona sobre la que podía ejercer algún poder era mi hermano.

—No entiendo por qué tú puedes ir y yo no —me dijo mientras yo me cepillaba el pelo esa mañana.

Me había puesto la falda azul y la blusa de cuello marinero del uniforme que todavía no había tenido ocasión de estrenar.

—Porque yo tengo doce años y tú sólo nueve —contesté.

—Pero soy un niño. Así que importo más.

Miré al techo. No tenía sentido discutir con él.

—Hay asuntos relacionados con el trabajo de Padre que tú no entenderías —continué, decidida a mostrarle mi superioridad, pese a que en realidad no estaba mucho más informada que él sobre aquel tema—. Algún día podrás, cuando seas un poco más mayor, pero hasta entonces...

—¡Ay, cállate, Gretel! —me espetó, y saltó de la cama y dio un fuerte pisotón en el suelo—. ¡Eres la hermana más insoportable del mundo!

—Cállate tú —repliqué, harta de él.

Seguí arreglándome mientras él permanecía sentado en el suelo con las piernas cruzadas y gesto de frustración. Pese a nuestras frecuentes discusiones, pasábamos más tiempo juntos que con ninguna otra persona.

—Entiendo más de lo que te imaginas —dijo adoptando un tono reservado.

—¿Ah, sí?

—Podría contarte historias de lo que pasa allí, pero no me creerías.

—¿Dónde es «allí»?

—Al otro lado de la alambrada.

—Es una granja —dije—. Ya te lo he explicado.

—No es ninguna granja.

—Entonces, ¿qué es?

Me volví para mirarlo, intrigada por saber qué habría descubierto. Los dos habíamos dedicado mucho tiempo, desde nuestra llegada, a tratar de averiguar qué estábamos haciendo allí, cuál era el objetivo de aquel sitio y cuándo nos permitirían marcharnos.

—No lo sé —admitió por fin—. Pero estoy investigando.

Negué con la cabeza, me levanté y me coloqué bien la falda. Estaba muy satisfecha con mi aspecto y tenía pensado robarle un poco de Shalimar a Madre y echármelo en el cuello y las muñecas antes de bajar.

—Tú no sabes nada —dije al salir de mi habitación—. Pórtate bien y cuida de Madre mientras yo no estoy.

Ya estaba bajando la escalera cuando lo oí gritar en su habitación:

—¡Pero no es ninguna granja! ¡Eso seguro!

• • •

El teniente Kotler nos llevó hasta la entrada del campo en un coche descapotable, pero no habló durante el breve trayecto porque Padre, que iba sentado en el asiento del pasajero, estaba ocupado leyendo uno de sus documentos. La barrera se levantó para dejarnos pasar y los soldados se pusieron rápidamente en fila, haciendo aquel saludo que ya era habitual y lanzando aquella declaración a voz en grito. Yo también había aprendido a hacer aquel gesto: lo practicaba sin descanso ante el espejo de mi dormitorio y, si bien Padre se limitó a tocarse la gorra con un dedo, yo lo devolví de buen grado, lo que hizo que Kurt me mirara por el espejo retrovisor y esbozara una sonrisa.

Nos detuvimos ante uno de los edificios de los oficiales y Padre ordenó esperar en el coche mientras él entraba un momento a hablar con alguien. Cuando desapareció, le pregunté a Kurt si podía sentarme delante. Él miró con nerviosismo hacia la escalera por la que había subido Padre y se encogió de hombros.

—Si quieres —dijo, y yo salí del coche y me senté a su lado en el asiento corrido, dejando que nuestros cuerpos se tocaran.

Al sentarme, me aseguré de subirme un poco la falda para que se me vieran las rodillas, que yo consideraba bonitas. Me fijé en que Kurt les lanzaba una rápida ojeada; luego encendió un cigarrillo y se puso a mirar por su ventanilla.

—¿Te gusta esto, Kurt? —le pregunté cuando el silencio se volvió insoportable y se hizo evidente que él no iba a romperlo.

—No se trata de que me guste o no, Gretel. Se trata de hacer lo que me piden que haga.

—Pero si no estuvieras aquí, si no estuviésemos en guerra, ¿qué crees que estarías haciendo?

Caviló un momento y dio otra calada al cigarrillo.

—Supongo que estaría en la universidad —dijo—. Tengo diecinueve años, así que sería lo más normal.

—Como tu padre.

—Yo no me parezco en nada a mi padre.

En los últimos días había descendido sobre la casa cierta tensión tras una desagradable cena a la que Kurt había asistido como invitado de mi familia y durante la que, sin querer, había revelado que su padre, profesor universitario, había dejado Berlín y se había marchado a Suiza en 1938, un año antes de estallar la guerra, debido a discrepancias personales con la política del gobierno nacionalsocialista.

«¿Y qué razón dio —había preguntado mi padre manteniendo un tono exageradamente sereno mientras comía, enmascarando el peligro de la pregunta que estaba formulando— para marcharse de Alemania en su momento de mayor gloria y de mayor necesidad, cuando nos corresponde a todos contribuir al renacer nacional?»

Kurt no había planeado hacer aquella revelación y de pronto no supo qué contestar: insistió en que su padre y él nunca habían estado muy unidos, dijo que estaban en desacuerdo sobre muchas cosas y que su lealtad al Partido era incuestionable, pero el daño ya estaba hecho. La tensión que se había apoderado de la mesa alcanzó su punto crítico cuando un camarero, uno de los hombres a los que hacían venir del otro lado de la alambrada a la hora de las comidas, cometió un error al servir al teniente. Primero se derramó vino y luego, sangre. Fue una escena brutal. Recuerdo que mi hermano gritaba mientras yo intentaba taparle los ojos. Madre le pidió a Padre que detuviese a Kurt, pero él no le hizo caso y siguió comiendo como si nada.

—Y si estuvieras en la universidad, ¿qué estudiarías? —le pregunté.

—Creo que Economía. Me interesa el concepto del dinero, cómo lo utilizamos y cómo nos utiliza él a nosotros. Cuando acabe la guerra, me gustaría entrar en el Ministerio de Economía y, a su debido tiempo, trabajar de economista para el Reich. Habrá todo un mundo que reconstruir y, por supuesto, nosotros no sólo tendremos que gobernarlo, sino que necesitaremos planes para los países que habremos derrotado. Será complicado.

—Deberíamos dejar que se pudran —expuse deseosa de complacer—. Por atreverse a plantarnos cara.

—No, Gretel. —Negó con la cabeza—. Tras la victoria hay que ser humilde. Piensa en los grandes líderes de la historia: Alejandro Magno, Julio César... Ellos no buscaban denigrar a los pueblos que conquistaban, y sin duda el Führer es como ellos. Quizá esas naciones tarden una generación o dos en aceptar su nuevo estatus dentro del Reich, y yo me imagino participando en ese proceso. —Hizo una pausa y sonrió exhibiendo sus blancos dientes—. Los generales van y vienen, pero los economistas... Ahí es donde reside el verdadero poder.

Asentí. Me parecía buena idea y fantaseé con que vivíamos juntos en una mansión de Berlín, donde dábamos lujosas fiestas a las que asistía hasta el Führer, además de todos los grandes hombres del Reich y sus esposas. Tendríamos cinco o seis hijos, y todos adorarían a su padre y lo honrarían con su conducta. Sabía que para que sucediera todo eso todavía faltaban unos años, pero lo deseaba con toda mi alma.

Con timidez y torpeza, y con el corazón latiéndome muy deprisa, alargué la mano izquierda y dejé que encontrara el camino hasta su mano derecha. Él no retiró la mano, pero tampoco se volvió para mirarme. Siguió contemplando el campo por la ventanilla y fumando su cigarrillo. Sin embargo, cuando sus dedos se cerraron por fin alrededor de los míos, experimenté una excitación desconocida hasta entonces y vi que su semblante cambiaba: sus labios esbozaron una sonrisa mientras asomaba la punta de su lengua y su mirada se paseaba por el contorno de mi cuerpo. Teníamos las manos entrelazadas y él empezó a mover el dedo corazón para acariciar la palma de mi mano, y yo me recosté en el asiento y suspiré. No podía creer lo que estaba pasando. Era lo que más había anhelado desde mi llegada allí.

—Kurt —dije.

Por primera vez en la vida entendía qué significaba sentir deseo. De pronto él retiró la mano. Abrí los ojos y, al volver al mundo real, vi a mi padre saliendo del edificio y caminar hacia nosotros. No pareció darse cuenta de que yo me había cambiado de asiento y se limitó a hacerme una seña para que lo siguiera. Bajé del coche tambaleándome un poco y me miré la palma de la mano izquierda, que Kurt acababa de acariciar. Embelesada, me la acerqué despacio a la cara, aspiré su aroma y la besé.

Me volví hacia el teniente, que me miraba de hito en hito, y no supe interpretar la expresión de su rostro. Confié en que no estuviera arrepintiéndose de aquel momento de intimidad que habíamos compartido. Ahora teníamos un secreto y me emocionaba esa idea, pero quizá a él lo asustara. Se acabó el cigarrillo y, con un rápido movimiento, tiró la colilla al suelo.

—Bueno, Gretel —dijo Padre, que caminaba a mi lado, y volví a concentrarme en lo que tenía ante mí—. Este sitio no debe darte miedo. Aquí es donde está renaciendo el mundo. Piensa que es como un sitio donde se trae a los animales enfermos para sacrificarlos. Así dejarán de ser una amenaza para los hombres y las mujeres decentes.

—Claro, Padre.

Doblamos una esquina y vi una vía de ferrocarril que atravesaba el campo hacia el norte y, a mi derecha, una enorme parcela de tierra con muchas hileras de barracones que se extendían hasta más allá de mi vista.

—Por aquí llegan. —Padre señaló las vías—. Y allí es donde los alojamos.

—¿A quién, padre?

—*Der Juden.* Y allí —añadió señalando a un grupo de hombres que andaban despacio en fila india, cada uno empujando una carretilla llena de leña— puedes ver cómo nos aseguramos de que son útiles mientras están aquí. El Reich no tolerará la indolencia. Nosotros damos de comer a estas personas, si es que pueden llamarse así, pero ellas deben trabajar para ganarse el pan. ¿Estás de acuerdo?

—Todo el mundo tiene que trabajar —repliqué—. El Führer dice que el trabajo nos hará libres. Los hombres, las mujeres y los niños deben cooperar, y el pan cuesta dinero.

—Ya lo creo, Gretel.

Me alborotó el pelo y yo sonreí, porque me gustaba complacerlo.

—¿Y qué es ese edificio? —pregunté señalando un bloque de piedra a unos quinientos metros de donde nos encontrábamos. Tenía un aspecto muy austero.

—Lo llamamos la «cámara» —explicó Padre—. ¿Te gustaría verlo?

Asentí con la cabeza.

—Mucho —dije.

—Pues has tenido suerte, porque hoy no está en funcionamiento.

—¿Qué pasa ahí dentro?

Sonrió.

—Algo muy bonito —dijo—. Ven, entraremos y te lo enseñaré. Algún día podrás contárselo a tus hijos. Pero no te asustes. Piensa que es como...

No había terminado la frase cuando un joven soldado vino corriendo hacia nosotros y le dijo algo al oído a Padre. Él frunció el ceño y asintió antes de volverse hacia mí.

—Espérame aquí, Gretel. Sólo tardaré un par de minutos. Tengo que contestar una llamada de Berlín.

—Sí, Padre.

Lo vi regresar a la oficina; entonces miré de nuevo a mi alrededor. Por todas partes había gente con ese uniforme de rayas blancas y azules. Había hombres y mujeres, pero muy pocos niños. Todos parecían agotados, exánimes, sin energía. E iban muy sucios, lo que me dio asco. ¿Por qué no se aseaban más? Habría sido imposible contar cuánta gente caminaba arrastrando los pies por los campos que veía más allá. ¿Serían mil? ¿Dos mil? Tuve la impresión de que me miraban con miedo, como si mi presencia les produjera pavor, como si una sola palabra mía pudiese significar la diferencia entre la vida y la muerte.

Y entonces fue cuando vi el almacén.

El almacén, que era la palabra con la que yo lo designaba cuando intentaba ahuyentar aquella escena de mi memoria, no era mucho mayor que los barracones que salpicaban el paisaje, pero era evidente que tenía una función distinta a la del alojamiento. Corrí hacia uno de sus lados, ansiosa por salir del campo de visión de toda aquella gente a la que había estado observando; abrí la puerta y entré. Dentro hacía frío y había silencio; se filtraba un poco de luz por los resquicios del techo de listones, y me quedé allí plantada, pensando que agradecería un momento de soledad. «Este sitio no me gusta», me dije. Había creído que me gustaría, pero me había equivocado. Me daba miedo.

Miré a mi alrededor y, al acostumbrar la vista a la oscuridad, me di cuenta de que allí era donde guardaban los uniformes. No los uniformes de los soldados, sino los de los internos. Azules y blancos, grises y blancos. Zapatos. Estrellas amarillas. Triángulos rosas. ¿Por qué obligaban a todo el mundo a vestir igual?, me pregunté. ¿Dónde estaba la ropa con la que había llegado aquella gente?

Oí un ruido que provenía de un rincón apartado y, asustada, miré hacia allí. ¿Sería un ratón? ¿Una rata? ¿O algo peor?

—¿Hay alguien ahí? —Lo dije alto para que se me oyera sin que los de fuera se percatasen de mi presencia.

Todo siguió en silencio unos segundos, pero aquel silencio no era de verdad: escondía un tesoro. Avancé despacio en la penumbra, cautelosa y con los ojos entornados.

—¿Hola? —susurré—. Sal de una vez. ¿Quién eres?

Más silencio, y luego un leve susurro detrás de un montón de ropa; entonces vi aparecer a un niño pequeño. Me quedé mirándolo sorprendida y él agachó la cabeza.

Al principio permanecimos callados los dos. Luego, como yo era mayor y estaba decidida a demostrarle que llevaba las riendas de la situación, me decidí a hablar.

—Hola —dije.

—Hola —dijo el niño.

Miraba fijamente el suelo con gesto triste. Iba con el mismo pijama de rayas que llevaban todos los que estaban en aquel lado de la alambrada y una gorra de tela también de rayas en la cabeza, aunque se la quitó muy deprisa y la apretó contra el pecho en un gesto de súplica hacia mí. No llevaba zapatos ni calcetines y tenía los pies muy sucios. Cosida en su uniforme había una estrella amarilla.

—¿Quién eres? —le pregunté.

—Me llamo Shmuel —me contestó.

—¿Qué haces aquí, Shmuel?

Nunca había oído aquel nombre y no supe pronunciarlo con la misma precisión que él.

—Esconderme —dijo.

—Esconderte ¿de quién?

—De todos.

Lo miré y de pronto sentí lástima por él. Estaba terriblemente flaco y tenía los ojos casi fuera de las órbitas. Vi que la gorra temblaba en sus manos, así que me senté con las piernas cruzadas en el suelo con la esperanza de que él hiciera lo mismo y eso lo tranquilizara. Al cabo de unos segundos se sentó y me miró con timidez.

—¿Cuántos años tienes, Shmuel?

—Nueve. Nací el 15 de abril de 1934.

Arrugué el ceño. Mi hermano había nacido el mismo día. En otro momento y en otro lugar, habrían podido ser gemelos.

—¿Tú cuántos años tienes? —me preguntó.

—Doce.

—Eres muy mayor.

—No tanto.

—Es más que nueve.

—Sí, pero cuando tengas doce años no te sentirás muy mayor. Te darás cuenta de que nadie se fija en ti ni te escucha.

—Yo nunca tendré doce años —dijo en voz baja.

Sus palabras me produjeron un escalofrío. ¿Por qué no iba a tener doce años? Todos cumplíamos doce años algún día, y él también los cumpliría. Estaba segura.

—Me llamo Gretel —dije por fin.

—Supongo que vives allí.

—¿Dónde?

—Con él. Al otro lado.

—¿Con quién?

Hablar con aquel niño era difícil y muy frustrante.

—Él viene a visitarme.

—¿Quién?

—El niño.

Negué con la cabeza y me pregunté si sería mejor que me marchara.

—¿Sabes qué? Eres el primer niño al que veo aquí —dije.

—Es que no somos muchos.

—¿Dónde están los demás?

Exhaló profundamente por la nariz y miró a su alrededor tratando de formular una respuesta.

—Cuando llegamos había más —dijo—. Quiero decir cuando llegamos mi familia y yo. En los trenes había muchos. Pero luego se los llevaron.

—¿Quién se los llevó?

—Los soldados.

—¿Adónde se los llevaron?

Clavó en mí una mirada tan penetrante que no tuve más remedio que apartar la mía.

—¿Y por qué no te llevaron a ti también? —pregunté.

Levantó las manos.

—Por mis dedos —contestó—. Porque son muy pequeños y delgados. Dijeron que a veces se quedan a alguien como yo para limpiar los casquillos de bala. Así es como paso la mayor parte del tiempo. Aunque cuando crezca ya no podré limpiarlos. Casi nunca hay nada para comer, así que probablemente moriré de hambre. Pero no importa, porque si comiera podría engordar. Y entonces también moriría.

—Qué tontería —dije—. Nadie dejaría morir a un niño de tu edad.

Él se encogió de hombros y desvió la mirada; no tenía ni energía ni interés suficiente para llevarme la contraria.

—Esto terminará pronto —le dije ansiosa por tranquilizarlo—. Estamos ganando la guerra. Cuando hayamos ganado, todo volverá a la normalidad. Pero será una normalidad aún mejor que la de antes.

—¿Vas a hacerme daño?

—¿Qué? —Me quedé mirándolo como si estuviese chiflado—. Claro que no voy a hacerte daño.

—¿Te vas a chivar?

—¿A chivarme? ¿Por qué?

—Porque a veces me escondo aquí.

—¿Y a quién iba a contárselo?

—Al teniente Kotler.

Lo miré fijamente y negué con la cabeza.

—No, Shmuel, no se lo contaré a nadie —dije.

—Entonces ¿puedo irme?

Me miró con gesto suplicante. Por una parte, yo quería que se quedara, que me ayudase a comprender las cosas de aquel lugar que yo no entendía; pero sospechaba que Padre ya debía de estar buscándome y, si me encontraba allí dentro con aquel niño, tanto él como yo tendríamos problemas. Sobre todo él.

—Sí, puedes irte —dije.

Se levantó, volvió a ponerse la gorra en la cabeza y se dirigió a la puerta.

—Dile que vuelva a venir a verme —pidió en voz baja antes de abrir la puerta para salir—. Al sitio de siempre.

—¿A quién tengo que decírselo?

Y entonces pronunció el nombre de mi hermano y yo lo entendí todo. Era allí adonde iba por las tardes cuando decía que iba a explorar el bosque. Iba a la alambrada. Iba a reunirse con Shmuel. Me enfadé, pero también estaba confusa y dolida porque mi hermano no me lo había contado. Él había hecho un amigo mientras que yo no tenía ninguno.

—Se lo diré —dije por fin—. Adiós, Shmuel —añadí.

—Adiós, Gretel —dijo él.

Pasaron unos meses. Kurt ya se había ido al frente y yo estaba traumatizada, convencida de que lo habían matado. Como es lógico, mi hermano estaba feliz de que se hubiera marchado y no paraba de recordármelo para chincharme.

Y yo lo odiaba por eso.

Lo odiaba tanto que, cuando por fin me confesó sus encuentros con Shmuel, fingí que me parecía maravilloso que tuviese un amigo con quien hablar.

Y cuando me contó que el padre de Shmuel había desaparecido y que el niño quería que se colara por debajo de la alambrada para ayudarlo a buscarlo, le dije que lo hiciese. Le dije que para eso estaban los amigos.

—Pero ¿y si me ven? —me preguntó, y yo negué con la cabeza.

—Hay un almacén —le dije—. Tu amigo sabe dónde está. Allí es donde guardan todos los uniformes. Que coja uno para ti, y tú te lo pones. Así no llamarás la atención.

Lo que quería era que lo descubrieran.

Quería que se metiese en un lío.

Quizá que lo echaran de allí, igual que a Kurt.

—¿No será peligroso? —me preguntó.

—¡Claro que no! Y podrás ayudarlo a buscar a su padre.

Él parecía dubitativo, pero no quería que se notara que tenía miedo.

—Vale. Lo haré así —dijo—. Se lo diré mañana.

Para mí todo aquello no era más que una broma. Una forma inocente de vengarme de él.

Al cabo de pocos días Madre abrió la puerta de mi dormitorio. Parecía nerviosa y asustada.

—Gretel, ¿has visto a tu hermano? —me dijo—. No lo encuentro por ninguna parte.

TERCERA PARTE

La solución final

Londres, 2022 – Londres, 1953

1

María Antonieta ya había perdido la cabeza hacía mucho, así que, cosa rara en mí, me encontraba leyendo una novela sobre un grupo de ancianos que resolvían un asesinato en su comunidad de jubilados, cuando se abrió la puerta trasera de Winterville Court y oí pasos que se acercaban. Sentada en el banco bajo el roble, percibí cierta agresividad en la firmeza de las pisadas, pero me obligué a no levantar la vista. No me molesté en cerrar el libro hasta que mi visitante se plantó justo delante de mí.

—Señor Darcy-Witt —dije—. Me alegro mucho de verlo.

Iba vestido de forma más desenfadada que en nuestros anteriores encuentros, con un pantalón corto de color amarillo claro con pinta de ser bastante caro y un polo blanco. Sus zapatos parecían más adecuados para caminar por la cubierta de un yate de lujo que por el jardín trasero de un elegante edificio de pisos de Londres. Había pasado casi una semana desde que yo había llamado a una ambulancia para atender a su mujer, que había ingerido una sobredosis de somníferos en lo que yo suponía que era un intento de suicidio; y, si bien él había entrado y salido todos los días desde entonces (por la mañana acompañaba a Henry al colegio y por la tarde había contratado a una joven para que lo recogiera y lo llevara a casa), no me había dado las gracias por salvarle la vida a Madelyn ni me había puesto al día de cómo se encontraba. Por suerte yo tenía a un espía en su campamento —el propio Henry— que me había mantenido informada, pues últimamente subía a verme siempre que podía. Yo agradecía sus visitas: estaba a años luz de cuando me horrorizaba la perspectiva de que los nuevos vecinos tuviesen hijos pequeños. Por lo visto era a los adultos a quienes debía temer.

—Señora Fernsby —me saludó—. He pensado que le gustaría saber que Madelyn volverá a casa esta tarde.

—Me alegro de oírlo. ¿Ya se encuentra mejor?

Sonrió, pero no dijo nada y se sentó en el banco a mi lado. Aunque había espacio suficiente para tres personas, me sentí acorralada por él, quizá porque era un hombre corpulento, alto y musculoso. Me molestó que se me sentara tan cerca y eché de menos los días en que imperaba el distanciamiento social. Me planteé levantarme, pero no quería que él sintiera que tenía algún poder sobre mí.

—Decir que está «mejor» quizá sea demasiado optimista —dijo—, pero no quieren retenerla más tiempo. Fue un accidente, por supuesto. Mi mujer no quería tomarse tantas pastillas. A veces se confunde.

—Bueno, pues esperemos que no vuelva a confundirse.

—No lo hará. Para empezar, porque a partir de ahora ya no tendrá acceso a ningún medicamento. Yo me encargaré de eso.

—Ya me lo imagino —repliqué.

Me miró y esbozó una sonrisa, como si estuviera siguiéndole la corriente a un niño pequeño.

—¿Lo dice con segundas?

—Nada de eso. Sólo lo digo porque, antes del accidente, como usted lo llama...

—¿Cómo debería llamarlo si no?

—Antes de eso que sucedió, su mujer parecía bastante...

De pronto me di cuenta de que debía tener mucho cuidado con cómo terminaba la frase.

—Parecía bastante ¿qué?

—Asustada —dije desafiante y, al mismo tiempo, me moví un poco para mantener cierta distancia—. Me dio la impresión de que estaba bastante asustada.

—Una forma curiosa de expresarse. —Negó con la cabeza—. ¿Asustada? Me pregunto si alguien de su estatus, que supongo que habrá vivido siempre rodeada de lujo, podría entender el significado de esa palabra. Yo crecí sin nada, no sé si lo sabe.

—¿Cómo iba a saberlo?

—Mi padre pegaba a mi madre, murieron los dos alcoholizados. Fui pasando de una casa de acogida a otra hasta los diecisiete años, y no quiera usted saber lo que era aquello ni las cosas que pasaban allí. ¿Cree que tiene alguna remota idea de lo que es el miedo?

Tuve que recurrir a todo mi autocontrol para no reírme.

—Amigo mío —dije manteniendo la voz firme—. Yo he visto expresiones del miedo que usted no podría ni imaginar. Ni en sus sueños más descabellados, ni en las más disparatadas fantasías de las obras cinematográficas que compone, podría acercarse a las traumáticas situaciones de las que he sido testigo. ¿Si tengo alguna remota idea de lo que es el miedo? Lamento decirle que tengo más idea de la que la mayoría de la gente tendrá jamás.

Volvió la cabeza y me miró, quizá intrigado por el carácter melodramático de mi respuesta. Me arrepentí en el acto de mis palabras. Me di cuenta de que había ido demasiado lejos y sólo había conseguido despertar su curiosidad. Era una anciana y, como es lógico, el miedo a ser descubierta que me había perseguido en la juventud y en la edad adulta ya había disminuido, por no decir que había desaparecido por completo, pero aun así... no era propio de mí arriesgarme tanto. Me miró el brazo, pero yo llevaba manga larga.

—¿Sabe una cosa? —me dijo—. La creo. Dígame, señora Fernsby, ¿qué es eso que ha visto? O quizá se refiera a algo que ha hecho. Recuérdemelo, ¿de dónde es usted?

Miré hacia otro lado. Quería que se marchara, que no volviera a molestarme y me dejara en paz con mis detectives octogenarios.

—¿Puedo ayudarlo en algo, señor Darcy-Witt? —pregunté con toda la frialdad de que fui capaz, y él hizo un gesto afirmativo.

—Verá, el caso es que sé que mi mujer y usted se han hecho amigas desde que vinimos a vivir aquí... —empezó a decir, pero lo interrumpí.

—Yo no diría tanto. Sólo tenemos una relación de buenas vecinas. Hemos hablado unas pocas veces, como usted ya sabe, pero yo no diría que somos amigas. Lo cierto es que apenas la conozco. Y ella apenas me conoce a mí.

—Me da la impresión de que a usted la conoce muy poca gente —indicó—. Guarda muy bien sus cartas, ¿verdad?

—Yo no tengo cartas, señor Darcy-Witt. No me gusta el juego.

—Llámeme Alex, por favor. «Señor Darcy-Witt» es demasiado largo. Aunque es obvio que a usted no le importa hablar más de la cuenta. Es una bocazas.

—Es usted muy grosero —dije tras la pausa pertinente.

—No, sólo soy franco. No es lo mismo. En fin, sea cual sea el carácter de la relación entre usted y Madelyn, preferiría que le pusiera fin. Si se cruzan en el vestíbulo, me parece bien que se saluden, pero nada más. No le pregunte por su salud. No le dé consejos sobre sus ridículas ambiciones de volver a los escenarios.

—¿Y por qué no, si ella quiere? —pregunté—. ¿Acaso aún vivimos en una era obsoleta y el marido decide lo que la mujer puede o no puede hacer con su vida?

—Y no será necesario que vuelva a entrar en nuestra casa —continuó, ignorando mi pregunta del mismo modo que yo había ignorado la suya—. He cambiado las cerraduras, por supuesto, de modo que, si esconde alguna llave del anterior inquilino, ya no podrá utilizarla.

—No escondo ninguna llave —dije ofendida—. La llave de repuesto del señor Richardson se quedó dentro de un tiesto. Y fue Heidi Hargrave quien la descubrió, no yo. Debería darle las gracias, por cierto. Si no llega a ser por ella, su mujer podría haber muerto.

—Tampoco será necesario que tenga ningún trato con mi hijo.

—Con Henry. Se llama Henry.

—Él no es asunto suyo. Madelyn y Henry me pertenecen. Ella no es su hija adoptiva. Y él no es su nieto adoptivo.

—Le aseguro, señor Darcy-Witt, y si no le importa seguiré llamándolo así, que no tengo ninguna intención de ejercer de madre o abuela adoptiva de ninguno de los dos. Llevo una vida tranquila y no me meto con nadie. Siempre lo he hecho. Su familia y sus interminables dramas me han avasallado, y no al revés. No tengo inconveniente en que usted y su pájaro enjaulado se hagan la vida imposible el uno al otro sin involucrarme a mí de ninguna manera. Y en cuanto a Henry, si al niño le apetece venir a verme, si en esta casa encuentra la paz que no encuentra en la suya, yo no voy a...

En un abrir y cerrar de ojos levantó un brazo y me agarró la muñeca izquierda. Me la apretó, no lo bastante fuerte como para dejarme marca, pero sí para hacerme daño.

—Suélteme —le ordené sorprendida por aquella agresión—. Me hace daño.

—Habla demasiado, señora Fernsby —dijo él en voz baja pero cargada de veneno—. ¿Sabe lo que me toca los huevos? Las mujeres que no saben cerrar la puta boca. Y usted no sabe cerrar la puta boca.

Lo miré con severidad. Las lágrimas se agolpaban en mis ojos —una humillación insólita, pues no me emociono fácilmente— y decidí que no quería seguir desafiándolo. Empezaba a comprender cómo se sentía Madelyn. Y Henry. Y lo poco que le costaba a un hombre tan dominante infundirle miedo a alguien, por muy resistente que fuera.

—Sólo quiero asegurarme de que nos entendemos el uno al otro —continuó—. Usted deja a mi familia en paz y yo la dejo en paz a usted.

—¡Suélteme! —repetí, y retiré la mano.

Estaba decidida a no darle el gusto de amilanarme. Yo ya estaba sentada ahí fuera antes de llegar él, leyendo tan tranquila y sin molestar a nadie, y allí seguiría cuando él se marchara.

No obstante, suspiré de alivio cuando se levantó, mirándome como dando a entender que lo había decepcionado, que estaba desilusionado.

—Además —añadí lamentando que se me quebrara la voz—, nadie le pertenece. Las personas no...

—Bueno, ya está —me interrumpió con voz cansina, frotándose los párpados antes de echar a caminar—. Piense en lo que le he dicho.

Lo vi dirigirse a la puerta, pero antes de llegar se dio la vuelta y me miró.

—Fernsby —dijo—. Es un apellido raro, ¿no?

—Era el apellido de mi marido.

—¿Y el suyo? ¿Cuál es su apellido de soltera?

No le contesté, pero noté que me sonrojaba y él se dio cuenta de mi reticencia. No sabía qué respuesta le daría. Estaba mi verdadero nombre, claro, aquel con el que había nacido y que había utilizado en Berlín y en aquel otro sitio. Luego estaba el apellido Guéymard, que había usado en París y en Sídney; y también Wilson, que me había puesto a mi llegada a Londres, porque no quería parecer francesa, y ése era el apellido con el que me había conocido Edgar. ¿Había otros? Me costaba recordarlo. Mi vida estaba tan llena de identidades descartadas que a aquellas alturas me resultaba casi imposible recordar quién era realmente.

—No importa —dijo, y se dio la vuelta de nuevo—. Seguro que podré averiguarlo. Tengo la impresión de que es usted una mujer interesante, señora Fernsby. Una persona que no es del todo sincera. Y como cineasta, como narrador de historias, eso me intriga.

2

La primera persona con la que hablé a mi llegada a Londres fue la reina.

Faltaba muy poco para Navidad y yo ya llevaba casi una semana en Inglaterra; había desembarcado en el puerto de Southampton y había decidido pasar unos días en esa ciudad para aclimatarme de nuevo a la vida en tierra firme. Mi estado de ánimo era completamente diferente del de unos meses atrás, cuando había viajado a Australia. Al fin y al cabo, el primer viaje había estado lleno de optimismo, pues significaba el comienzo de una nueva vida. Sin embargo, el hecho de estar regresando a Europa sólo ocho meses más tarde demostraba que mi propósito era imposible. Durante la travesía varios jóvenes, hombres y mujeres, me habían ofrecido su amistad, pero yo los había rechazado a todos porque no había querido establecer nuevos vínculos, como sí había hecho con Cait Softly. Ahora prefería estar sola.

Llegué al centro de Londres en tren el 23 de diciembre de 1952 y, mientras cruzaba el vestíbulo de la estación cargada con la maleta, vi que a un lado se formaba un corro de gente y a un grupo de policías a su alrededor en actitud vigilante. Era una tarde muy lluviosa y no se puede decir que me muriera de ganas de salir a la calle, así que me acerqué para ver a qué venía tanto alboroto y me llevé la sorpresa de descubrir a la reina caminando por el andén acompañada por el duque de Edimburgo, dos hombres de uniforme y un par de damas de honor. La reina iba conversando con uno de aquellos hombres, pero, al pasar a mi lado, me halló tan asombrada por aquel encuentro inesperado que sin pensarlo la saludé; ella volvió la cabeza, me sonrió, me dijo «hola» y me felicitó la Navidad. Era muy guapa y tenía una piel perfecta, y aunque se comportaba con plena conciencia de su papel, al mismo tiempo mostraba un ligero bochorno por lo absurdo de todo aquello. Como el resto de los londinenses (pues me considero una más), en los años posteriores la he visto pasar por la calle muchas veces en una caravana de coches, pero conservo un especial recuerdo de aquel día.

Elizabeth y yo teníamos algo en común, como es lógico. Aquella noche, camino de un hotel barato, me pregunté cómo habría reaccionado ella de haber sabido mi identidad. Cierto: ni su padre ni el mío habían muerto en el frente, pero la guerra había acabado con los dos. Yo sabía que no podía comparar la muerte de mi padre con la del suyo; no obstante, las dos éramos la hija que habían dejado el atrás: una para presidir la Commonwealth y una familia indisciplinada, y otra con unas pocas libras a su nombre y ningún pariente.

Aquellos primeros meses me esforcé para adaptarme al clima inglés. No había nacido en un país especialmente cálido, pero Sídney me había descubierto el sol y en Londres todos los días me parecían fríos, húmedos y deprimentes. Tras varios días alojándome en hoteles baratos, encontré una habitación en un edificio de viviendas compartidas de Portobello Road. La casera gobernaba a sus inquilinos desde su piso de la planta baja, y cinco chicas vivíamos en cinco dormitorios repartidos en las tres plantas superiores, con un único cuarto de baño compartido. Todas las noches, a las siete en punto, nos servían una cena insípida y, si no estábamos allí a la hora, se la daban al perro. Yo odiaba aquel sitio, pero no podía pagar nada mejor. Las otras chicas me consideraban antipática porque prefería guardar las distancias.

Había transcurrido suficiente tiempo para que diera por hecho que Cynthia Kozel había decidido no hacer nada con la información que le había proporcionado, porque ningún policía había llamado a mi puerta haciéndome preguntas ni ningún periodista me había parado por la calle para pedirme una entrevista. Empecé a relajarme y traté de convencerme de que había actuado de forma correcta al ponérselo tan fácil para que me denunciaran y que yo no tenía ninguna culpa si no lo habían hecho. No obstante, no era tan necia para creerme aquel patético autoengaño, así que el sentimiento de culpa seguía hirviendo a fuego lento en mi interior, aguardando el instante en que se desbordaría y causaría daños irreparables.

Gracias a la experiencia que había adquirido en la tienda de ropa de la señora Brilliant, tuve la suerte de encontrar trabajo en Harrods y no tardé en impresionar tanto a mi supervisor que me recomendó a nuestros superiores. Hice un curso nocturno de gestión de nóminas y, para mi gran alegría, me ascendieron a un puesto en las oficinas, donde trabajaba con otras dos chicas organizando los pagos semanales del personal, los permisos, los festivos y otros asuntos que hoy en día se considerarían parte del departamento de recursos humanos. Me gustaba mucho mi trabajo: la pulcritud de los números, el esfuerzo por cuadrar las cuentas, mi relativa autoridad y la responsabilidad que ésta implicaba.

Evidentemente, también había momentos difíciles. Mi superior directa era la señora Aaronson, una mujer tranquila y eficiente que me cayó bien de inmediato y me trataba con suma amabilidad, sin perder nunca la paciencia mientras yo me adaptaba a las rutinas específicas de la vida en una oficina. Cuando llegó la primavera y mejoró el tiempo, empezó a llevar blusas de manga más corta. Una tarde, cuando alargó la mano para explicarme un error que yo había cometido en el salario de un empleado, reparé en unos números tatuados en su brazo e, impresionada, me eché hacia atrás en la silla. Los momentos como aquél, que siempre se presentaban de forma inesperada, me producían una angustia tremenda. Parecía que me los enviara Dios para recordarme que, por muy apacible y feliz que fuera mi vida, nunca debía olvidar que había participado en el horror, porque mi culpabilidad estaba grabada a fuego en mi alma, igual que aquellos números lo estaban en el brazo de la señora Aaronson.

—No te asustes, cielo —me dijo al darse cuenta de que había palidecido—. Es que me niego a esconderlos. Es importante que la gente vea estos números y no olvide lo que pasó.

—¿Y su familia? —pregunté, y las palabras se atascaron en mi garganta.

—Murieron todos. —Su rostro adoptó una expresión que combinaba el dolor y la resignación—. Mis padres, mis abuelos, dos hermanos y una hermana. Sólo quedo yo. Pero sigamos con este salario. ¡No vamos a dejar a ese pobre hombre sin su merecida paga!

No se me ocurrió nada que responder, pero ese día, al regresar a mi alojamiento, lloré como nunca había llorado desde mi llegada a Inglaterra. Aunque no era capaz de hacerme daño, en las noches como aquélla me quedaba dormida rezando para no despertar a la mañana siguiente.

En cualquier caso, fue trabajando en Harrods donde conocí a David y a Edgar, y fue con este último con quien hablé primero cuando se dirigió a mí una tarde en que yo pasaba por el departamento de trajes de caballero en busca de un dependiente que no me había notificado que la semana anterior le habían pagado una libra de más. Mientras buscaba a aquel joven falaz, un hombre ataviado con un traje azul se me acercó levantando una mano como si yo fuese un ómnibus que pasaba por allí.

—Disculpe, señorita. ¿Trabaja usted aquí? —me preguntó.

—Sí. Pero no en la tienda, lo siento. Voy a ver si encuentro a un dependiente que pueda ayudarlo.

—En realidad, no he venido a comprar nada —aclaró él—. Estoy buscando a un amigo mío. A lo mejor lo conoce, se llama David Rotheram. Hemos quedado para cenar. Usted no sabrá dónde puedo encontrarlo, ¿verdad?

Negué con la cabeza. Sabía quién era David —era el subdirector de aquella planta y había ascendido por los departamentos a un ritmo vertiginoso—, aunque curiosamente aún no habíamos tenido ocasión de hablar. Todas las chicas de la oficina estaban enamoradas de él porque era la viva imagen de Danny Kaye, y él se había fijado en mí un par de veces y me había dirigido una sonrisa que parecía de aprobación. Pero yo siempre había sido demasiado tímida para devolverle la mirada y ninguno de los dos había encontrado todavía ningún motivo para interactuar.

—El señor Rotheram suele estar acechando por aquí —dije paseando la mirada por la planta, e inmediatamente me arrepentí de haber elegido aquel verbo.

Edgar se echó a reír.

—«Acechando.» Lo dice como si fuese un tipo con malas intenciones.

—No, no quería decir eso —rectifiqué, y me ruboricé un poco—. Es que... Lo siento. No le diga que he dicho eso, por favor. Podría tomárselo mal.

—Mis labios están sellados —afirmó; simuló cerrarse la boca con cremallera y yo sonreí.

Aunque no era especialmente atractivo, tenía una cara amable con unos ojos de mirada tierna, y el bigote de lápiz aportaba cierta *joie de vivre*. Tenía una cicatriz debajo de la oreja izquierda y me pregunté si sería de una herida de guerra, pero descarté esa posibilidad muy pronto, porque aquel hombre sólo podía ser un par de años mayor que yo, de modo que habría tenido catorce años en el momento culminante de las hostilidades.

—Ah, mire, aquí está —dijo al cabo de un instante al ver a su amigo caminar hacia él.

Me di la vuelta y vi aparecer a David.

—Hola, Edgar —lo saludó componiendo una gran sonrisa—. Siento haberte hecho esperar.

—No pasa nada. Tu colega, la señorita...

—Wilson —dije yo.

—La señorita Wilson me ha hecho compañía.

—Pues eres un hombre afortunado —replicó David, y me sonrió—. A mí nunca me la hace. Es más, hasta parece que me evite.

—Eso no es cierto —protesté, y me pregunté por qué pensaría eso y, peor aún, cómo se le ocurría decirlo en voz alta.

—Bueno, nunca hablamos, ¿no es cierto?

—Porque nunca hemos tenido ocasión, sencillamente.

—¿Debería dejaros solos? —preguntó Edgar—. Así podréis solucionar esto entre los dos.

—No hace falta —dije.

—De todas formas, ¿qué la trae por aquí abajo, señorita Wilson? —me preguntó David—. Normalmente usted no se mezcla con el pueblo llano.

—Busco a un hombre —dije.

—¡Señorita Wilson!

—Me refiero a uno de los dependientes. El señor Deveney.

—¿Habla con ese tunante, pero no se digna hablar conmigo?

Me quedé mirándolo sin saber qué decir. No era lo bastante hábil haciendo réplicas agudas como para seguir el ritmo de aquella conversación.

—Necesita un tirón de orejas —dije por fin—. Me refiero al señor Deveney. Y he venido a dárselo.

—¿Qué ha hecho?

—Preferiría no decirlo.

Él asintió y decidió no seguir hablando de aquel asunto, así que señaló hacia el lado opuesto de la planta. Le di las gracias, me despedí de Edgar y seguí mi camino, pero no me había alejado demasiado cuando David corrió detrás de mí y me sujetó por un brazo.

—Lo siento mucho, señorita Wilson —se disculpó—. Me temo que he sido un poco maleducado con usted. Sólo pretendía ser gracioso, pero he metido la pata.

—No entiendo por qué insinúa que lo evito, nada más —le dije—. Yo nunca he hecho tal cosa.

—No, por supuesto que no. En realidad, soy yo el que lleva tiempo evitándola a usted.

—¿Por qué? —pregunté extrañada.

—Por si decía alguna estupidez. No quería ponerme en ridículo y que usted me tomara por idiota. Y ahora resulta que he hecho precisamente eso.

Me puse colorada. ¿Estaba coqueteando conmigo? Hacía tanto tiempo que nadie se me insinuaba que no estaba segura de saber reconocer las señales.

—No pasa nada —dije debatiéndome entre las ganas de quedarme y las de marcharme.

—Entonces ¿no piensa que soy idiota?

—Yo no pienso nada.

—En ese caso, si algún día la invitara a tomar un gin-tonic, ¿aceptaría?

—¿Qué le hace pensar que yo bebo gin-tonic?

—A la mayoría de las chicas les gusta.

—Yo no soy la mayoría de las chicas.

—De acuerdo, ¿y qué le gusta beber?

—Cerveza —dije.

Y era verdad. Al fin y al cabo era alemana.

Frunció el ceño. Comprendí que pensaba que esa elección era impropia de una dama, pero no me importó. Tendría que aceptarme tal como era o no aceptarme.

—Entonces, si algún día la invitara a tomar una cerveza, ¿aceptaría? —Giró la cabeza y miró a Edgar antes de volver a mirarme a mí—. Es que si no se lo pregunto ahora, estoy seguro de que se lo preguntará mi amigo, y él es muchísimo más interesante que yo, así que perderé mi oportunidad.

Miré a Edgar y luego otra vez a David. Dos hombres interesados por mí. Aquello era absolutamente inaudito.

—El jueves por la noche —dije—. Venga a buscarme a nóminas a las seis en punto, podemos ir a algún sitio tranquilo.

Y entonces, para no perder la ventaja que había ganado en la conversación, me encaminé sin dilación a mi despacho y me senté, risueña y satisfecha conmigo misma. Horas más tarde, cuando ya estaba acostada, caí en la cuenta de que me había olvidado de buscar al deshonesto señor Deveney, pero no quise pensar más en él y decidí que podía quedarse con su libra de más. Quizá me hubiese hecho un favor enorme y por lo tanto se había ganado hasta el último penique.

3

A lo largo de toda mi vida siempre me había negado a cultivar un círculo de amistades, pero ahora que necesitaba a alguien discreto que supiera escucharme las echaba de menos. La conversación que había mantenido en el jardín con Alex Darcy-Witt me había dejado asustada y preocupada y necesitaba desesperadamente comentarla con alguien. En otros tiempos quizá hubiese llamado a la puerta de Heidi para hablar con ella, pero hacía mucho que ésa ya no era una opción.

Sentada en el salón de mi casa, repasé la lista de contactos de mi teléfono y lamenté que no fuese más larga. Mi dedo se detuvo un momento sobre el número de Caden, pero decidí no llamarlo por temor a que viera el conflicto con los vecinos como una excusa más para convencerme de que debía vender el piso y marcharme a una comunidad de jubilados. Sólo me quedaba una alternativa: Eleanor.

Para mi sorpresa, se presentó en mi piso al cabo de menos de dos horas y me explicó que había cambiado las citas de aquella mañana porque, por lo visto, «yo iba primero». Además vino en taxi, lo que me pareció un pequeño derroche; traía dos cafés para llevar y dos *brownies*.

—No hacía falta que trajeras nada —dije mientras ponía los pasteles en un par de platos, pero estaba muy contenta de que los hubiera traído.

—Todos necesitamos darnos algún capricho de vez en cuando, Gretel.

Se sentó en el sillón de Edgar. Sonreí (no pude evitarlo): estaba empezando a encariñarme con aquella mujer.

—Bueno, ¿qué pasa? Por teléfono parecía disgustada.

—Sí. Verás, necesito consejo. Hay un tema que me preocupa, pero me da miedo entrometerme por si me busco problemas o les causo dificultades innecesarias a otros.

—De acuerdo —aceptó, y vi que su formación médica saltaba a la palestra cuando añadió—: Dígame cómo puedo ayudarla.

—En primer lugar, preferiría que esto quedara entre tú y yo.

—Eso no tiene ni que decirlo.

—Me gustaría que no lo comentaras ni siquiera con Caden.

—Hecho.

—Se trata de mis vecinos —empecé—. La familia nueva que se ha instalado en el piso de abajo.

—¿Hacen ruido?

—No, no es eso. —Negué con la cabeza—. Es el hombre. El padre. Creo que podría ser un maltratador. Me refiero a que podría estar maltratando a su mujer y a su hijo.

Se recostó en el sillón e inspiró ruidosamente por la nariz. La cara que puso me hizo pensar que ya tenía experiencia en esos temas, y sentí un alivio inmediato, pues por lo visto había escogido a la persona adecuada para confiarle mi secreto.

—Cuéntemelo todo —dijo.

Lo hice. Le conté lo que había visto con todo el detalle de que fui capaz, y he de reconocer que ella permaneció callada mientras yo hablaba, sin interrumpirme ni hacerme preguntas, cosa que agradecí.

—Ese hombre no me gusta nada —concluí—. Y esta mañana ha pasado algo más.

—Cuente.

—He bajado a ver si tenía correo en el buzón. Cuando has entrado por el portal, no sé si te has fijado en que a la derecha están los cinco buzones, uno para cada piso. Ya casi nunca recibo cartas, pero me gusta abrir el buzón todas las mañanas por si acaso. Te prometo que no estaba fisgoneando, aunque sé que parecerá que soy una vieja chismosa, pero los buzones están tan cerca de la puerta del piso de los Darcy-Witt que, si hay algún ruido dentro, es casi imposible no oírlo.

—¿Y lo había?

—Sí.

—¿Una discusión?

—Alex estaba gritando al niño —expliqué—. Decía unas cosas terribles.

—¿Como qué?

Me sonrojé un poco; era muy desagradable recordarlo.

—Dígamelo —dijo Eleanor con tono amable—. Si lo sé, podré entenderlo mejor.

—Le gritaba que si alguna vez volvía a mojar «la puta cama» lo tiraría por «la puta ventana» —dije agachando la cabeza; me desagradaba enormemente oír esas palabras saliendo de mi boca, pero pensé que era importante que Eleanor se hiciera una idea real de las proporciones de la ira de aquel hombre—. Le ha dicho al niño que ya tenía nueve años, que no era «ningún puto bebé», y que estaba harto de oler a pipí cuando entraba en «su puto cuarto» a despertarlo «todas las putas mañanas». Yo oía llorar al niño; entonces se ha oído un sonido terrible, y un grito, y luego se ha quedado todo en silencio.

—¿Qué clase de sonido? —preguntó Eleanor.

Miré a mi alrededor. Sólo había una forma de explicarlo. Me levanté, fui hasta la mesilla auxiliar y golpeé tan fuerte el centro del tablero con la palma de la mano que Eleanor dio un respingo. Luego volví a mi sillón.

—¿Le ha pegado? —me preguntó.

—Creo que sí. Me he asustado mucho y no he querido quedarme abajo. Temía que saliera y me descubriera allí, pero tampoco quería hacer como si no hubiera pasado nada. Así que he subido, me he puesto los zapatos y el abrigo y he salido del edificio; he ido hacia la parada de autobús, la parada a la que Madelyn lleva a Henry todas las mañanas para ir al colegio. He tenido que esperar allí unos buenos veinte minutos, pero al final ha salido, me refiero al niño, él solo, y ha venido hacia mí cabizbajo. Cuando ha llegado a mi lado, he dicho su nombre y él ha levantado la cabeza, sorprendido y muerto de miedo. Era obvio que había estado llorando. Y tenía una marca roja en la mejilla. Una marca horrible.

—Ese desgraciado... —Eleanor cerró las manos y apretó los puños—. ¿Y ha hablado con él? ¿Con Henry?

—Le he preguntado si estaba bien y él ha hecho que sí con la cabeza, pero no ha dicho nada. Era evidente que no quería hablar. Le habría insistido, pero justo entonces ha llegado el autobús y él se ha subido y ha ido derecho a los asientos del fondo; yo me he quedado en la acera mirándole la nuca. Pero cuando el autobús ha arrancado, Henry se ha dado la vuelta para mirarme con... con...

No pude evitarlo: rompí a llorar. Eleanor se levantó enseguida, se sentó en el brazo del sillón y me abrazó. Fue reconfortante sentir su calor. Creo que no había notado el brazo de otro ser humano sobre mis hombros desde la muerte de Edgar.

—Tranquila —dijo—. Ha hecho bien en contármelo.

—No sé qué hacer. —Me saqué un pañuelo del bolsillo y me enjugué las lágrimas—. Estoy segura de que los maltrata a los dos, pero me da miedo denunciarlo. Ese hombre me intimida horrores. No se lo contarás a nadie, ¿verdad?

—No lo haré, si usted no quiere —dijo—. Pero algo entiendo de estas cosas. Una amiga mía estaba casada con un hombre que tenía la mano un poco larga, y tardó años en reunir el valor para dejarlo.

—Pero lo hizo, ¿no? —La miré esperanzada, pensando que Madelyn tal vez hiciese algo parecido y se llevara a Henry con ella—. Al final lo abandonó.

—Sí.

—Bueno, menos mal.

—Sólo que él se vengó y la dejó en silla de ruedas.

Me sobresalté. La idea de semejante violencia me asusta. Es más, me aterroriza. Me hace retroceder en el tiempo.

—Prométeme que no se lo contarás a nadie —dije.

—Si usted no quiere, no se lo contaré a nadie —me aseguró—. Pero no podemos permitir que siga maltratándolos. Tendríamos que hacer algo.

—Ya lo sé, pero necesito pensarlo. Y hasta que no decida cuál es la mejor forma de gestionar esta situación, no quiero correr el riesgo de que él venga a buscarme. ¿Puedo confiar en ti, Eleanor?

—Claro que sí. Se lo prometo.

—Aquello que te conté... —dije tímidamente—. Aquel día en Fortnum and Mason. La razón por la que pasé un año en el hospital cuando Caden era pequeño. No se lo has contado, ¿verdad?

—No. Le dije que no lo haría, y yo no rompo mis promesas.

—Gracias, querida. Sabía que podía confiar en ti. La verdad es que odio remover el pasado. No hay nada que hallar en él más que tormento.

4

Me enamoré de David de una forma muy diferente a como me había enamorado de Kurt, que había representado mi introducción al deseo, y de Émile, que me había ofrecido una oportunidad para huir de la existencia claustrofóbica que llevaba con Madre.

Pero David no tenía nada en común con ninguno de ellos. Los dos primeros eran de lo más serios, mientras que él, por fortuna para mí, era tremendamente divertido, y hasta entonces yo apenas sabía qué significaba eso. David nunca se enfrascaba en conversaciones sobre política ni historia; él vivía por completo en el presente y no quería saber nada ni del pasado ni del futuro. Íbamos juntos al teatro, a conciertos, a espectáculos de humor. Vimos actuar a Eddie Fisher en el London Palladium y, el día de mi cumpleaños, a Jo Stafford cantar en el Royal Albert Hall. Aunque ambos trabajábamos en Harrods, nunca hablábamos del trabajo fuera del horario laboral, porque a él no le interesaban los chismes ni la vida privada de nuestros colegas. Vivía en su propio piso, pequeño y cómodo, en la última planta de una casa de Clapham, y después de nuestras salidas nocturnas siempre me llevaba allí a dormir. No tenía complejos respecto al sexo, no era ni tímido ni nervioso en ese sentido, y aceptaba con entusiasmo la parte física del amor. Como yo tenía muy poca experiencia en ese campo, no sabía qué esperar de una relación sexual, pero no tardé en anhelar sus caricias. Pese a mi ingenuidad, parecía obvio que aquel joven sabía muy bien lo que hacía.

—¿Cuántas novias has tenido antes que yo? —le pregunté una noche tras una sesión de sexo particularmente entusiasta.

Sentado en la cama y recostado en una almohada, David fumaba un cigarrillo. Yo estaba tumbada a su lado.

—¿Estás segura de que quieres saberlo?

Sonrió un poco mientras echaba la cabeza hacia atrás y lanzaba aros de humo perfectos.

—Si a ti no te importa decírmelo...

—Depende de si te refieres a novias o sólo a amantes.

—¿No es lo mismo?

—Por supuesto que no. Sólo hay tres chicas a las que considero novias oficiales. Aparte de ellas... —Se lo pensó un rato—. No lo sé, me habré acostado con una docena más o menos.

Quizá a algunas chicas las hubiese desanimado esa confesión, pero a mí no me importó lo más mínimo. Al contrario: me gustaba que él tuviera tanta experiencia, y no sólo porque eso significaba que sabía cómo satisfacerme, sino porque, con él, por fin me sentía como una persona adulta. Tenía mucho más mundo que los chicos entre los que yo pasaba la mayor parte del tiempo: los apocados que trabajaban en el almacén, los fanfarrones que mandaban en cada una de las plantas y que adulaban a los clientes mientras maltrataban a las dependientas a su cargo, o los tímidos niños de mamá que predominaban en los despachos y que sin ninguna duda estaban más a gusto con una calculadora que con un cuerpo desnudo.

—¿Y tú? —me preguntó apoyándose en un brazo para inclinarse y mirarme a los ojos—. ¿Cuántos hombres ha habido en tu vida?

—Sólo uno —respondí—. Y sólo era un crío.

—¿Lo dices en broma?

—No.

—Pero ¿por qué sólo uno? Has debido de tener muchos pretendientes.

No parecía ni complacido ni escandalizado por mi inexperiencia. Parecía más bien intrigado por mi inocencia; hasta se diría que se compadecía de mí.

—A mí no me educaron así —dije, y era la verdad.

Él negó con la cabeza con desdén.

—Todas dicen eso. Y es una pérdida de tiempo. Mi teoría es ésta: acuéstate con cualquier persona mayor de edad que te acepte. La vida es demasiado corta para andar jugando. Si algo hemos aprendido de estos quince últimos años, creo que es eso.

Cuando salíamos de copas por la noche, Edgar, su mejor amigo, siempre venía con nosotros, y a mí no me importaba, porque su compañía me gustaba casi tanto como la de David, y ellos dos se llevaban muy bien. Es más, sospechaba que, si hubiese intentado inmiscuirme en su amistad, o separarlos, habría sido yo la que habría salido perdiendo y no Edgar.

No entendía por qué Edgar no tenía novia y, una noche que estábamos juntos en el Guinea de Mayfair, empecé a hacer discretas averiguaciones.

—Hubo una chica hace un tiempo —me contó David—. Se llamaba Millicent, o Wilhelmina, o algo igual de horrible. Edgar, ¿cómo se llamaba aquella chica? Aquella de la que estabas locamente enamorado.

—Agatha —contestó Edgar, acodado en la barra para pedir otra ronda, y me pareció gracioso que a David no le importara gritar una pregunta tan personal en medio de un local abarrotado, que Edgar no tuviese inconveniente en contestar y la mala memoria de mi novio respecto al nombre de aquella pobre chica.

—Eso es, Agatha —dijo cuando Edgar volvió a sentarse y puso las tres consumiciones en la mesa: una pinta para los chicos y media para mí (yo también había pedido una pinta, pero el barman se había negado a servírmela, amenazando con echarnos si insistía)—. ¿Te imaginas gritar «¡Agatha!» en un momento de pasión? —continuó David—. Lo echaría todo a perder, ¿no crees?

Hasta Edgar se rió.

—En realidad, nunca llegamos tan lejos —admitió—. Agatha no creía en el sexo antes del matrimonio.

Tratando de parecer tan desinhibida como ellos dos, decidí intervenir con un cumplido.

—No entiendo cómo pudo resistirse esa chica —dije, y Edgar, halagado por mi comentario, me sonrió.

—¡Oye, tú! —exclamó David riendo.

—Es que es un bombón, ¿no crees?

—Totalmente de acuerdo. Si yo tuviera ciertas inclinaciones, no me lo pensaría dos veces.

Ese comentario sí me impresionó un poco, pero no dije nada.

—Pobre Agatha —continuó David—. De todas formas no era lo bastante buena para ti. Necesitas a alguien con un poco más de vidilla.

—¿Y ahora? ¿Te gusta alguien? —le pregunté a Edgar, y me sorprendió ver que se ruborizaba.

—Bueno... —admitió.

—¡Eh, no me lo has contado! —protestó David.

—¿Y por qué no la invitas a salir?

—Porque tiene novio. Con las mejores siempre pasa lo mismo.

—Pues quítasela —le ordenó David—. Enséñale lo que es bueno.

—No. —Edgar negó con la cabeza—. No, no puedo hacer eso. Además, ella no me aceptaría.

Cambiamos de tema, pero entonces David fue a los lavabos y yo volví a sacarlo.

—Es que si conocieras a una chica, podríamos salir los cuatro juntos —expuse—. Sería divertido, ¿no?

—David y yo ya probamos eso una vez, cuando yo salía con Agatha —me contó—. Y no funcionó.

—¿Y por qué no?

—Porque a ella no le cayó bien. De hecho, no podía verlo ni en pintura.

Arrugué el ceño. Me costaba creer que alguien pudiera no quedar prendado de David. Tenía mucho mundo, era guapo y gracioso.

—Debía de estar chiflada —dije.

—Bueno, es lo de siempre —repuso él—. Hay muchas chicas así. Y chicos también. No van por ahí diciéndolo, pero se nota lo que piensan.

—Lo que piensan ¿de qué?

—Bueno, no les gusta... Ya sabes.

Parecía un poco incómodo.

—No les gusta ¿qué? —pregunté del todo desconcertada; no entendía lo que estaba intentando decirme.

—No les gusta la gente como él.

—¿«La gente como él»?

Se inclinó hacia delante y bajó la voz.

—No les gustan los judíos —explicó—. Supongo que ese tipo de cosas siempre han existido. Esa clase de prejuicios. Ya sabes, viene de largo. Por todas partes hay intolerantes. Y la guerra no ayudó mucho. Lo cierto es que da la impresión de que sólo empeoró las cosas. Leyendo lo que pasó después, los campos de concentración y todo eso, mucha gente se enfadó aún más. El hecho de que continuamente salga el tema en las noticias. Muchos todavía andan buscando respuestas. Otros aseguran que nunca sucedió, claro, que es todo falso, pero yo no lo creo, ¿y tú? He visto las fotografías. He leído algunos libros. La semana que viene proyectan un documental en el Empire. ¿Te interesa la historia? A mí sí. Es mi especialidad. Algún día me gustaría enseñarla en la universidad. Dios mío, estoy acaparando la conversación, ¿verdad? No has dicho ni una sola palabra. ¿Estás bien, Gretel? Perdona que te lo diga, pero estás un poco pálida. No será la cerveza, ¿no? Si lo prefieres, puedo pedirte algo más suave.

Negué con la cabeza. No, no era la cerveza. Nunca había entendido muy bien la expresión «helarse la sangre en las venas» hasta ese momento, porque, mientras Edgar hablaba, eso era justo lo que sentía. Sentí como si se congelaran todos los músculos de mi cuerpo, se me erizó el vello de los brazos y la nuca y me dieron ganas de vomitar. Claro, David era judío. Si no hubiese sido tan estúpida, tan absolutamente ignorante de todo, me habría dado cuenta desde el principio, nada más oír su nombre. Pero nunca se me había ocurrido y punto. Me había concentrado en la atracción que sentía por él y en los placeres que me proporcionaba en la cama.

—David —dijo Edgar cuando su amigo regresó y se sentó a la mesa con más bebidas—. Estaba contándole a Gretel lo de ese documental que proyectan en el Empire la semana que viene. Deberíamos ir, ¿no crees?

—Sí, claro, estupendo. No me entusiasma la historia, pero a Edgar sí —añadió volviéndose hacia mí—. Pero será interesante. Será interesante ver cómo eran aquellos repugnantes nazis en la vida real.

—Lo siento, David —se disculpó Edgar—. Espero no haber...

—No pasa nada. —David miró a su amigo y le sonrió—. Es que... Bueno, todavía no había encontrado el momento de hablarle a Gretel de esa parte de mi vida, nada más.

—¿Qué parte de tu vida? —quise saber.

—En otra ocasión —dijo—. Hoy hemos salido a pasarlo bien.

5

Que una persona de noventa y un años tenga pocos amigos no es raro (a esa edad, la mayoría de nuestros conocidos han muerto), pero que un niño de nueve años sea igual de solitario resulta más sorprendente. No había visto a Henry ni una sola vez, desde su llegada, en compañía de otro niño de su edad, y empecé a preguntarme a qué se debería esa circunstancia. ¿Le costaba hacer amigos en el colegio, o simplemente no le dejaban invitar a nadie a su casa?

Sin embargo, me lo encontraba a menudo leyendo en el jardín, y una tarde, pocos días después de la visita de Eleanor, miré por la ventana y vi al niño enfrascado en la lectura de su último libro y decidí bajar con él.

—Hola, Henry —le dije al acercarme.

Él alzó la cabeza, me sonrió y dejó el libro en su regazo.

—Hola, señora Fernsby.

—El otro día no nos dio tiempo de hablar en la parada del autobús.

Desvió la mirada; tal vez no quisiera recordar lo extraño que había sido su comportamiento en aquella ocasión. La marca de su mejilla ya había desaparecido.

—Llegaba tarde al colegio —explicó.

—Parecías disgustado.

Se quedó callado un momento, reacio a contestar.

—¿Puedo sentarme a tu lado?

Asintió con la cabeza y se apartó un poco para dejarme sitio en el banco.

—De verdad que no hay nada que me guste más que sentarme aquí fuera al sol —dije mientras daba un suspiro de satisfacción y me sentaba—. Somos muy afortunados de tener este jardín privado viviendo en el centro de Londres, ¿no crees?

—Me gusta más el parque —dijo él, y supuse que se refería a Hyde Park

—¿Vas allí a jugar con tus amigos?

Él negó con la cabeza.

—No me dejan.

—¿Cómo que no?

—¿Con quién iría?

Fruncí el ceño.

—Debes de tener amigos de tu edad.

Se puso serio y reflexionó.

—En el colegio hay algunos niños con los que me llevo bien —dijo—, pero sólo los veo allí.

—¡Qué tontería! A tu edad deberías tener amigos entrando y saliendo de casa todo el día. Una pandilla de granujas ruidosos y traviesos de los que yo podría quejarme a tu madre.

Le sonreí y él rió un poco. Pareció complacerle la idea de tener una pandilla de amigos.

—Bueno, ¿cómo está tu madre? —pregunté—. Desde que volvió a casa no la he visto.

Había evitado bajar y llamar a la puerta, y no sólo porque Alex Darcy-Witt me había advertido que no lo hiciera. Sabía por propia experiencia lo que podía costar volver a ejercer la maternidad después de un ingreso hospitalario y, aunque el mío había sido mucho más largo que el de Madelyn, suponía que se sentiría avergonzada de lo ocurrido. También me figuraba que su marido le habría prohibido hablar conmigo, del mismo modo que a mí me había prohibido hablar con su hijo.

Pero yo, por lo menos, estaba haciendo caso omiso de aquella orden.

—Duerme mucho —me dijo.

—¿Viene alguien a cuidar de ella?

Arrugó la frente desconcertado por aquella pregunta.

—Yo cuido de ella —contestó.

—Pero tú todavía eres un niño pequeño. Si tú cuidas de ella, ¿quién te cuida a ti?

Se encogió de hombros. En pocos años alcanzaría esa edad en la que ese apelativo lo ofendería e insistiría en que no necesitaba que nadie cuidara de él, pero de momento parecía afligido por no tener a nadie a quien acudir.

—Henry —dije, y miré hacia las ventanas para asegurarme de que no nos observaba nadie—. Si no te importa, me gustaría tener una conversación seria contigo. Y te prometo que cualquier cosa que me cuentes quedará entre tú y yo. Pero necesito que me digas la verdad. ¿Qué te parece?

—Yo siempre digo la verdad —dijo.

—Estoy segura de que sí.

—Porque si no papá se enfada conmigo.

—De tu padre es de quien quería hablar —continué.

Henry miró para otro lado y comprendí que tendría que ser muy cuidadosa con las palabras que escogiera porque, si no, podría asustarse y se marcharía.

—Supongo que quieres mucho a tu papá, ¿no?

—Sí —afirmó y asintió con la cabeza.

—¿Es muy bueno contigo?

Se lo pensó un instante.

—Una vez me llevó a Disneylandia —explicó—. Trabaja con la mujer que manda allí y me dejaron colarme en todas las atracciones.

—¡Qué suerte! Yo nunca he ido. ¿Vale la pena?

—Ya lo creo.

—¿Y también es bueno con tu mamá? —continué.

Esta vez aún tardó más en contestar.

—Dice que mamá es muy estúpida, que nunca lo escucha y que necesita aprender.

—A mí tu mamá no me parece estúpida en absoluto —dije—. La verdad es que parece una persona muy interesante, una mujer con muchas ideas. Con muchos pensamientos que no encuentra la oportunidad de expresar, aunque le gustaría hacerlo. ¿Sabías que quería ser actriz? De hecho lo era cuando conoció a tu padre.

—Las mamás no pueden trabajar —dijo Henry—. Eso dice mi papá. Las mamás tienen que quedarse en casa y hacer lo que les dicen cuando se lo dicen y parar de hacer preguntas sobre cosas que no son asunto suyo.

Fruncí el ceño. Me pareció obvio que Henry le había oído decir aquella frase a un adulto y que me la estaba repitiendo como un lorito, como siempre hacía mi hermano de pequeños.

—¿Y qué pasa cuando no hacen lo que les dicen cuando se lo dicen? —pregunté.

—Que hay... consecuencias —Le costó soltar la palabra.

—Entiendo. ¿Y para ti? ¿También hay consecuencias para ti cuando te portas mal?

Dijo que sí con la cabeza.

—¿Qué clase de consecuencias?

Automáticamente se puso la mano derecha sobre el antebrazo izquierdo, y entonces me fijé en que, pese a ser un día caluroso, Henry llevaba una camiseta de manga larga. Estiré el brazo con la intención de subirle la manga, pero él se apartó.

—No —dijo.

—Por favor.

—No.

—Enséñamelo —insistí—. No te haré daño.

Esta vez lo tenía bien agarrado y, con un rápido movimiento, le levanté la manga. Tenía un cardenal enorme en el brazo, un cardenal de varios días, porque ya estaba adquiriendo unos desagradables tonos amarillos y morados.

—¿Qué te ha pasado? —dije—. ¿Quién te ha hecho esto?

—Me caí.

Apartó el brazo y se bajó la manga para tapar el cardenal.

—Sufres muchísimos accidentes, ¿no?

—Me caí —repitió subiendo la voz, esta vez con más aplomo.

—¿Y qué pasa si te digo que no me lo creo?

—¡Pues es verdad!

—¿Quién te ha hecho eso, Henry? ¿Quién te hace daño? Sabes que a mí puedes contármelo.

—¡Nadie! ¡Me caí! —gritó.

Se abrió una puerta de la parte de atrás del edificio y por ella salió Madelyn. Por la cara que puso, me di cuenta de que no le hacía ninguna gracia encontrarme allí hablando con su hijo.

—No le diga que le he dicho nada —me rogó Henry en voz baja.

—Es que no me has dicho nada —le recordé. Luego bajé la voz y añadí—: Por favor, necesito saberlo. Si me lo cuentas, puedo hacer que no vuelva a pasar.

Saltó del banco y se plantó delante de mí. Madelyn lo llamó desde la puerta y le pidió con insistencia que volviera.

—No puedo contarle nada —dijo—. Él nos ha dicho lo que hará si alguien se entera.

—Si se entera ¿de qué?

Miró a su madre y luego me miró otra vez a mí.

—Del daño que nos hace —dijo.

Suspiré; estaba consiguiendo que se abriera un poco. Confié en que su madre volviera a entrar en el edificio para poder seguir con nuestra conversación, pero el pobre niño parecía aterrorizado y atrapado en un dilema. Reparé en que quería huir de mí, pero al mismo tiempo también quería que no lo dejara irse.

—¿Y qué hará? —le pregunté—. ¿Qué ha dicho que hará si alguien se entera?

—¡Henry! —gritó Madelyn.

El niño se volvió hacia ella, pero antes de irse se inclinó y me habló al oído.

Hacía muchas, muchas décadas que no oía nada tan escalofriante.

6

Como es lógico, yo no tenía ningunas ganas de ver aquel documental, pero David y Edgar estaban muy interesados, y yo todavía me encontraba en ese punto de la relación con mi novio en que quería pasar con él todo el tiempo que pudiera.

La película se titulaba simplemente *Oscuridad*. Aunque había terminado hacía ya ocho años, la guerra seguía siendo un tema del que se hablaba a diario. Habían empezado a aparecer los primeros libros que analizaban lo ocurrido durante aquel período y los historiadores apenas estaban sentando las bases de las investigaciones que realizarían en las décadas venideras. Edgar, por supuesto, era uno de esos historiadores. Con el tiempo llegaría a especializarse en la Segunda Guerra Mundial, y su obra más famosa era un ensayo en tres tomos que ganó numerosos premios y lo convirtió en una celebridad en los círculos académicos.

Cuando se apagaron las luces, lo primero que pensé fue que cerraría los ojos e intentaría ignorar lo que sucediera en la pantalla, pero la voz en *off* arruinó mis planes, por supuesto. No tuve más remedio que mirar.

El principio era sencillo: hacía un repaso de los años que precedieron el Anschluss y seguía con Chamberlain llegando a Múnich para reunirse con Hitler, de donde regresó ingenuamente confiado en una «paz para nuestro tiempo»; luego venía la retirada de todos los pasaportes judíos y su posterior reimpresión con la letra «J» estampada con tinta roja. *Kristallnacht*. La invasión de Polonia. Tanques. Mítines.

Los hipnóticos discursos del Führer. El público, absolutamente centrado en el pasado reciente, aplaudía al ejército británico cada vez que aparecían secuencias de su partida a la guerra.

Poco después la acción se trasladaba a Obersalzberg, donde se encontraba el chalet de montaña de Hitler, el Nido del Águila, y nos mostraban secuencias de otra película, filmada por Leni Riefenstahl, en la que aparecían varios personajes importantes del Reich pasando el fin de semana allí. El propio Hitler, por supuesto. Himmler. Goebbels. Heydrich. Eva Braun. Una criada repartía copas de vino mientras un chico ataviado con el uniforme de las Hitlerjugend llevaba unas bandejas de queso y galletas saladas. En general, todos los miembros del grupo parecían estar disfrutando de su compañía. Si no hubiésemos sabido quiénes eran aquellas personas, lo que hacían y lo que harían en el futuro, habría parecido una alegre reunión de amigos que tomaban el fresco en la cima de una montaña mientras disfrutaban de la generosa hospitalidad de un magnánimo anfitrión. Pero fue allí, nos reveló el narrador, donde tuvieron lugar gran parte de las conversaciones relacionadas con la Solución Final. En la pantalla empezaron a aparecer esquemas. Esbozos de los barracones diseñados para alojar a los internos. Bocetos de las cámaras de gas. Dibujos de los crematorios.

El público guardaba silencio y, en algunas zonas del auditorio, varios espectadores se sorbían la nariz. Un par de personas se levantaron y se marcharon, incapaces de soportar lo que estaban viendo. Era lógico, pues muchos habían perdido a sus seres queridos.

—¿Estás bien? —me preguntó Edgar al cabo de un rato.

Como estaba absorta en las imágenes de la pantalla, me llevé tal susto que casi salto de la butaca.

—Sí, sí —le contesté—. ¿Por qué?

—Tus manos —dijo él.

Miré hacia abajo y vi que estaba apretando con todas mis fuerzas los brazos de la butaca. Entonces noté el dolor que hasta ese momento ni siquiera había percibido y las aflojé, estirando y doblando los dedos para que volviese a circular la sangre. No dije nada; miré a Edgar, esbocé una sonrisa y seguí mirando la pantalla, y él hizo lo mismo.

No tardaron en aparecer imágenes de trenes que transportaban a judíos de diferentes partes de Europa hacia su destino. Había caras que reflejaban miedo; otras, una confianza ingenua; las de los niños, angustia. Nos ofrecieron secuencias de su llegada a los campos y de cómo los soldados los separaban en diferentes grupos (los hombres a un lado, las mujeres y los niños al otro), siempre con los rifles preparados por si alguien desobedecía, mientras asomaba a las caras de las familias el anhelo desesperado por permanecer juntos.

No era agradable de ver, pero no podía apartar los ojos de la pantalla, ni dejar de pensar que yo había formado parte de aquello. Los hombres arrastrando los pies cuando se iban a trabajar por la mañana, la lenta y terrible marcha hacia las cámaras de gas, donde pasarían sus últimos momentos intentando respirar. El humo que salía de las chimeneas y dejaba unas cenizas funestas que descendían sobre los árboles y la hierba de los alrededores. Cuando vi la cara de desesperación de los internos, desvié la mirada, y entonces vi que David, sentado a mi lado, estaba llorando. Por sus mejillas resbalaban unas gruesas lágrimas que él se enjugaba de vez en cuando. Quise darle la mano, pero él me la apartó.

Y entonces, de pronto, la banda sonora de la película cambió y se tornó más alegre, y miré de nuevo la pantalla. La voz del narrador explicó que, cada cierto tiempo, los nazis lanzaban películas de propaganda cuyo propósito era mostrarle al mundo que los campos no eran lugares lúgubres, sino que, de hecho, a los «huéspedes» que se alojaban allí los trataban con suma amabilidad. En las imágenes aparecían niños jugando a la rayuela mientras hombres y mujeres sonreían y charlaban, conviviendo de forma en apariencia placentera mientras leían, tomaban el sol y socializaban. Mi desasosiego iba en aumento tras darme cuenta de que reconocía la localización donde se había filmado aquella parte de la película.

Era aquel otro sitio.

Un recuerdo largamente olvidado se removió en mi memoria: un día llegó a nuestro campo un grupo de cineastas, pero, antes de su visita, habían separado a los judíos que gozaban de mejor estado de salud y los habían aseado y alimentado para que pudieran interpretar con cierta verosimilitud su papel en aquella farsa. Yo estaba fascinada con el material cinematográfico: las cámaras, las jirafas, los focos. Aquello me hizo pensar que algún día tal vez pudiera ser una estrella de cine.

Y entonces cambió la voz en *off*.

Era la voz de Padre.

Mientras al pie de la pantalla aparecían los subtítulos en inglés, él explicaba que a los internos les daban tres comidas calientes al día, acceso a una biblioteca y una atención médica excelente. Hasta habían organizado una liga de fútbol, añadió. Aquélla era una de sus iniciativas, pues creía que era importante que todos se mantuvieran sanos y activos. Para corroborarlo, se mostraba a un grupo de jóvenes jugando al fútbol y se veía una pelota lanzada contra el fondo de una red; el jugador que había marcado el gol levantaba los brazos en señal de triunfo y corría a abrazar a sus compañeros de equipo. Si no querías ver más allá, todo aquello parecían escenas cotidianas.

Sin embargo, yo apenas podía respirar desde que había empezado a sonar la voz de Padre. Me fijé en que Padre tragaba saliva entre frase y frase, seguramente porque no estaba acostumbrado al micrófono, que quizá incluso lo intimidaba.

Lo vi por primera vez en la pantalla al cabo de un momento, cuando la cámara hizo un corte a nuestra casa. Padre estaba en su despacho, sentado detrás del escritorio. Yo había pasado infinidad de veces por delante de aquella habitación durante nuestra estancia allí, pero raramente había entrado porque él insistía en que estaba prohibido entrar bajo ningún concepto y sin excepciones. Entonces la escena volvió a cambiar. Ahora Padre estaba en el salón, y se me encogió el estómago al pensar en lo que vendría a continuación.

Y de pronto, ante una audiencia de más de mil personas, apareció toda mi familia sentada alrededor de la mesa del comedor: Padre, Madre, mi hermano y yo. Los cuatro brindábamos por nuestro amado Führer, Adolf Hitler. La cámara hacía una lenta panorámica y nos enfocaba uno a uno. Primero Padre, orgulloso y patriarcal. Luego Madre, hermosa, sobria y rebosante de calma. Y luego yo. Estaba muy erguida en la silla, deleitándome con la atención que me dedicaban, y miraba más allá de la cámara, donde, si no recuerdo mal, estaba Kurt observando la escena y deseando formar parte de ella. Contuve el aliento. ¿Y si David o Edgar me reconocían? Habían transcurrido once años, sí, y en aquellas imágenes yo sólo era una cría, pero aun así la posibilidad de que me reconocieran me aterrorizaba.

De pronto oí un sonido, un débil lamento parecido al de un animal que ha caído en una trampa. Era espeluznante, inhumano. Salía de allí cerca y, para mi sorpresa, vi que la gente torcía la cabeza y me miraba.

—Gretel —dijo Edgar con una voz que denotaba angustia, incluso temor—. Gretel, ¿qué te pasa?

Era yo quien emitía aquel sonido: surgía de lo más profundo de mi ser mientras yo miraba fijamente la pantalla y observaba la cara alegre de mi querido hermano pequeño, con una camisa y un chaleco de lana, comiéndose la cena tranquilamente, alzando la vista de tanto en tanto para mirar a la cámara y aguantándose la risa.

Mi hermano. Mi difunto hermano cuyo nombre yo no podía pronunciar.

—Gretel —dijo entonces David—. No hagas ese ruido, Gretel...

Pero era demasiado tarde para decirme nada. Ya me había levantado y avanzaba a trompicones por la fila, obligando a la gente a apartar las piernas para dejarme pasar. Abrí la puerta de la sala, salí al vestíbulo y, desde allí, a la calle.

Un autobús venía hacia mí.

Circulaba deprisa.

No había tiempo para pensar.

Me lancé contra él.

7

—¿Y qué te dijo el niño? —preguntó Eleanor inclinándose hacia delante y cogiéndome las manos.

Respiré hondo. Aquella frase se me había grabado en la mente durante días y me había causado una infame mezcla de pánico, rabia y terror. Pero la idea de decir aquellas espantosas palabras en voz alta me asustaba tanto como guardar silencio. Cerré los ojos; no quería ver la cara que pondría Eleanor cuando las articulara.

—Dijo que su padre le había dicho que si alguien se enteraba de lo que pasaba en su casa, una noche esperaría a que Henry y su madre se hubiesen quedado dormidos, los rociaría a los dos con gasolina y les prendería fuego.

—¡Madre mía!

Abrí los ojos. Eleanor había soltado el vaso de agua y se tapaba la boca con una mano. Tardó un poco en darse cuenta de lo del vaso, pero éste había caído sobre una alfombra vieja, así que cuando quiso ir a buscar un trapo a la cocina le hice un ademán para indicarle que no hacía falta.

—Tiene que ir a la policía, Gretel. Tiene que contárselo.

—Lo sé. Sé que es lo que debería hacer, pero...

—¡No hay pero que valga! ¡Ha amenazado con matarlos! —Subió mucho la voz, quizá como sólo podía subir la voz una mujer que había trabajado en las urgencias de un hospital y había visto el estado en que algunas mujeres y algunos niños entraban por aquellas puertas—. Siempre la misma historia. ¡Joder, es que siempre pasa lo mismo! Perdón... No quería decir palabrotas.

—No te preocupes.

—Los hombres matan a las mujeres porque no pueden controlarlas. Los hombres matan a los niños porque no soportan que sus mujeres los alejen de ellos. Es su forma de ganar. Tiene que contárselo a la policía y dejar que se encarguen ellos. Si no lo hace, ya sabe cómo acabará esto.

Asentí. Eleanor tenía razón, evidentemente. Pero me resistía a implicarme aún más en aquel espantoso drama familiar, y no sólo porque temía que una intervención por mi parte pudiera provocar a Alex Darcy-Witt e impulsarlo a cometer más actos violentos, sino porque había evitado toda interacción con el sistema judicial durante ocho décadas y la idea de tener que relacionarme con él a estas alturas no me atraía en absoluto.

—Si les pasara algo y usted no hubiera dicho nada —continuó Eleanor—, ¿cómo podría soportar el sentimiento de culpa?

La miré a los ojos. Aquella pobre chica no tenía ni idea del sentimiento de culpa que yo soportaba a diario.

—Gretel —dijo—. Gretel, ¿se encuentra bien? Lo siento, no quería asustarla, pero es que...

—No pasa nada, cielo. La culpa. Sí, claro, ahora lo veo.

«Dices que vives atormentada; bueno, pues ahora puedes aliviar ese dolor», me había dicho Kurt aquella última mañana en la cafetería de Sídney, sabiendo que yo nunca lo denunciaría a la policía porque, si lo hiciera, pondría fin no sólo a su vida sino también a la mía. «Dices que estás llena de arrepentimiento; pues líbrate de él. Mi vida está en tus manos.» Hacía décadas que le había enviado aquella carta a Cynthia Kozel, y no había pasado nada. Tal como yo había previsto, ella debía de haberla destruido.

Así que, pese a todas mis reservas, después de hacerle aquella confidencia a Eleanor ya no podía volver atrás, y me encontré caminando, u obligada a caminar, hacia la comisaría de Kensington Central, donde Eleanor le describió a grandes rasgos al agente del mostrador cuál era nuestra preocupación. Nos invitaron a sentarnos en la sala de espera, donde aguardamos casi una hora hasta que salió un joven que educadamente nos invitó a seguirlo por un pasillo desnudo hasta una sala de interrogatorios. Nosotras nos sentamos a un lado de la mesa y el agente, que se presentó como el inspector Kerr, se sentó al otro.

—Empecemos por sus nombres —dijo, y nosotras se los dimos—. ¿Y qué relación hay entre ustedes dos?

—La señorita Forbes es mi futura nuera —contesté, y detecté una inesperada nota de orgullo en mi voz al ofrecer esa información—. Se casará con mi hijo dentro de pocas semanas.

—¿Y trabaja usted, señorita Forbes? —preguntó el policía.

—Soy cardiocirujana.

El policía arqueó una ceja y se mostró debidamente impresionado.

—Y supongo que usted está jubilada, ¿no, señora Fernsby?

—Tengo noventa y un años, inspector, así que sí, supone usted bien.

Anotó nuestras respectivas direcciones y números de teléfono y sonrió.

—Veamos —dijo—. ¿Cuál es el motivo de su visita?

Era difícil escoger por dónde empezar, pero me pareció que lo mejor sería hacerlo por el principio, con la muerte del señor Richardson y la llegada de Alison Small, de Small Interiors.

—Me parece que no hace falta que se remonte hasta tan lejos, Gretel —señaló Eleanor con educación, pero el inspector Kerr negó con la cabeza.

—Cuantos más detalles pueda darnos, mucho mejor —dijo.

Eso me dio seguridad respecto a mi capacidad de relatar la historia, así que la expuse minuciosamente, ofreciendo todos los detalles que recordaba sobre todas las conversaciones que había mantenido con los tres miembros de la familia Darcy-Witt, así como mis diversas observaciones respecto a sus lesiones y sus respectivas interacciones. Mientras hablaba, vi que el policía se mostraba cada vez más preocupado, sobre todo cuando llegué a la parte donde Heidi salía del dormitorio de Madelyn y, en un momento de lucidez total, me pedía que llamara a una ambulancia. Al llegar al final de mi historia, no fui capaz de pronunciar las terribles palabras que Henry me había susurrado al oído y le pedí a Eleanor que las dijera por mí. Cuando lo hizo, el inspector se estremeció y me miró consternado.

—¿Es eso cierto, señora Fernsby? ¿Son éstas las palabras exactas que dijo el niño?

—Casi exactas. Eleanor ha dicho «que los quemaría a todos», y las palabras exactas de Henry fueron «que los rociaría a los dos con gasolina y les prendería fuego». Supongo que significa lo mismo, pero me imagino que prefiere que sea lo más precisa posible. Y «todos» lo incluye a él, claro. Mientras que «a los dos» se refiere únicamente a su mujer y a su hijo.

—Sí, es una distinción importante —convino él, y lo anotó—. ¿Y está absolutamente segura de que ésas fueron las palabras que empleó el niño?

Me miraba fijamente y yo sabía lo que estaba pensando. Estaba preguntándose si sería la típica Miss Marple, siempre en busca de algún misterio que resolver. O quizá sólo una anciana solitaria que se había inventado una historia horrible para atraer un poco de atención. Parecía de lo más razonable que el inspector pensara así. En caso contrario, no habría estado haciendo bien su trabajo, me dije. Pero yo sabía lo que había visto, sabía de qué había sido testigo, y sabía lo que Henry me había dicho.

El inspector Kerr siguió escribiendo en su libreta mientras Eleanor y yo aguardábamos en silencio. La miré y ella compuso una sonrisa alentadora y me dio un apretón en la mano. Entonces, como yo había anticipado, el inspector pasó a otra serie de preguntas, las que yo más temía.

—Si no le importa, ahora hablaremos un poco más de usted, señora Fernsby —dijo.

—Claro que no. ¿Qué necesita saber?

—Para empezar, ¿dónde nació? ¿Aquí, en Londres?

Titubeé, pero sólo un instante. Camino de la comisaría había decidido que sería del todo sincera. No ofrecería ningún dato innecesario, pero tampoco mentiría.

—No. Nací en Berlín. En 1931 —contesté.

—Ah. —Me miró sorprendido—. Nunca lo habría dicho. No tiene nada de acento.

—Me marché de Europa Central con quince años —dije con la esperanza de que no me preguntase por qué utilizaba una localización tan amplia en lugar de especificar un país o una ciudad.

Vi que hacía una serie de cálculos mentales y decidí ahorrarle la molestia de formular la pregunta.

—Cuando acabó la guerra —añadí—. Mi madre y yo nos marchamos en cuanto cesaron las hostilidades.

—Mi abuelo también luchó en la guerra —dijo él.

—¿Ah, sí? Espero que sobreviviera.

—Sí, sí. Sirvió en la RAF, la Real Fuerza Aérea.

Asentí con la cabeza, pero no seguí por ese camino. No me interesaba comparar batallitas.

—En fin —prosiguió—. Entonces ¿vino a Inglaterra en 1945? ¿O en 1946?

—No, mi madre y yo pasamos unos años en Francia una vez restablecida la paz. Cuando ella murió, me marché a Australia. Quería empezar de cero; estoy segura de que lo comprenderá. Pero aquello no era para mí. No aguanté ni un año.

—¿Puedo preguntarle por qué?

—¿Ha estado alguna vez en Sídney, inspector? —pregunté.

—No, nunca.

—Hace mucho calor. Lo encontré insoportable. Y la comida tampoco me gustaba.

Me pareció que me creía; tomó algunas notas más.

—Y su familia... —dijo con cautela—. Durante la guerra...

—¿Todo esto es relevante, inspector? —intervino Eleanor con educación, pero sin disimular su frustración—. Dudo que tenga nada que ver con lo que está pasando en casa de los vecinos de la señora Fernsby.

El inspector reflexionó. No parecía de esos hombres que se molestan porque una mujer los cuestione y, al cabo de un momento, hizo un gesto afirmativo.

—Sí, creo que tiene razón —dijo—. Lo siento, es que me gusta obtener un poco de contexto. Resulta que soy un apasionado de la historia. Y me interesa especialmente la guerra.

—Igual que mi marido —observé, rompiendo mi promesa de no ofrecer información innecesaria.

El inspector Kerr entornó los ojos y caviló un instante.

—Su marido no sería Edgar Fernsby, ¿verdad? —me preguntó, y yo asentí.

—Pues sí. ¿Lo conoce?

—Ya lo creo. Tengo todos sus libros. Era un excelente historiador.

—Qué ilusión me hace oírle decir eso.

—De hecho, lo conocí en persona —continuó—. En una feria literaria. Me firmó un libro.

—Inspector... —dijo Eleanor con un deje de desesperación.

Pero yo habría preferido que no nos interrumpiera; me habría encantado oír a aquel joven cantándole las alabanzas a mi difunto esposo un rato más.

—Sí, perdón. Volvamos a lo que nos interesa.

El inspector Kerr se enderezó y carraspeó.

—Lo más importante es asegurarnos de que el señor Darcy-Witt no entraña ningún peligro para su familia —continuó Eleanor, y yo confié en que no insistiera en el tema.

—Hablaré con él, por supuesto —dijo el inspector.

—¿Lo hará sin mencionar mi nombre? —pregunté inclinándome hacia delante—. Me gustaría involucrarme lo menos posible en todo esto.

—Lo intentaré, desde luego. —Le puso el capuchón al bolígrafo—. Pero no puedo garantizarle nada. ¿Considera que usted también se encuentra en peligro?

Lo pensé. La verdad era que sí, pero no estaba dispuesta a que Alex Darcy-Witt me obligara a salir de mi casa para irme a algún «refugio» o cualquier otro sitio que el inspector se estuviera planteando. Ya había cambiado de apellido muchas veces y no pensaba hacerlo ni una sola vez más.

—No, en absoluto. Tengo cerraduras de seguridad en mis puertas y si llama no lo dejaré entrar.

—Sí, creo que será mejor así —dijo él, y se levantó—. Ha hecho usted lo correcto al venir a vernos.

Nos estrechó la mano a las dos y nos acompañó por el pasillo, utilizando su pase de seguridad para abrir la puerta del fondo.

—¿Y su padre? —me preguntó entonces—. Supongo que su padre también participaría en la guerra, ¿no?

Negué con la cabeza y sonreí.

—Mi padre murió cuando yo era pequeña —dije.

Me despedí con un ademán y salí a la calle.

Me había propuesto no mentir y salí de allí con la sensación de haber cumplido mi promesa.

8

Me desperté en una cama de hospital. No recordaba por qué motivo estaba allí. Intenté incorporarme, pero al moverme sentí un fuerte dolor, así que me contenté con torcer ligeramente la cabeza y mirar a mi alrededor. En la sala había cinco camas más, pero sólo dos estaban ocupadas y las dos mujeres dormían. Al carraspear desperté a Edgar, que había estado durmiendo en una butaca a mi lado.

—¡Gretel! —exclamó con gesto de alivio.

Para mi sorpresa, me cogió la mano que reposaba sobre las sábanas, pero me la soltó en el acto.

—¿Qué ha pasado? ¿Qué hago aquí? —pregunté preocupada y confusa.

—Espera. —Se puso en pie de un brinco y salió con decisión al pasillo—. Voy a buscar a la enfermera. Ella te lo explicará todo.

Procuré quedarme muy quieta, pues el más mínimo movimiento me provocaba un dolor insoportable. Al cabo de un momento Edgar regresó con una joven enfermera.

—Hola, señorita Wilson —dijo—. Soy la enfermera Fenton.

—¿Dónde estoy? ¿Qué ha pasado?

—Sufrió un accidente. ¿No lo recuerda?

—Un poco.

El recuerdo de nuestra visita al cine empezaba a emerger lentamente, y también mi inesperada reacción.

—Por fortuna, no tiene lesiones de gravedad —continuó—. Sólo un tobillo y unas cuantas costillas rotas. También le hemos vendado una muñeca. Puede considerarse muy afortunada. Por lo visto el autobús se desvió justo a tiempo. Si no, habría podido matarla.

Ojalá lo hubiera hecho, así habría acabado con este infierno de una vez por todas, pensé. La enfermera anotó algo en su tablilla y me dijo que el doctor Harket pasaría a verme pronto.

—¿Cuánto tiempo tendré que seguir aquí?

—Supongo que otro par de días. No mucho más.

Se marchó. Me quedé mirando al techo hasta percatarme de que Edgar seguía de pie a mi lado. ¿Por qué él? ¿Dónde estaba David?

—Hoy David ha tenido que ir al trabajo —me dijo anticipándose a mi pregunta—. Nos hemos ido turnando.

—Os habéis ido turnando ¿para qué?

—Para hacerte compañía.

Le sonreí agradecida por su cariño, pero de todas formas me sorprendía que se hubiese tomado tantas molestias por mí. Entendía que lo hiciera David, por supuesto. Éramos novios. Pero ¿Edgar?

—Eres muy amable —le dije.

—Gracias.

—Estoy segura de que tenías cosas mucho mejores que hacer.

—Ninguna parecía más importante que esto —dijo él—. Estaba muy preocupado por ti.

Le sonreí; él estiró un brazo y volvió a apretarme la mano hasta que, un poco avergonzado, la retiró.

—Pero ¿qué te pasó? —dijo con ternura—. ¿Por qué saliste corriendo de aquella forma? ¿Te encontraste mal?

—Fue la película. Me alteró mucho.

—A todos nos alteró. Sobre todo a David, pero...

—No soporto el sufrimiento —continué—. Quiero decir que no soporto verlo.

—Te entiendo.

—Dime una cosa —dije—. Recuerdo que hubo un momento durante la película en que miré a David y lo vi muy angustiado.

—Claro. —Hizo una pausa y entonces añadió con vacilación—: Supongo que te lo habrá contado, ¿no?

—Que me habrá contado ¿qué?

—Lo de su familia.

—No me ha contado gran cosa. Sé que es huérfano, pero nunca me ha hablado de eso. Se lo he preguntado, pero evita el tema.

—En ese caso, no creo que me corresponda a mí contártelo.

Lo miré fijamente; mi inquietud iba en aumento.

—Sea lo que sea, me gustaría saberlo —dije.

Edgar se levantó, fue hasta la ventana y se quedó mirando la calle con el ceño fruncido; yo permanecí callada porque no quería meterle prisa. Al final se dio la vuelta y volvió a sentarse, esta vez en un lado de la cama, un gesto más íntimo de lo que yo esperaba. Aparté las piernas debajo de la sábana para dejarle sitio. Edgar rebosaba compasión. David era más complicado.

—David no es inglés —soltó por fin—. Al menos eso sí lo sabes, ¿verdad?

—No —dije sorprendida—. Siempre he dado por hecho que era londinense.

—Podría decirse que lo es, pero nació en Checoslovaquia. Salió de allí justo antes de que los nazis entraran en Praga. Entonces él sólo era un crío, tendría once o doce años. Sus abuelos habían decidido marcharse al ver lo que se avecinaba y se lo llevaron con ellos. Su hermana mayor estaba en el hospital; tenían que extirparle el apéndice, así que sus padres esperaron con la intención de marcharse con ella unas semanas más tarde. Pero no lo consiguieron, claro.

—¿Qué fue de ellos? —pregunté pese a que cualquiera habría adivinado la respuesta.

—Treblinka.

Asentí, volví la cabeza y contemplé a aquellas mujeres que dormían, deseando estar tan desconectada de la realidad como ellas.

—Así que sus abuelos lo trajeron aquí —continuó Edgar—. En realidad, él no recuerda gran cosa de su infancia.

Y si lo recuerda no habla de ello. O al menos no conmigo. Esto me lo contó hace años y nunca hemos vuelto a hablar del tema. Yo se lo he sacado un par de veces, pero él se cierra en banda. Me he preguntado a menudo si tú lo sabrías.

—No, no sabía nada —dije, aunque no estaba segura de que fuese verdad del todo. ¿No había una parte de mí que lo había sospechado desde el principio y que simplemente no había tenido el valor suficiente para enfrentarse a ello?

—A lo mejor no debería habértelo contado. Pero, al ver cómo te afectaba la película, pensé que quizá debía hacerlo. Si lo hubiese hecho él, lo habría entendido, pero ¿tú? Podrías haber muerto, Gretel. ¿Por qué lo hiciste? Uno de los testigos del accidente...

Hizo una pausa y negó con la cabeza.

—¿Qué? Uno de los testigos ¿qué?

—Dijo que le había parecido que lo hacías adrede. Que te lanzabas contra el autobús. Como si... Como si quisieras que te atropellara.

Volví a mirar al techo, de un blanco grisáceo deprimente y cuajado de grietas. Parecía la última cosa en la que uno se fijaría en un momento así, pero no podía dejar de pensar en que debía de hacer mucho tiempo que no lo pintaban. Las lágrimas empezaron a resbalar por mis mejillas. Me las enjugué tan aprisa como pude.

—No es cierto —dije por fin—. Estaba desorientada, Edgar, nada más. Y abrumada.

—Eso es justo lo que yo esperaba oír —replicó con alivio—. ¿Por qué razón iba a intentar algo así una persona como tú?

—¿Una persona como yo?

—Una persona tan maravillosa —dijo—. Eres inteligente, simpática, guapa. Extremadamente fascinante. No tienes ningún motivo para no querer vivir. A menos que haya algo que yo no sepa, claro. —Me miró a los ojos; parecía un poco abochornado—. Qué tontería acabo de decir —añadió al comprender que yo no tenía intención de responder—. En realidad, apenas te conozco, ¿no? Hay muchas cosas de ti que no sé. —Vaciló y añadió con la voz un poco quebrada—: Infinidad de cosas. Pero me gustaría saberlas.

Lo miré sorprendida por el tono íntimo de sus palabras y entonces lo vi en sus ojos. «Oh, Edgar», me dije, y desvié la mirada. Jamás me habían mirado así, ni Kurt, ni Émile, ni siquiera David, pero lo reconocí sin dificultad.

Y pensé que eso nunca le había hecho ningún bien a nadie.

9

Encontré el paquete en el suelo, delante de mi puerta, envuelto en lo que parecía un papel de regalo muy caro, con una cinta alrededor y un bonito lazo en lo alto. Llevaba pegada una pequeña etiqueta con las palabras «Gretel Fernsby» escritas con una caligrafía que no reconocí. Lo cogí y lo miré sin saber quién podría haber dejado una cosa así allí ni por qué. No era mi cumpleaños —todavía faltaban varias semanas— y no recordaba haberle hecho ningún favor a nadie últimamente. Saqué las llaves del bolso y me dispuse a entrar cuando se abrió la puerta de Heidi y ella asomó la cabeza.

—Gretel —dijo casi sin aliento—. Por fin. Estaba esperándote.

—¿Qué pasa? ¿Va todo bien?

Me hizo señas para que entrara en su casa y la seguí a regañadientes. Estaba deseando sentarme delante del televisor y relajarme, pero no pude negarme. Dejé el regalo, fuera lo que fuese, en una mesita y seguí a Heidi hasta el salón, donde ella se paseaba arriba y abajo con nerviosismo.

—Pero ¿qué pasa? —insistí.

—Es Oberon. Dice que no, que no puedo ir a Australia con él.

—Pues eso es una buena noticia, ¿no? —Me senté y le hice una seña para que se sentara ella también—. Porque tú no querías ir.

—Sí, pero dice que irá él solo. ¿Y quién cuidará de mí?

—¿Tú crees que ahora cuida mucho de ti?

—Bueno, viene a verme —dijo, siempre reacia a aceptar ni la más pequeña crítica contra su nieto.

—No muy a menudo, que yo sepa.

—Pero él es lo único que tengo. Edgar y tú sois muy buenos, claro, pero...

—Edgar ya no está con nosotros, Heidi —la corregí—. ¿Te acuerdas?

—Ah, sí. Está en un congreso, ¿verdad? En Nueva York, ¿no es cierto?

Dije que sí con la cabeza. De nada habría servido sacarla de su error.

—Lo echaré mucho de menos y estoy un poco preocupada, ¿entiendes? —continuó.

—Claro, es lógico. Tendrás que adaptarte a la nueva situación, pero todo irá bien, te lo prometo. Tú y yo nos cuidaremos la una a la otra. No dejaremos que nadie nos eche de Winterville Court contra nuestra voluntad. Hace poco Caden intentó lo mismo conmigo, pero lo mandé a paseo con una buena reprimenda.

Y con un talón de cien mil libras, claro, pero eso decidí no mencionarlo.

Mis palabras no parecieron tranquilizar a Heidi, que se diga, pero yo no podía hacer mucho más.

—Bueno, ha decidido que lo mejor es que haga una inversión en la casa —explicó al cabo de un momento.

—¿Quién lo ha decidido?

—Oberon.

Fruncí el ceño y miré a mi alrededor; el salón apenas había cambiado en los años que yo llevaba entrando y saliendo del piso de Heidi. ¿Por qué demonios quería Oberon hacer una inversión en la casa? ¿Y qué clase de inversión?

—No lo entiendo —dije—. ¿Qué quiere, pintar el piso? ¿Comprar muebles nuevos?

—No. —Heidi negó con la cabeza—. A ver si te lo sé explicar. Dice que puedo venderle el piso a un «tercero» y darle parte del dinero a él para que se compre una casa en Sídney, pero que yo podré seguir viviendo aquí hasta que me muera y no tendré que pagarle a nadie ni un penique. El piso seguirá siendo mío. Al menos eso me ha contado. ¿Qué te parece?

—Una hipoteca inversa —la corregí. Había leído algo sobre esos planes en los periódicos y siempre había pensado que eran obra de sinvergüenzas y estafadores—. Y eso ha sido idea suya, ¿no?

—Dice que es una buena forma de rescatar... —Hizo una mueca mientras trataba de recordar la palabra.

—¿El patrimonio neto? —sugerí.

—Sí, eso es. Una buena forma de rescatar el patrimonio neto.

—Y dárselo a él.

—Yo no soy muy de echar cuentas. —Se encogió de hombros—. ¿Te importaría comentárselo a Edgar y preguntarle qué opina? Ya sé que esto me hace parecer muy anticuada, pero creo que a los hombres se les dan mucho mejor estas cosas que a las mujeres, ¿no?

—Pues no, la verdad. Pero si prefieres que te aconseje él, se lo contaré y te diré lo que opina, claro que sí. Aunque ya te adelanto que me extrañaría mucho que él lo aprobara.

—Gracias, Gretel. —Nos levantamos y Heidi me acompañó hasta la puerta—. Eres una amiga estupenda. Siempre estás pendiente de mí, ¿verdad que sí? Desde el día que llegaste a esta casa.

Y era cierto. Había puesto empeño en ello.

—Sin ti estaría perdida —añadió con melancolía.

Hice algo insólito en mí: me incliné y la besé en la mejilla; luego crucé el pasillo y volví a mi piso, donde encendí el hervidor para prepararme un té. Fui hasta la ventana y miré hacia abajo esperando encontrar a Henry leyendo en un banco, pero el jardín estaba vacío. Entonces oí abrirse la puerta de atrás del edificio y esperé para ver si aparecía, pero no: fue Madelyn quien salió, con un chándal amarillo chillón. Todavía no nos habíamos cruzado desde que ella había vuelto del hospital, y no me había atrevido a pasar por su casa después de haber ido a declarar a la comisaría unos días atrás.

La vi caminar hasta el centro de jardín; una vez allí se detuvo, echó la cabeza hacia atrás, cerró los ojos y se quedó quieta, respirando el aire fresco. Entonces extendió los brazos y empezó a girar muy despacio sobre sí misma; dio una vuelta, y otra, y otra, hasta que se tambaleó un poco (mareada, supongo) y se sentó en el suelo en la posición del loto. Puso las manos sobre las rodillas y permaneció inmóvil. Pensé que debía de estar practicando yoga, algo que yo nunca había probado. Me quedé mirándola y pensando cómo sería volver a ser joven y ágil, hasta que oí el clic del botón del hervidor; me di la vuelta y fui a la cocina a calentar la tetera.

Unos minutos más tarde, cuando ya me había sentado, me acordé de aquel paquete inesperado que alguien había depositado delante de mi puerta y que me había dejado en casa de Heidi. Pese a que no tenía ningunas ganas de volver allí, sí me intrigaba saber qué contenía el paquete, así que crucé de nuevo el pasillo y llamé a la puerta.

—Me parece que me he olvidado una cosa —dije cuando me abrió, y señalé el paquete, que estaba encima de la mesita.

—Ay, Gretel —dijo ella contenta de verme—. Cómo me alegro de que hayas venido. Estaba muy preocupada. Es que Oberon dice que no puedo ir a Australia con él.

—Sí, querida, lo sé —dije, y di un suspiro—. Ya hemos tenido esta conversación. Voy a hablar con Edgar del asunto, ¿te acuerdas?

—Ah, sí —repuso ella nada convencida, y disgustada de que yo me diera la vuelta y volviera a mi piso.

Tratando de no sentirme demasiado culpable, me despedí de ella otra vez y me metí en mi casa.

Me senté, retiré el lazo y la cinta y empecé a desenvolver con cuidado el papel de regalo. Era tan bonito que decidí guardarlo para cuando tuviese que hacerle algún obsequio a alguien. Me pregunté si me lo habría enviado Caden, pero decidí que no, porque, en ese caso, en la etiqueta habría puesto «Para Madre». Luego pensé en Eleanor, pero estaba segura de que ella habría escrito «Para Gretel». Sin embargo, en cuanto retiré el papel y vi lo que había dentro supe que no podía haber sido ninguno de los dos.

Alguien, un «tercero» anónimo, para usar el lenguaje de Oberon, me había enviado un libro.

Lo sostuve ante mí con manos temblorosas mientras intentaba entender su significado y leí el título atentamente: *La Solución Final: El plan de Hitler para exterminar a los judíos*.

Nerviosa, lo abrí y lo hojeé. No se trataba de una obra de divulgación, como los libros que escribía Edgar, sino de un texto académico, aunque tenía dos juegos de fotografías que ocupaban ocho páginas cada uno, colocados al cubrirse el primer y el segundo tercio del volumen. Las repasé rápidamente y no tardé en encontrar la cara de mi padre; entonces cerré el libro con un golpazo tan fuerte que yo misma me sobresalté. Y en ese preciso instante sonó el teléfono. Lo miré, deseando que parara de sonar, pues lo único que quería era que me dejaran sola para comprender el significado de aquel extraordinario mensaje; pero el teléfono seguía sonando y los timbrazos eran tan insistentes que no tuve más remedio que contestar.

—¡Diga! —dije con enojo por el auricular.

Hubo un silencio que se prolongó unos diez segundos; entonces oí un carraspeo y, a continuación, una voz.

—Sólo quería saber si había recibido mi regalo —dijo Alex Darcy-Witt—. Pensé que le traería buenos recuerdos.

10

El día que iban a darme el alta del hospital, David apareció por la mañana con un ramo de flores y una gran sonrisa. Me había visitado regularmente, igual que Edgar, pero por su horario de trabajo y por lo difícil que era mantener una conversación privada en la sala, había sido casi imposible tener un poco de intimidad. Yo seguía un tanto dolorida, y el doctor Harket, que me resultaba altivo y a quien no parecían importarle mucho mis lesiones, me había recetado analgésicos de mala gana, pero cuando me incorporé en la cama para besar a David fue como si todo el dolor desapareciera por completo. Estaba impaciente por ir a su casa y estar juntos en la cama, que a mi entender era donde siempre lo pasábamos mejor.

—He tenido una idea —me dijo; se lo veía menos seguro de sí mismo que otras veces—. No me parece bien que tengas que cuidar de ti misma hasta que estés curada del todo. Necesitas ayuda.

—Ah, no te preocupes. —Descarté su preocupación por mi bienestar—. De todas formas, dentro de una semana volveré al trabajo. ¿Han preguntado por mí?

—Todos los días. Pero no debes preocuparte por eso. Me han pedido que te diga que puedes tomarte todo el tiempo que necesites para recuperarte. Así que he pensado que, mientras tanto, a lo mejor querrías instalarte en mi casa.

Lo miré sorprendida. Su expresión delataba cierta timidez, cierto temor a que yo lo rechazara.

—¿En serio? —pregunté.

—Sí.

—No esperaba que me lo propusieras.

—Bueno, ya me conoces. Soy una caja de sorpresas.

Lo pensé un momento.

—Pero no estamos casados.

David se encogió de hombros.

—¿A ti te importa mucho?

La verdad era que no. Después de todo lo que había visto en la vida, no se me ocurría nada más banal que el hecho de que un pedazo de papel confirmara mi relación legal con David, ni nada menos importante que las objeciones morales que pudieran ponernos los desconocidos.

—¿Y los vecinos de tu edificio? ¿Lo aprobarán? —le pregunté.

—¿Qué más da? Por mí pueden opinar lo que quieran. Por favor, estamos en 1953, no en el siglo diecinueve. Además, si algún día nos casamos, ¿tú no quieres que nuestro matrimonio dure para siempre?

—Claro que sí.

—Entonces, lo mejor es que primero lo probemos. Que veamos si estamos hechos el uno para el otro. Nunca se sabe, podría sacarte de tus casillas mi forma de comer, de reír o de roncar.

Me hacía muchísima ilusión irme a vivir con él, pero al mismo tiempo estaba nerviosa, porque, hasta entonces, ambos le habíamos ocultado gran parte de nuestro pasado al otro. Dudaba que pudiese tomar una decisión tan importante como aquélla sin haberme sincerado del todo con él. No les había contado la verdad ni a Émile ni a Cait. Y desde luego jamás le había confesado los horrores de mi pasado a ningún judío.

En realidad, la única persona con la que había mantenido una conversación sincera sobre aquello era Kurt.

—¿Qué pasa, Gretel? —preguntó David al percibir mi vacilación.

Creo que él esperaba que yo me lanzara a sus brazos ante la posibilidad de jugar con él a las casitas. Al fin y al cabo, siempre le había dado a entender que deseaba que tuviésemos un futuro juntos.

—Nada. Es sólo que...

—¿Sólo que qué?

Antes de que pudiese continuar, la enfermera Fenton apareció y me comunicó que el doctor Harket tenía que hablar un momento conmigo antes de darme el alta. David asintió y, un poco dolido al ver que su proposición no me había entusiasmado tanto como él esperaba, salió al pasillo, mientras que yo me quedé sentada en la cama preguntándome qué era lo mejor que podía hacer. Al cabo de unos minutos llegó el médico.

—¿Cómo se encuentra, señorita Wilson? ¿Lista para volver a casa?

Corrió la cortina alrededor de la cama para que tuviésemos cierta intimidad, aunque en realidad no tenía mucho sentido, pues de todas formas las pacientes que estaban en las otras dos camas podían oír nuestra conversación.

—Estoy mucho mejor —le contesté, y me incorporé; procuré disimular cualquier dolor que sintiera por si él insistía en alargar mi estancia en el hospital—. Todavía me duelen un poco las costillas, pero no tanto como ayer, y el tobillo...

—Le daremos una muleta cuando salga —dijo—. No tendrá que utilizarla mucho tiempo, pero la ayudará a caminar mientras se cura el hueso. Por cierto, ¿quién es el joven que está en el pasillo, si no le importa que se lo pregunte?

—¿Es importante?

—Sí. Si no, no se lo preguntaría —dijo él con una aspereza que me sorprendió.

—Es un amigo mío —le dije, sin comprender por qué le importaba tanto la identidad de David.

—Querrá decir su novio.

—Sí.

—Entiendo. —Volvió la cabeza en esa dirección, a pesar de que la cortina le impedía ver el pasillo—. Y su amigo y usted no están casados, ¿verdad?

—No. ¿Por qué? ¿Hay algún problema?

—Por lo visto se ha relajado usted mucho con su virtud, ¿no, señorita Wilson? Como tantas otras jóvenes de su generación, por supuesto. Desde que terminó la guerra, todo se ha ido al garete. Pero yo no soy nadie para juzgar.

Me quedé mirándolo sin entender ni una palabra de lo que estaba diciendo. Él se dio cuenta de mi confusión y miró al techo, al parecer molesto por mi ingenuidad.

—Está embarazada, señorita Wilson —dijo tras lanzar un suspiro—. Va a tener un bebé.

Guardé silencio. Aquello era lo último que esperaba oírle decir.

—¿No lo sabía? —me preguntó arqueando una ceja—. ¿No sospechaba nada?

—No.

—Me preguntaba si todo esto... —E hizo un vago ademán hacia mí—. Ha sido un torpe intento de deshacerse del niño.

—Por supuesto que no —dije en voz baja mientras trataba de calcular qué podía significar aquello para mí, para David y para nuestro futuro juntos—. Le prometo que no.

—Porque la mayoría de las mujeres sospechan cuándo pueden estar embarazadas. Se producen cambios físicos muy obvios.

—Bueno, pues yo no había notado nada. —Estaba empezando a enfadarme—. ¿De cuánto estoy?

—De unos pocos meses —contestó él—. Todavía le queda por delante el tiempo suficiente para que ese joven la convierta en una mujer honrada y reconozca a su hijo. La enfermera Fenton le dará una cita con el obstetra. Cuanto antes la vea, mejor, por supuesto. Puede considerarse afortunada, señorita Wilson, de que el bebé no haya sufrido ningún daño por culpa de su imprudencia. O desafortunada, dependiendo de lo que uno piense de estas cosas.

Descorrió la cortina y miró hacia donde estaba David, que se levantó de la silla del pasillo de inmediato. Me pareció muy guapo allí plantado, con el ramo de flores todavía en las manos. Años más tarde, cuando supe que estaba embarazada de Caden y fui a darle la noticia a Edgar, por alguna razón me acordé de aquellas flores. Eran dalias. Y desde entonces siempre las he odiado.

—¿Quiere que se lo diga yo? —me preguntó el doctor Harket—. Quizá sea más fácil que otro hombre le dé la noticia, ¿no le parece? No nos gustaría que se pusiera a gritarle en medio de la sala. Hemos de pensar en las otras pacientes.

—¿Por qué iba a gritarme? —repliqué anonadada.

—Por lo tremendamente estúpida que ha sido —me contestó.

Si hubiese estado en plenas facultades físicas, le habría dado un bofetón. Evidentemente, él creía que aquello sólo era culpa mía, que me las había ingeniado para concebir un hijo sola, para seducir a un pobre inocente que, antes de que apareciera yo en su vida, no tenía ni idea de qué era una mujer. Pero no podía concentrarme en dirigir mi ira hacia el médico. Me sentía muy mal. Me había jurado que nunca tendría hijos: consideraba que era mi deber poner fin al linaje de mi padre.

—Gracias, pero prefiero decírselo yo —dije con frialdad.

Él me miró con reproche.

—Como usted quiera.

Se marchó y David volvió a entrar en la sala.

—¿Qué, podemos irnos? —me preguntó.

—Sí. Dame cinco minutos para vestirme —contesté, y me levanté.

—¿Vamos a mi casa? —me preguntó con optimismo.

Hice una pausa antes de responder:

—Primero pasaremos por la mía. Tenemos que hablar de una cosa. Y no es ninguna tontería. Después, si todavía quieres que me vaya a vivir contigo, iré. ¿Te parece bien?

—Parece importante —dijo arrugando la frente.

—Sí, lo es. Pero prefiero hablar cuando estemos solos.

—Claro —dijo él—. Pero te prometo, Gretel, que nada de lo que me digas podría disuadirme de estar contigo. Yo también quiero contarte cosas. Sobre mi pasado. Sobre mi familia. Ya sé que no siempre he sido franco respecto a ellos, pero es un tema difícil para mí. Yo te contaré mi historia y tú puedes contarme la tuya. Y después empezaremos de cero. Empezaremos una nueva vida juntos. ¿Estás de acuerdo?

Asentí con la esperanza de que resultara tan sencillo como él lo estaba describiendo, pero en el fondo sabía que las cosas no funcionaban así.

11

No había alternativa: tenía que enfrentarme a él.

Me levanté temprano y fui a dar un largo paseo por Hyde Park para aclarar mis ideas, y después me vestí como si me preparara para presentarme ante un tribunal donde yo sería la fiscal y él el acusado. Me miré en el espejo de cuerpo entero de mi dormitorio. Percibí toda la serenidad y el vigor que puede transmitir una mujer de más de noventa años, y el conjunto me pareció bastante satisfactorio, pues quería aparentar fuerza pero también una pizca de vulnerabilidad. Fuera lo que fuese eso que Alex Darcy-Witt sabía sobre mí, o lo que creía saber, era imperativo para mi supervivencia, por no mencionar la supervivencia de Caden, que no pudiese compartir con nadie lo que había descubierto.

Madelyn abrió la puerta. Se mostró inexplicablemente contenta de verme y, a mi pesar, se abalanzó sobre mí y me dio un fuerte abrazo. No soy nada partidaria de las muestras de afecto físicas, y me quedé rígida mientras ella, mucho más alta, me envolvía en sus brazos.

—¡Gretel! —exclamó cuando por fin se separó de mí, y yo me pasé una mano por el vestido para alisar las arrugas que pudiera haberme hecho—. ¡Cuánto me alegro de verla! Me moría de ganas de subir a cotillear un rato con usted.

—Yo también me alegro de verte, Madelyn —repliqué mientras me preguntaba si aquella exagerada muestra de afabilidad estaría inducida por los medicamentos. Pasar la tarde con una amiga bebiendo vino, trenzándole el cabello y comentando los divorcios de los famosos no era una actividad que yo hubiera practicado mucho—. Pero en realidad he venido a ver a tu marido. ¿Está en casa?

—Ahora mismo no. —Miró a su alrededor y se llevó un dedo al labio inferior, como si no estuviese del todo segura de si lo que acababa de decir era cierto o sólo lo que él le había ordenado que debía decir si venía alguien—. Pero llegará en cualquier momento. ¿Quiere pasar y esperarlo dentro?

Decidí aceptar la invitación. Si volvía a mi casa y me quedaba esperando sola, me pondría más nerviosa y lo único que haría sería perder el tiempo mirando por la ventana por si veía llegar su coche o un taxi. Además, así tendría ocasión de hablar un poco con ella. Crucé el umbral y, una vez más, pensé que el piso parecía el vestíbulo de una galería de arte. Me pregunté cómo se las ingeniaba Madelyn en su día a día para ir de una habitación a otra sin romper nada.

—Siéntese, por favor —me dijo mi vecina, y yo la obedecí y me senté en el sofá, como el día que nos habíamos conocido.

—¿Ya te encuentras mejor? —le pregunté cuando se sentó en el sillón enfrente de mí.

—Ah, sí —dijo, y asintió enérgicamente con la cabeza—. Mire, Gretel, fue todo un terrible malentendido. Lamento muchísimo que se viera usted involucrada. Me muero de vergüenza. Dice Alex que soy una idiota por no haberme dado cuenta de que me estaba tomando demasiados somníferos. Lo que pasó fue que tardaron mucho en hacerme efecto, ¿me explico? Por eso seguí tomando más. Al final perdí la cuenta.

—Tu marido es todo corazón, ¿no? Creía que sería un poco más comprensivo con alguien que acaba de salir del hospital.

—Dice Alex que he de comprar una de esas cajitas, ya sabe, esas de plástico con los días de la semana —continuó, como si yo no hubiese dicho nada—. Puedes separar la medicación en los compartimentos, y así no te equivocas.

—Sí, las conozco —dije—. Yo también tengo una.

—¿Está usted enferma? —me preguntó muy preocupada.

—Tengo noventa y un años. —Esbocé una sonrisa—. Las mujeres de mi edad necesitamos un poco de ayuda para aguantar todo el día en pie.

—Usted no es vieja, Gretel —insistió ella, y yo miré al techo.

—Soy la mismísima definición de «vieja», Madelyn —la contradije—. Seamos sinceras.

Entonces dejó de reír y se quedó compungida.

—Alex dice que hablo demasiado —dijo al cabo de un momento.

—Pero ¿se puede hablar demasiado? Al fin y al cabo, si tienes algo que decir...

—Alex dice que tendría que pensar antes de abrir la boca.

—Alex dice muchas cosas, ¿no?

—Y que a nadie le interesa oír las tonterías que me pasan por la cabeza. Que me pongo en ridículo y lo pongo en ridículo a él cuando empiezo a cotorrear como si fuera una lunática. Creo que tiene razón. Estoy intentando mejorar en estas cosas.

Oí ruido en el pasillo y apareció Henry, descalzo, con pantalón corto y una camiseta que llevaba estampada la ilustración de la cubierta de una edición de *La vuelta al mundo en ochenta días* de Julio Verne. Se sobresaltó al verme, y no me extrañó, porque tenía un ojo morado. Lamento decir que no me sorprendió en absoluto.

—Te he dicho que te quedaras en tu habitación, Henry —dijo Madelyn.

Se levantó y fue derecha hacia él.

—Hola, señora Fernsby —saludó el niño muy afligido.

—Hola, Henry. Veo que has vuelto a ir a la guerra. Bueno, ¿y cuándo no? Pareces un caballero medieval, siempre peleándote con los campesinos que encuentras en tu camino.

Instintivamente se llevó una mano al ojo izquierdo, que debía de dolerle, pero no llegó a tocárselo; volvió a bajar la mano y agachó la cabeza.

—Es sonámbulo y chocó contra la puerta del cuarto de baño —explicó Madelyn—. ¿Se lo puede creer?

—No, para nada —contesté.

—Vuelve a tu habitación, Henry —dijo, pero él ignoró a su madre y se señaló la camiseta.

—¿Ha leído este libro, señora Fernsby? —me preguntó.

—Sí. Hace muchos años. Y también leí *Veinte mil leguas de viaje submarino*, del mismo autor.

—Me gusta ese título —dijo él.

—Mira, es posible que tenga un ejemplar arriba. Luego lo miraré y, si lo encuentro, te lo puedo prestar.

—Vete a tu cuarto, Henry —repitió Madelyn subiendo la voz sin que hubiera ninguna necesidad.

Ahora la obedeció. Oí cerrarse la puerta del dormitorio.

—No hacía falta que le gritaras así, querida —dije—. Sólo estábamos hablando, nada más. Es una suerte que le gusten los libros, ¿no crees? La mayoría de los niños que veo por la calle últimamente van mirando el teléfono. Es esperanzador que todavía haya niños a los que les gusta leer.

—Es que no obedece —replicó frotándose los ojos, como si estuviera harta de su hijo, de su vida, de aquel frustrante universo donde estaba condenada a pasar los días—. Dice Alex que necesita más disciplina y que soy demasiado blanda con él.

—Me parece que no estoy de acuerdo. Ni con una cosa ni con la otra, vaya.

—Usted no lo entiende —masculló.

—Te equivocas, lo entiendo perfectamente. Acuérdate de que yo también tengo un hijo.

—Hoy en día los niños son diferentes —repuso—. Dice Alex que, cuando él era pequeño, si se pasaba un poco de la raya, su padre le hacía arrepentirse en el acto, y que esa severidad fue lo que lo convirtió en la clase de hombre que es ahora.

—¿Y qué clase de hombre es ahora? —pregunté.

Madelyn me miró y frunció el ceño.

—¿Qué quiere decir?

—Es una pregunta muy sencilla. ¿Qué clase de hombre es tu marido? ¿Es un buen hombre?

Me miró de hito en hito, sin saber qué decir.

—Sólo te lo pregunto porque da la impresión de que le tienes mucho miedo —continué.

—¿Miedo? —Rió un poco recurriendo a todas sus dotes de actriz, y la verdad es que no le habrían dado ningún premio—. ¿Por qué iba a tenerle miedo?

—Bueno, Henry se lesiona mucho, ¿no? ¿Y no debería estar en el colegio ahora? Son las once de la mañana y es martes.

—Alex dice que es mejor que se quede en casa hasta que se le cure el ojo.

—Pero ¿cómo? ¿Le impide ir a clase un ojo morado?

—Sólo quiere que le baje un poco la inflamación —dijo desviando la mirada. Tenía las manos fuertemente entrelazadas y no paraba de mover los dedos.

—Primero un brazo roto, luego unos cardenales y ahora un ojo morado —dije—. Ah, y también una quemadura, ¿verdad? Y tú también has tenido algunos percances, ¿no?

Me miró y negó con la cabeza.

—Estoy bien —aseguró.

—No te creo. Imagino que si te quitaras ese jersey, que es demasiado grueso para este tiempo, te vería unos cuantos cardenales en los brazos. ¿Me equivoco?

Antes de que pudiera responderme, se oyó girar una llave en la cerradura de la puerta y entró Alex. Se detuvo un segundo y nos miró primero a una y luego a otra; entonces suspiró un poco, como si admitiera que aquel momento, en el fondo, era inevitable.

—Señora Fernsby —dijo, claramente harto de verme una vez más en su campo de visión—. Cuánto me alegro de verla. ¿Ha venido de visita? ¿Otra vez?

—He venido porque me gustaría hablar con usted, señor Darcy-Witt. —Me levanté y me erguí cuan alta era—. En privado, a ser posible.

Me pareció que casi admiraba mi valor.

—Por lo visto no tengo elección —observó—. ¿Un paseo por el jardín, quizá?

—Perfecto.

Pasé a su lado, salí al pasillo y lo precedí hasta la puerta trasera. Él no me siguió de inmediato, y lo oí hablar en voz baja con Madelyn. Me habría gustado saber qué decían, pero seguí caminando. Al abrir la puerta, el sol me deslumbró un instante. Hacía una tarde de primavera preciosa, de esas que deberían estar llenas sólo de recuerdos felices.

12

Era difícil saber por dónde empezar, pero escogí Berlín, mi ciudad natal y el lugar donde había vivido doce años hasta que una noche vino a cenar a casa un invitado con su acompañante femenina e informó a Padre de su nuevo destino, y mi vida, y la de toda mi familia, cambió para siempre.

—¿En Berlín?

David se dejó caer en un sillón de mi dormitorio. Me senté enfrente de él, en la cama, e hice todo lo posible por controlar mis temblores. No quería mirarlo a la cara mientras hablaba. No soportaba la idea de ver cómo su amor se desvanecía poco a poco. Era más fácil narrar mi historia en voz alta fingiendo que la habitación estaba vacía.

—Pero si me dijiste que habías nacido en Francia.

—Lo sé, pero te mentí. La verdad es que nunca estuve en Francia hasta 1946, pocos meses después de que acabara la guerra.

—Pero viviste en Ruan, ¿no? ¿Eso sí es verdad?

—Sí, unos seis años. Más tarde. Pero el primer año mi madre y yo nos quedamos en París. No nos marchamos a Ruan hasta que ya resultó imposible permanecer más tiempo en la capital. Y nada más fallecer mi madre me marché a Australia.

—Muy bien —dijo David, y asintió con la cabeza—. Entonces eres alemana.

Había un ápice de sospecha en su voz, de desaprobación mezclada con miedo.

—Sí —admití—. Aunque no he vuelto allí desde 1946. Ni tengo intención de regresar.

—Entonces ¿no pasaste la guerra en Alemania?

—No, no toda.

Eso pareció tranquilizarlo.

—Es decir, que saliste —dijo—. No participaste en aquello. Eso demuestra que tu familia fue muy valiente. Si os hubieran capturado...

—Espera, David. Déjame hablar.

—Es que yo también sé algo de esto. —Se inclinó hacia delante e intentó cogerme las manos, pero yo las aparté—. Ya sé que no te he hablado mucho de mi familia, pero debería hacerlo. Es importante que sepas lo que les pasó.

—Ya sé algo —dije—. Al menos sé lo de tus padres y tu hermana. Lo de Treblinka.

Se quedó mirándome con gesto de incredulidad.

—¿Cómo has...?

—Lo hizo con la mejor intención, créeme. Si me lo contó fue porque sabía que yo estaba preocupada por ti, porque nunca me hablabas de ellos ni de lo que había sucedido. Y entonces, aquella noche, cuando fuimos a ver aquella película horrible...

—¿Quién tenía la mejor intención? —Me cortó subiendo un poco la voz—. ¿Quién te contó todo eso?

—Edgar —dije.

Se tensó y en su semblante se mezclaron la incredulidad y el enfado.

—¿Edgar te contó lo de mi familia?

—No todo. Sólo me hizo un resumen de la historia. Siento mucho lo que te pasó, David.

Se quedó un rato callado, reflexionando sobre mis palabras.

—No debería haberlo hecho —dijo por fin—. No tenía por qué contarte mi historia.

—Es tu amigo. Se preocupa por ti.

Soltó un débil gruñido. Vi que estaba enojado pero que no quería seguir hablando de aquello. Se levantó y de camino a la ventana vio el joyero Seugnot en mi mesilla de noche.

—Qué bonito.

Lo cogió, quizá con ánimo de cambiar por completo de tema.

—¡No lo abras! —dije asustada; no quería que viera la fotografía que había dentro. Si yo no podía mirarla, él tampoco—. Es muy frágil.

Se volvió hacia mí, sin duda sorprendido por mi reacción, pero no le dio más importancia.

—Dime lo que te contó —me pidió mientras volvía a sentarse en la butaca.

Yo repetí lo que me había dicho Edgar: que sus abuelos lo habían llevado a Inglaterra cuando comprendieron que los nazis estaban a punto de invadir el país y que sus padres tenían la intención de seguirlos, pero que no habían podido hacerlo.

—Y mi hermana. Te olvidas de mi hermana.

—Sí, tu hermana —dije tratando de adoptar un tono tan compasivo como fuese posible—. Me contó que estaba en el hospital. Que iban a operarla del apéndice, ¿no es eso?

—No. —Negó con la cabeza—. Eso es lo que le conté a Edgar, pero no es la verdad.

Esperé a que continuara.

—No quise contarle lo que hicieron mis padres. Lo necios que fueron.

Seguí callada.

—Mi hermana se llamaba Dita. ¿Al menos eso sí te lo dijo?

—No.

—Tocaba el piano —continuó, y el recuerdo le hizo esbozar una sonrisa—. Tenía un gran talento. Yo no sirvo para la música. Mi padre confiaba en que sí, pero no tengo oído musical. Dita, en cambio, escuchaba una canción una sola vez, se sentaba al piano y la tocaba a la perfección. Siempre estaba dando conciertos, conciertos infantiles, por supuesto, pero todos se daban cuenta de su extraordinario don y del gran futuro que tenía por delante. Iba a dar un recital importante, un recital que habría hecho aumentar su reputación, y mis padres insistieron en que se quedara para tocar. Mi *bobe* y mi *zaide* les dijeron que estaban locos, que debíamos marcharnos todos juntos, pero ellos se negaron. Creo que mi madre habría cedido, pero mi padre era muy testarudo. Muy orgulloso. Él quería oír tocar a su hija ante una gran audiencia. Así que nos marchamos nosotros tres, y se suponía que ellos vendrían a Inglaterra cuatro días más tarde. Pero no llegaron nunca. Ni siquiera sé si se celebró el concierto. *Bobe* pasó mucho tiempo tratando de averiguar qué había sido de ellos, pero a los dos los enterraron sin haber descubierta nada. Fue más tarde, cuando se publicaron los archivos de Treblinka y se pudo hablar con las pocas familias que quedaban, cuando me enteré de su muerte. Aunque ya lo daba por hecho.

Las lágrimas resbalaban por su cara, pero se las enjugó rápidamente. Yo apenas soportaba mirarlo. El sentimiento de culpa no dejaba de crecer y amenazaba con desgarrarme por dentro.

—Todavía sueño con ellos —dijo con una sonrisa triste en los labios—. Bueno, en realidad no son sueños sino pesadillas. Estoy allí con ellos, desnudo en la cámara de gas...

—No, David —supliqué.

—Ardiendo en los hornos.

—¡David!

—En esos sueños ni siquiera me siento humano. Pero así es como ellos hacían que nos sintiésemos, ¿no? Como si no fuéramos personas.

En ese instante me asaltó un recuerdo de mi padre en su despacho: «¿Esas personas? Bueno, es que no son personas. Al menos no son lo que nosotros entendemos por personas.»

—Sólo soy un espíritu que flota por los cielos de Polonia, una idea más que una persona. Un cúmulo de pensamientos aleatorios que se mezclan con las nubes.

—¡Basta! ¡Basta, por favor! —le supliqué juntando las manos.

Sentía deseos de chillar. Me encontraba cara a cara con la realidad de lo que había hecho mi familia y de lo que yo había estado ocultando todo aquel tiempo.

David soltó un hondo suspiro que salió de lo más profundo de su ser. No dije nada. Cuando volvió a hablar, lo hizo en voz tan baja que tuve que esforzarme mucho para oírlo. No me miró.

—Vas a decirme que era soldado, ¿verdad? Tu padre. Vas a decirme que luchó en el bando nazi.

—Sí —admití. No podía seguir fingiendo.

—Me lo imaginaba, aunque confiaba en equivocarme.

—Era soldado. Pero no fue al frente.

—Bueno, supongo que eso ya es algo —replicó David, y una chispa de esperanza iluminó brevemente su cara—. ¿Trabajaba en las oficinas? ¿Algo así? ¿Era chófer, quizá?

No dije nada y el silencio se tornó tan abrumador que di un respingo cuando David se levantó de la butaca y fue hasta la ventana. Se quedó de espaldas a mí, contemplando la calle.

—Perdóname, Gretel —dijo por fin.

—¿Que te perdone? —Me levanté y fui a su lado. Sin darme cuenta, me puse una mano sobre el vientre como si quisiera proteger al niño que estaba creciendo dentro de mí—. ¿Por qué quieres que te perdone?

—Por toda la rabia que tengo dentro. Me cuesta mucho hablar de esto. De aquella gente. De lo que hicieron. Desearía verlos a todos muertos. Porque siguen ahí, ¿sabes? En Europa. En Sudamérica. En Australia. Hay muchos que todavía no han sido juzgados. A veces pienso que así es como debería pasar mi vida. Persiguiéndolos. Acabando con ellos.

Se dio la vuelta y me miró. El dolor se reflejaba en su cara.

—Lo malo es que te quiero —dijo, como si lo atormentara admitirlo. Tendió los brazos hacia mí, pero los retiró. De momento no quería tocarme; era la primera vez desde que salíamos juntos que podía apartar las manos de mi cuerpo—. Tú no tienes la culpa de nada. Sí, tu padre era un... no lo sé, un humilde funcionario que trabajaba en algún despacho. ¿Qué iba a hacer él? No puedo culparte por eso.

—No es tan sencillo.

—Pero ahora no puedo pensar. Necesito asimilar y tener en cuenta muchas cosas. Si algún día tuviéramos un hijo, por ejemplo, ¿qué le contaríamos? ¿Cómo le explicaríamos lo que había hecho su abuelo?

—¿Necesitaríamos hacerlo? —pregunté.

—Por supuesto. —Empezó a pasearse por la habitación—. Yo no podría vivir ocultándole un secreto así ni mintiéndole.

—Pero ¿de qué serviría?

Se encogió de hombros; quizá él tampoco lo supiera.

—Necesito tiempo —dijo por fin—. Necesito digerirlo. Supongo que lo odias, ¿no?

—¿A quién?

—A tu padre.

Lo pensé. En realidad, compartir una pequeña porción de la verdad equivalía a no compartir nada.

—De pequeña lo quería mucho —dije—. Ya hace ocho años que murió, pero... No puedo evitarlo, hay veces en que todavía lo echo de menos. Sé lo que hizo, sé cómo vivió, pero me quería mucho, David. No puedo explicarlo. Si pudiese recuperarlo aunque sólo fuera un día, si pudiese hablar con él aunque sólo fuera una hora...

Por un momento creí que David iba a pegarme. Tenía la respiración entrecortada y los ojos cerrados.

—Debería irme a casa —dijo—. Ahora no puedo hablar de esto contigo. No te reprocho nada, Gretel, te lo juro. Entiendo que quisieras a tu padre, es natural, pero...

—David, todavía no has oído lo que yo necesito contarte. —Mi frustración iba en aumento a medida que la conversación se desviaba de mi propia historia—. Ya me has contado lo que le pasó a tu familia. Ahora me toca a mí hablarte de la mía. Si de verdad queremos tener un futuro juntos, que es lo que yo más deseo del mundo, es importante que conozcas hasta el último detalle.

—¿Es que hay algo más? —me preguntó turbado—. ¿Qué más me vas a contar? ¿Qué podría ser peor que saber que tu padre era un funcionario raso que trabajaba para aquellos animales?

Me senté en la cama y me tapé la cara con las manos.

—Siéntate, David. Te lo ruego —dije, y él obedeció—. Necesito que me hagas un favor. Si lo haces, prometo que nunca en la vida volveré a pedirte nada más.

—¿Qué favor?

—Sólo quiero que me dejes contarte mi historia de principio a fin, sin interrupciones. Y cuando haya terminado, cuando lo hayas oído todo y me conozcas mejor que nadie, podrás decidir si quieres quedarte o irte. ¿Lo harás, David? ¿Me escucharás?

Asintió con un gesto.

—Sí, lo haré.

—Entonces volveré a empezar —dije en voz baja.

Tragué saliva, respiré hondo y comencé.

—Nací en Berlín en 1931. Vivía con mi padre y mi madre y tres años después nació mi hermano. Éramos felices. Mi padre no era ningún humilde funcionario, como tú has apuntado, sino un oficial del Reich. Un oficial de alto rango. Evidentemente, yo era sólo una cría y apenas entendía lo que hacía él en su día a día. Había empezado la guerra y él casi nunca estaba en casa, pero eso no parecía afectarnos mucho. Y entonces, una tarde, mi hermano y yo llegamos de la escuela y nos llevamos una sorpresa al ver que Maria, la criada de la familia, que siempre andaba cabizbaja y no solía levantar la vista de la alfombra, estaba en el dormitorio de mi hermano, sacando todas sus cosas del armario y metiéndolas en cuatro grandes cajas de madera; incluso las pertenencias que él había escondido en el fondo del mueble y que me había dicho que eran suyas y de nadie más.

13

—Ha venido a verme la policía —dijo Alex Darcy-Witt cuando se reunió conmigo en el jardín.

Me había encontrado paseando despacio de un extremo a otro y él se había puesto a mi lado. Parecíamos dos personas normales y corrientes que han salido a tomar un poco el sol, y no la hija del comandante de un campo de concentración y un hombre que pega a su mujer y a su hijo.

—¿Ah, sí? —dije manteniendo un tono de voz sereno.

—Sí. Pero supongo que usted ya lo sabe.

—Sí, me imaginaba que vendrían a verlo —admití—. Pero no sabía que ya habían venido. Supongo que no tienen ninguna razón para mantenerme informada.

—No me dijeron que había sido usted quien los había informado de sus sospechas —continuó—, pero lo deduje. Y no me equivoco, ¿verdad?

—No. —Seguí haciendo todo lo posible para que no me temblara la voz, y para mi sorpresa no me resultó tan difícil como esperaba—. Lo único que lamento es no haber ido a hablar con ellos antes. A lo mejor así Henry se habría ahorrado ese ojo morado. Y no habría tenido que oír las cosas horribles que usted le dijo. Ese pobre niño vive aterrorizado.

—Se levantó sonámbulo —insistió él—. Y chocó contra...

—Por favor, Alex. —Suspiré y levanté una mano para hacerlo callar—. Por favor, no.

Sonrió un poco y asintió con la cabeza.

—No vinieron aquí —dijo al cabo de unos segundos—. La policía. No se presentaron en Winterville Court. ¿Sabe dónde lo hicieron?

—No tengo ni la más remota idea.

—En mi despacho del Soho. Sin avisar. Subieron la escalera como... no sé, como un grupo de oficiales de las ss, por decir algo, y le dijeron a uno de mis ayudantes que necesitaban hablar conmigo. En ese momento yo estaba hablando por teléfono con Los Ángeles, con alguien muy famoso. ¿Quiere saber con quién?

—Me temo que no me impresiona ni lo más mínimo que trabaje usted con estrellas de cine, Alex. Así que no, no hace falta que pierda el tiempo.

¿En serio?, pensé. ¿De verdad esperaba que me importasen esas frivolidades? ¡Por amor de Dios! Me habría gustado decirle que yo había estrechado la mano a Adolf Hitler y había besado a Eva Braun en la mejilla. Había jugado con los hijos de Goebbels y me habían invitado a la fiesta de cumpleaños de Gudrun Himmler.

—En mi despacho —repitió—. Donde hago todos mis negocios. Donde mis empleados cuchichean sobre todo lo que pasa. Y un inspector y su colega, ambos más jóvenes que yo, se presentaron sin avisar y dijeron que querían interrogarme sobre mi relación con mi mujer y mi hijo y que, si no quería hablar con ellos allí, me llevarían a la fuerza a la comisaría.

—¿Y usted qué prefirió?

—¿Acaso le importa?

—Es sólo curiosidad.

—Preferí la comisaría. Para que todo fuese más formal. Y para que pudiese venir mi abogado. Uno de ellos, uno de los policías, era judío. Seguramente eso la incomodará; es curioso, pero yo no tengo esos prejuicios.

—No, usted sólo maltrata a mujeres y a niños pequeños. ¿Le importa que me siente? —dije cuando nos acercamos a uno de los bancos—. Bueno, me voy a sentar de todas formas. Usted puede hacer lo que quiera.

—Me sentaré con usted. —Se dejó caer en el banco a mi lado—. ¿Recibió mi regalo?

—Sí. Pero me temo que no entendí su significado.

—Por favor, Gretel. —Sonrió encantado de poder devolverme aquello—. Por favor, no.

—Me interesa mucho la historia, es cierto —continué, sin inmutarme—. ¿Le comentó Henry que el día que nos conocimos yo estaba leyendo una biografía de María Antonieta? Y mi difunto esposo, Edgar, era un historiador famoso. Pero suelo evitar los libros sobre la guerra. Supongo que porque me tocó vivirla, claro.

—Y en primera línea, diría yo.

Me volví hacia él y decidí que no tenía sentido seguir mareando la perdiz.

—Entonces ¿lo sabe todo? —pregunté.

—Sí —afirmó casi con ceremoniosidad—. Y sinceramente, señora Fernsby, madame Guéymard, señorita Wilson, ¿o debería llamarla fräulein...?

Añadió el apellido que me habían puesto al nacer, el infame apellido de mi padre que yo no había utilizado desde ese día de 1946 en que Madre y yo subimos al tren en Berlín para viajar a París.

—Puede llamarme Gretel —dije con un suspiro—. Seguramente es lo más fácil.

—Seré sincero, Gretel: dejando al margen todo lo otro, debo confesar que estoy de lo más fascinado —continuó—. Me interesa mucho ese período, como comprobaría si viera alguna de mis películas, y estar aquí sentado con usted, con una persona que estuvo allí...

—Ha pasado mucho tiempo —dije.

—Nunca me dejo deslumbrar; en mi trabajo no tendría sentido. Pero ahora estoy francamente deslumbrado.

—Eso que dice es ridículo.

—Me gustaría hablarlo con usted.

—Nunca hablo de esa etapa de mi vida.

—¿Nunca?

Lo pensé.

—Sólo lo hice una vez —rectifiqué.

—¿Y con quién lo habló?

—Con un hombre llamado David Rotheram, hace muchos años, en 1953. Y, más tarde, con el que se convirtió en mi marido, Edgar.

—¿Y cómo reaccionaron?

—Eso no es asunto suyo.

—Cuéntemelo, por favor.

—No.

—¿Por qué no?

—Porque ya no importa. Pertenece al pasado. Pero ¿cómo lo ha averiguado? Tengo noventa y un años y hasta ahora nadie lo había descubierto. Comprenderá que esté intrigada.

Se encogió de hombros y miró hacia el centro del jardín.

—Es a lo que me dedico —dijo—. Bueno, les encargo a otras personas el trabajo de investigación. Hurgar en las historias, en el pasado de las personas. Además, el mundo ha cambiado mucho desde que usted era joven. Hoy en día puedes descubrir muchas cosas sobre tus enemigos con sólo sentarte delante de un ordenador y dedicarle un poco de tiempo. Soy una persona muy influyente, Gretel, y tengo contactos en muchos ámbitos. Al principio simplemente quería saber más sobre usted, en vista de lo preocupada que parecía por lo que pasaba en mi casa. Pero una historia condujo a otra, y luego a otra. Cuando un investigador llegaba a un callejón sin salida, se lo pasaba al siguiente.

—Entonces, nadie conoce todos los detalles, ¿no?

—No. Recibí las diferentes partes de su vida en varios fragmentos. Y luego las junté todas. No podía creer lo que había descubierto. Fui al British Film Archive y encontré una película antigua, *Oscuridad*. ¿La conoce?

—Sí, la vi una vez en el cine —dije—. Después salí corriendo a la calle y me lancé contra un autobús.

Eso pareció impresionarlo.

—Me alegro de que fracasara en su intento.

—¿En serio? ¿Por qué?

—Porque, para ser justos, usted debería morir en la cárcel.

No podía rebatirlo.

—Sí, lo sé —murmuré.

—Supongo que le gustaría haber ganado la guerra.

Arqueé una ceja.

—Ay, señor Darcy-Witt —dije como si le explicara algo muy obvio a un niño pequeño—. Las guerras no las gana nadie.

—Pero ¿no se siente culpable?

—¿Y me lo pregunta precisamente usted?

—Su comportamiento no puede compararse con el mío.

—Yo sólo era una cría —le recordé.

—Esa respuesta resultaría más creíble si se hubiera presentado ante las autoridades cuando terminó la guerra —repuso él—. Usted habría podido ayudar a llevar a mucha gente ante la justicia. ¡Imagínese a cuántos habría podido identificar! ¡Cuántas historias habría podido contar! Todas esas vidas perdidas, millones de personas gaseadas. De haber querido, usted habría podido vengarlas. Habría podido ofrecer algo de paz a las familias. Pero decidió anteponer su propia seguridad.

—Es lo que hacemos todos.

—¿No se siente culpable? —repitió.

Me levanté y me apresuré hacia el otro lado del jardín. Apoyé la cabeza en la fría pared y cerré los ojos. Notaba correr la sangre por mis venas y respiraba agitadamente. Él se acercó por detrás; me di la vuelta y lo miré.

—¿Qué piensa hacer con esta información? No me interesa saberlo por mí, entiéndame. Si lo cuenta, yo sufriré, claro que sí. Pero hay otras personas...

—Con una sola llamada de teléfono podría convertirla en la mujer más famosa del planeta.

—Ya lo sé. Pero tengo un hijo. —Y había algo más: Caden y Eleanor habían pasado a verme la noche anterior para darme una noticia inesperada—. Y pronto será padre. Su prometida es una mujer maravillosa. Ninguno de los dos había previsto esto, convencidos de que eran demasiado mayores, pero están emocionados. Así que no sólo me destruirá a mí, los destruirá a él, a ella y a mi nieto. Tres personas inocentes.

—Es peliagudo —dijo acariciándose la barbilla—. Me gustaría denunciarla, desde luego. Creo firmemente que debería morir en prisión. Pero también tengo que pensar en mí. Esas declaraciones que le hizo a la policía...

—¿Piensa negarlas? Lo que le hace a su mujer se llama «tortura psicológica». La mayor parte del tiempo ella no puede ni pensar. Está drogada con lo que sea que tome la gente hoy en día para no tener que enfrentarse a la realidad. Ha sacrificado todas sus ambiciones porque usted no soporta que ella tenga vida propia. Y le hace daño. Le hace daño, señor Darcy-Witt. Le pega.

—Es que a veces es insoportable. —Alzó los brazos, como si aquello fuese una respuesta completamente racional y cualquier persona en sus cabales tuviera que entenderla—. No se imagina lo insoportable que puede llegar a ser esa mujer. No escucha: ése es su peor defecto.

—¿Y por eso le pega?

Se encogió de hombros.

—Le haría lo mismo a un perro.

—¿Y su hijo?

—Necesita disciplina.

—Le rompió un brazo.

—Sí, he de admitir que ese día me pasé de la raya.

—¿Y el ojo morado? ¿Y la quemadura?

—Me contestó mal. No puedo tolerarlo. Ésta es mi familia, Gretel. Me pertenece, igual que la suya le pertenecía a su padre. No permitiré que nadie interfiera en eso. Y mucho menos una persona como usted. Si es que es usted puede llamarse persona. Míreme con todo el desprecio que quiera, pero ¿por qué no se reserva un poco de ese desprecio para usted?

No dije nada. ¿Qué podía argüir en contra de aquello? Alex tenía parte de razón.

—Bueno, quiero hacerle una propuesta —dijo.

—Adelante.

—¿Ha oído la expresión «destrucción mutua asegurada»?

Asentí. La recordaba de los días de la Guerra Fría. Significaba que no tenía sentido que Estados Unidos ni Rusia atacaran con bombas nucleares a su enemigo; sólo conseguirían destruirse el uno al otro y morirían todos.

—Sí —dije.

—Pues bien, nosotros nos encontramos en esa posición. Yo puedo destruirla a usted y usted puede destruirme a mí. Por lo tanto, quizá sería más sencillo que acordáramos dejarnos en paz el uno al otro por ahora. Yo hasta podría vender el piso y llevarme a Madelyn y a Henry de aquí. Pero mientras tanto, usted no podrá tener ningún contacto con nosotros, ni buscar más información sobre mi familia. Sólo somos los vecinos del piso de debajo del suyo. Y punto.

—¿Y a cambio?

—Yo no revelaré sus secretos. Ni siquiera después de su muerte. Dejaré en paz a su hijo y a su nieto. Al fin y al cabo, nada de esto es culpa suya. ¿Qué me dice, Gretel?

Desvié la mirada y reflexioné. Miré hacia las ventanas y vi a Heidi observándonos con cara de preocupación. Probablemente había notado que algo pasaba entre el señor Darcy-Witt y yo, pero la ignoré. Me volví hacia Alex y le tendí la mano. Después de todo, ¿qué alternativa tenía?

—Trato hecho.

Cuando volvió a pegar a su mujer, creo que no lo hizo para hacerle daño sino para ponerme a prueba, para ver si yo cumpliría mi palabra. Era sábado por la noche y yo ya estaba pensando en acostarme cuando oí voces en el piso de abajo y ruidos de pelea. Cerré los ojos y confié en que aquello no durara mucho, pero al cabo de unos minutos se oyó un portazo y unos pasitos que correteaban hacia la parte de atrás del edificio. Me levanté, me acerqué a la ventana y vi a Henry sentado en un rincón del jardín, en la penumbra, abrazándose las piernas con la frente en las rodillas y tapándose la cara. Me habría gustado dejarlo solo y mantenerme al margen, como había jurado que haría, pero no pude. Había contemplado demasiado sufrimiento a lo largo de mi vida y nunca había hecho nada para ayudar. Tenía que intervenir.

Desafiando mi instinto de supervivencia, bajé la escalera y salí al jardín trasero, mientras trataba de ignorar los gritos que resonaban en el salón de los Darcy-Witt. Henry, asustado, levantó de inmediato la cabeza; debió de pensar que era su padre quien se acercaba, pero al verme a mí se relajó.

—¿Estás bien, Henry? —le pregunté.

—Lo odio —dijo, y rompió a llorar.

Me senté a su lado y lo abracé, y automáticamente él hundió su cuerpo en el mío. No había estado tan cerca de un niño pequeño desde que Caden era un crío.

—Ojalá se muera.

Tal vez otra persona hubiese regañado al niño por decir algo tan terrible, pero yo sabía que los padres podían causarles graves traumas a sus hijos.

—¿Por qué se ha enfadado contigo esta vez? —pregunté.

—Tenía que estar haciendo los deberes. Pero me ha pillado leyendo y se ha puesto furioso.

—Antes quemaban los libros, ¿lo sabías?

—¿Quién los quemaba?

—Eso no importa.

—¿Quién? —insistió—. ¿Quién querría quemar un libro?

—Gente mala —dije—. Hace mucho que están todos muertos. Bueno, casi todos. Los quemaban porque les tenían miedo, ¿sabes? Les daban miedo las ideas. Les daba miedo la verdad. Veo que hay personas a las que todavía les pasa eso. Las cosas no han cambiado tanto.

—Esa gente es estúpida —dijo Henry, y se sorbió un poco la nariz.

—Muy estúpida. Te pega a menudo, ¿verdad?

Hizo un gesto afirmativo con la cabeza, casi imperceptible, y lo apreté más contra mí.

—¿No hay forma de hacerle parar? —pregunté, pero mi pregunta no iba dirigida al niño, que no podía darme una respuesta, claro está, sino al universo.

Aquel hombre se las había ingeniado para convencer a la policía de que las acusaciones contra él eran infundadas. Supongo que los aduló y echó mano de su fama, o al menos de sus contactos con famosos, para impedir que investigaran lo que estaba sucediendo en Winterville Court, así que ahora creía que podía seguir haciendo lo que quisiera con total impunidad. Por lo visto, como yo había leído en los periódicos, eso era lo que solían hacer los hombres cuando la gente de su entorno miraba hacia otro lado e ignoraba su comportamiento. Hasta que un día asesinaban a su mujer y a sus hijos; y entonces los vecinos fingían sorpresa y decían que el asesino siempre les había parecido una persona agradable y educada.

Madelyn se asomó por la puerta y nos miró. Tenía sangre en la barbilla, por debajo de la comisura izquierda de la boca, y los ojos vidriosos.

—Henry —llamó a su hijo—. Entra. Es tarde. Deberías estar en la cama.

—No quiero —dijo él—. No pienso volver. Nunca.

—¡Ven aquí! —bramó ella, de repente tan furiosa que los dos nos sobresaltamos.

El niño saltó del banco y salió disparado hacia el edificio. Me levanté y miré a Madelyn.

—Uno de estos días te matará —dije—. Lo sabes, ¿verdad?

Ella dejó escapar un hondo suspiro.

—Ojalá sea mañana —contestó antes de dar media vuelta y seguir a Henry.

Me quedé donde estaba unos minutos, enfadada conmigo misma, odiando a mi vecino, detestando incluso a su mujer por permitir que aquella situación continuara, aunque yo sabía que él la tenía tan absolutamente aterrorizada que habría sido imposible que Madelyn le plantase cara. Eché a andar hacia el edificio muy agitada y, con horror, vi a Alex Darcy-Witt esperándome delante de la puerta de su casa. Llevaba las mangas de la camisa enrolladas y apretaba y aflojaba los puños. Estaba sudando, pero daba la impresión de que disfrutaba con el dolor que infligía a su familia.

—No puede evitarlo, ¿verdad? —me preguntó.

—Lo siento. Pero he visto al niño fuera; estaba muy disgustado. He tenido que salir a consolarlo.

—Le dije que se alejara de él. Que se alejara de los dos.

—No volverá a pasar —dije—. Se lo prometo.

Se acercó más a mí y noté que le olía el aliento a whisky. Me pregunté cuánto habría bebido antes de agredirlos. Si eso hacía que le resultara más fácil ser violento.

—¿Qué voy a hacer con usted, Gretel? —me preguntó en voz baja—. Se niega a entrar en razón, ¿no es así? Tengo un amigo, ¿sabe? Bueno, tengo muchos amigos. Pero éste es un periodista importante que siempre anda en busca de buenas historias. Si la convierto a usted en la mujer más famosa del planeta, seguramente lo convertiré a él en el periodista más famoso. Quizá debería llamarlo por teléfono. Recuérdeme cómo se llama su hijo. ¿Caden? Un nombre poco común. No será difícil dar con él. Ya me estoy imaginando los camiones de todos los medios de comunicación aparcados delante de su casa, a los reporteros haciéndole preguntas a voz en grito. ¿Qué hago, Gretel? ¿Lo llamo? Podríamos ponerle fin a todo esto ahora mismo. ¿O me dejará en paz?

—Lo dejaré en paz —dije.

—Muy bien. —Se volvió hacia su piso—. Porque ésta es mi última advertencia.

Entró en su casa. Lo oí llamar a Henry y luego, a los pocos segundos, oí gritar al niño mientras su padre volvía a pegarle. Corrí hacia la puerta, pero ya no podía hacer nada. Me tapé las orejas con las manos para no oír los gritos de Henry y subí la escalera. Al llegar a los últimos escalones, tropecé; lamenté no haber perdido el equilibrio del todo. Qué fácil habría sido caerme hacia atrás y haberme matado. Una mujer de mi edad no sobreviviría a semejante caída. En realidad, entendía que Madelyn deseara abandonar este mundo, por muy graves que fuesen los castigos que me esperaran en el otro.

14

David hizo exactamente lo que le pedí. Se quedó callado mientras le contaba la historia de mi vida. Tardé más de una hora, pero aun así no lo expuse todo. No le revelé, por ejemplo, mi papel en la muerte de mi hermano. Era lo único de lo que nunca había podido hablar, del mismo modo que no podía pronunciar su nombre.

Cuando terminé, se produjo un silencio que parecía infinito, y no me atreví a mirarlo. Al final no pude soportarlo más.

—Habla —dije—. Di algo, David, por favor.

Cuando lo hizo, su voz era suave y queda.

—¿Qué puedo decir? —musitó—. ¿De dónde voy a sacar palabras para responder a esto?

Lo miré. Estaba pálido, pero parecía sereno.

—¿Quién eres? —me preguntó—. ¿Eres un ser humano, siquiera?

—Soy Gretel —le dije, aferrada a la esperanza de no haber perdido su amor—. La misma Gretel de la que te enamoraste.

—No, no eres la misma —dijo negando la cabeza.

—Yo no pedí nacer en esa familia —traté de explicarle—. No la elegí. Mi padre era quien era, eso no puedo cambiarlo.

—Pero su sangre corre por tus venas.

—Eso no significa que sea como él.

Entonces su rostro adoptó una expresión de horror absoluto y su cuerpo empezó a sufrir espasmos; torció la cabeza y vomitó en el suelo. Me incorporé sobresaltada mientras él cogía un trapo de encima de la mesa para limpiarse la cara. Así se resumía lo que le había hecho.

—Lo siento, David —dije—. Pero me enamoré de ti y...

—No digas mi nombre —dijo agitando las manos; di un paso hacia él y retrocedió asustado. Pisó el charco de vómito, resbaló y se cayó al suelo, con las manos extendidas en un gesto de terror—. No te me acerques —suplicó—. No me toques.

Me puse a llorar. Otras personas me habían mirado con desprecio —Émile la noche que nos acostamos, mis vecinos parisinos cuando me condenaron por mi pasado, incluso Kurt cuando nos vimos aquella última mañana en Sídney—, pero nadie había mostrado tenerme miedo. Parecía que David daba por hecho que bastaría con que yo pronunciase una palabra para que todos los demonios del pasado regresaran del infierno y lo arrastraran a una muerte que hasta entonces había tenido la suerte de evitar. Retrocedí con la esperanza de que comprendiera que no pretendía hacerle ningún daño, pero él se alejó de mí arrastrando los pies hasta chocar contra la pared.

—No puedes culparme por esto —le rogué—. Mi madre sufrió igual que cualquier otra madre...

—A tu madre sólo le importaban sus hijos. Pero ¿y los hijos de los demás? Todas las víctimas eran hijos de alguien. Ésos no le importaban, ¿no?

—No lo sé —dije. Me sentía impotente.

—¿Y tú? ¿A ti te importaban? —me preguntó.

Lo pensé. No tenía sentido mentir.

—No. No, entonces no.

—¿Ni siquiera cuando él te llevó allí? ¿Cuando viste lo que estaba pasando?

—¡David, yo tenía doce años!

—Es edad suficiente para reconocer la diferencia entre la libertad y el cautiverio. —Se levantó—. Entre el hambre y la inanición. ¡Entre la vida y la muerte, entre el bien y el mal!

—Lo sé —admití con un hilo de voz. Porque lo sabía. Lo sabía desde hacía mucho.

—Al no hacer nada, lo hiciste todo. Al no aceptar ninguna responsabilidad, ahora cargas con toda la culpa. Y encima dejas que me enamore de ti sabiendo que formaste parte de aquello.

—Yo no sabía que tú...

—¡Sabías que era judío! ¡Eso lo sabías!

—No, al principio no. Quizá fui muy ingenua, no lo sé. Pero ni siquiera se me ocurrió hasta que me lo dijo Edgar, y entonces ya...

—¿Ya qué? ¿Era demasiado tarde? Si lo hubieses sabido desde el principio, ¿te habrías alejado de mí?

Pasó a mi lado, asegurándose de dejar cierta distancia entre los dos.

—David, escúchame, por favor. Te quiero. No puedo cambiar el pasado, pero puedo prometerte vivir un futuro mejor. Tienes que darme esa oportunidad. Yo quiero que ese futuro sea contigo, pero tienes que dejarme.

Negó con la cabeza y me miró como si estuviera chiflada.

—Si crees que se me ocurriría volver a tocarte, es que estás igual de loca que tu padre —dijo—. No quiero vivir en la misma ciudad que tú, Gretel, ¿no lo entiendes? Y ya no digamos bajo el mismo techo. Eres igual de repugnante que todos ellos.

—¡No es verdad! —grité mientras me dejaba caer en el suelo—. No soy como ellos.

—Tengo que irme.

—No, por favor.

Me planteé hablarle del bebé que estaba creciendo dentro de mí, pero no me atreví. David estaba tan horrorizado por mis revelaciones que temí que agarrara un cuchillo y me abriese en canal para sacármelo de dentro.

—Creía que mis pesadillas no podían ser peores —dijo mientras abría la puerta y salía al rellano—. Pero tú, Gretel, has logrado lo imposible. Has logrado empeorarlas. Ahora ya nunca desaparecerán.

Lo miré por última vez a los ojos, suplicándole que se quedara.

—¿Qué quieres de mí? —pregunté—. ¿Qué quieres que haga?

—Una sola cosa y muy sencilla —respondió mirándome a los ojos—. Junto con tu padre, tu madre y tu hermano: arder en el infierno.

Y se marchó. Nunca volvimos a vernos.

Transcurridos siete meses exactos, Edgar y yo quedamos por iniciativa suya.

Él había intentado verme antes —David se lo había contado todo, como es lógico—, pero yo no me había sentido capaz de enfrentarme a él. Así que me había escrito, varias veces, y me había contado que David se había marchado a Norteamérica para empezar una nueva vida allí. Por mi parte, yo había puesto por escrito mi historia de esos años y le había dicho a Edgar que podía hacer lo que quisiera con mi confesión. Entregársela a la policía, publicarla en un periódico: ya no me importaba. Pero él no llegó a pronunciarse, y, aunque estaba convencida de que cualquier día llamaría a mi puerta un policía o un cazador de nazis, para mi sorpresa nunca se presentó nadie.

Nos sentamos en una pequeña cafetería cerca de donde yo vivía, delante de una taza de té caliente, y Edgar era el mismo hombre bondadoso y amable de siempre. Fui sincera, pero no quise postrarme ante él. Mi último encuentro con David me había dejado devastada y no quería pasar por nada parecido.

Pero, curiosamente, Edgar no me responsabilizó de los crímenes como había hecho su amigo ni como habrían podido hacerlo otros. Después de leer mi carta, su primera reacción había sido odiarme, no sólo por mi pasado sino por lo que le había hecho a David; sin embargo, pese a todo, sus sentimientos hacia mí no habían cambiado. De modo que había esperado cuanto había podido y luego había decidido buscarme para preguntarme si querría aceptarlo en mi vida y quizá casarnos algún día. Admitió que no esperaba encontrarme en avanzado estado de gestación, pero eso no le importó. Estaba dispuesto a criar a mi hijo como si fuera suyo.

Para bien o para mal, acepté su proposición porque me sentía perdida, sola y asustada y sabía que Edgar era bueno y que preferiría morir antes que hacerme daño. Y al final nos casamos y fuimos felices. Ningún hombre me habría podido tratar con más ternura que él.

Cuando acepté compartir la vida con él, sólo le impuse una condición, y estaba relacionada con el hijo que llevaba en mi vientre. Le expliqué que ya había hecho los trámites para darlo en adopción porque no quería que se contaminara con los horrores de mi pasado. Al principio él protestó, pero le dije que había tomado una decisión y que si no podía aceptarla tendría que renunciar a mí. Además, añadí, gracias al hospital había encontrado a una pareja sin hijos que anhelaba adoptar a un bebé en un hogar lleno de amor, y les había prometido que no faltaría a mi palabra.

El bebé nació poco antes de la Navidad de 1953.

Era una niña.

—¿Quieres ponerle nombre antes de que se la lleven? —me preguntó la comadrona—. Los padres adoptivos han dicho que les gustaría que lo hicieras. Es su forma de darte las gracias por este regalo que les haces. Están muy agradecidos.

No esperaba que me ofrecieran esa oportunidad, pero la acepté de buen grado.

—Gracias. Puede decirles al señor y a la señora Hargrave que su hija se llama Heidi.

15

Es difícil saber quién de los dos se sorprendió más: si Alex Darcy-Witt, al recibir una invitación para tomar una copa en mi casa, o yo, al ver que la aceptaba.

Escribí la invitación en un elegante tarjetón que encontré en mi escritorio y utilicé una pluma estilográfica de plata que llevaba tanto tiempo sin usarse que tuve que poner el plumín bajo el grifo de agua caliente para desatascarlo. Hacía muchísimo tiempo que no redactaba un texto tan formal. Hacerlo me transportó a una época en que la gente se comunicaba de esa guisa. Me figuré que la única persona que escribiría una carta parecida hoy en día debía de ser la reina.

Lo invité el martes a las siete en punto de la tarde, el día antes de la boda de Caden y Eleanor, y, en el preciso instante en que el minutero marcó la hora acordada, llamaron a mi puerta y allí estaba él, con una camisa sin corbata y un ramo de flores entre las manos, como un pretendiente de los de antaño.

—Es usted muy amable —dije al aceptar las flores (mis detestadas dalias), y me las llevé a la cocina, donde las dejé al lado del fregadero.

Después, cuando hubiese acabado con todo aquel desagradable asunto, las tiraría al cubo del compostaje.

—No se emocione demasiado, no las he comprado yo —dijo, y se sentó en el sillón favorito de Edgar. Yo ya sabía que se sentaría allí, porque desde allí se dominaba toda la sala y mi vecino era el típico hombre al que le gustaba adoptar una posición de autoridad. Por suerte para mí, el sillón también estaba de espaldas a la cocina—. Le dije a mi ayudante que las comprara. ¿Le gustan las dalias?

—Las odio.

—Mejor aún.

—Pero lo que cuenta es la intención. —Regresé al salón con una sonrisa en los labios—. Bueno, ¿qué le apetece beber? ¿Un vaso de whisky, quizá? ¿Un gin-tonic?

—Una cerveza fría me vendría muy bien, si tiene alguna —dijo cordialmente, y yo asentí.

—Claro que sí. Me gusta estar preparada para cualquier circunstancia.

Entré de nuevo en la cocina y abrí dos botellas de cerveza; las serví en sendos vasos y me los llevé en una bandeja de plata. Brindamos y me senté enfrente de él; sólo nos separaba la mesita de café.

—Bueno, ¡qué civilizado es todo esto! —exclamó.

Tomó un gran sorbo de cerveza y sonrió cuando el alcohol invadió su torrente sanguíneo. Seguramente había tenido un día muy largo, igual que yo. Él, tratando con sus estrellas de cine; yo, preparándome para los festejos del día siguiente.

—Que no nos caigamos bien no significa que no podamos ser educados —repuse—. Al fin y al cabo somos vecinos, ¿no? Quizá todavía tengamos que tratarnos muchos años. Si no vende usted el piso, claro.

—¿Muchos años? Yo no diría tanto —replicó—. A usted no debe de quedarle tanto tiempo por delante, ¿no? La verdad es que está muy bien para su edad, pero debe de tener un pie en la tumba.

Sonreí mientras bebía mi cerveza.

—Es usted encantador, Alex. Entiendo perfectamente que Madelyn se enamorara de usted.

Extendió los brazos hacia los lados y sonrió de oreja a oreja.

—Soy la viva imagen de mi padre —dijo—. Imagino que usted podría decir lo mismo. Eso es algo que tenemos en común.

—Puede ser —admití—. Aunque me he pasado la vida fingiendo que no me parecía en nada a él, la verdad es que soy hija suya y eso no tiene vuelta de hoja. Cómplice de sus crímenes. Usted, en cambio, habría podido ser diferente del suyo.

Alex asintió.

—Estoy seguro de que todo esto tiene alguna explicación —dijo—. La invitación, las bebidas, la charla de cortesía... ¿Piensa revelármela? No quiero quedarme más tiempo del imprescindible.

—Supongo que quería hablar con usted sobre la culpa. —Me incliné hacia delante—. El otro día usted me preguntó sobre ella, ¿se acuerda?

—Sí.

—Y desde entonces le he dado muchas vueltas. Verá, yo también habría podido preguntarle si se siente culpable.

—¿Vamos a ser sinceros el uno con el otro?

—Por supuesto —dije—. Estamos usted y yo solos.

Meditó unos instantes mientras empujaba ligeramente una mejilla con la lengua. Entonces habló.

—La verdad es que no disfruto pegándoles —aseguró—. No vaya usted a creer que eso me produce algún placer. A lo mejor yo no estaba hecho para ser ni marido ni padre. Lo que sucede es que no soporto la idea de que nadie se relacione con Madelyn. En el escenario, por ejemplo. O en una pantalla de cine. La quiero para mí solo.

—Pero ¿por qué? Las personas no pertenecemos a nadie.

—En eso se equivoca —me contradijo—. Sí que podemos. Debemos. Mi mujer me pertenece a mí.

—Como si fuera una posesión.

—Lo dice como si eso fuese negativo. Pero ¿usted no da valor a sus posesiones? Yo sí.

Guardé silencio; no estaba segura de cómo responder a eso.

—Yo valoré a Madelyn desde el principio —continuó—. Le di todo lo que quería.

—Excepto voz.

—Verá, es que no me interesan sus opiniones. —Me miró como si estuviera diciendo la cosa más normal del mundo—. La verdad es que no es muy inteligente. Y no me malinterprete, no soy un misógino recalcitrante. Conozco a muchas mujeres que son más inteligentes que yo y a las que podría pasarme horas escuchando. Pero no es el caso de Madelyn. Ella no tiene nada que decir que valga la pena. Sin embargo, si la mira... —Sonrió—. Bueno, usted ya la ha visto. Ya me entiende. Podría sentarme delante de ella y pasarme todo el día contemplándola. Con sólo que ella se quedara callada.

—La describe como si fuera un cuadro —dije—. O una estatua.

—Sí, una estatua. —Asintió con la cabeza—. Eso es, gracias. Es verdad. Pero dicho eso —continuó—, no se puede negar que en los últimos años ha perdido mucho. Me siento estafado. A veces me pregunto si no sería más fácil divorciarme, pero me da miedo sentirme despechado si después, sin mí, ella recupera su antiguo lustre. No lo soportaría. Por eso me aferro a ella. Y ella a mí.

—¿Y Henry?

—Henry crecerá fuerte. Y algún día entenderá por qué lo trato como lo trato. Lo estoy haciendo un hombre.

—Me parece que tenemos ideas muy diferentes de cómo se define esa palabra.

—Es posible.

—Y Henry es un niño muy sensible.

—Pues eso es precisamente de lo que lo estoy ayudando a liberarse, ¿no lo entiende? De esa sensibilidad. No soporto ver cómo es. Me da vergüenza. He visto a su hijo, viene a visitarla a veces. Con sobrepeso, mala salud, ningún estilo... ¿No le da vergüenza ver en qué se ha convertido?

—Yo fui una mala madre —admití—. No merecía a un hijo como él. Cualquiera de sus defectos es obra mía. Aunque la verdad es que tengo suerte de que saliera como salió. Y eso he de agradecérselo a mi difunto marido.

—Edgar el Santo.

—No, santo no —repliqué—. Pero era muy buena persona. La mejor persona que he conocido.

—¿Mejor incluso que el comandante?

—Ambos sabemos que mi padre era un monstruo —dije—. Quizá haya tardado muchos años en aceptarlo, pero es la verdad. Habría sido mucho mejor que su madre lo hubiese ahogado al nacer.

—Entonces usted no existiría.

—Habría sido un pequeño precio a pagar por salvar millones de vidas, ¿no cree?

Se encogió de hombros.

—Si no lo hubiese hecho él, lo habría hecho otro —aseguró—. El Holocausto no fue obra exclusiva de su padre. No exagere su influencia.

—Pero tuvo un papel muy importante en él. Y yo he llegado a los noventa sin haber pagado por sus crímenes.

—Estoy seguro de que quiere decirme algo, Gretel —dijo por fin con un suspiro—. Si no, no me habría pedido que subiera. Va a intentar convencerme para que sea mejor persona, ¿no es eso? ¿O me va a sermonear sobre todas las maldades que ha visto en la vida y la necesidad de separarme de todo eso?

—No, en absoluto. Sé de sobra que usted nunca cambiará. Seguirá haciéndole daño a su mujer mientras la tenga a su lado, y al final imagino que ella conseguirá quitarse la vida. Entonces usted hará gran alarde de su dolor durante el tiempo que considere apropiado y luego se buscará a otra desafortunada a la que aterrorizar. ¿Y qué será del pobre Henry? Supongo que lo enviará a un internado. Y a un niño pequeño y sensible como él no le irá demasiado bien allí, ¿verdad? En esos sitios, o sales a flote tú solo o te hundes. Y él será de los que se hunden. Es como si lo viera. Yo tenía un hermano que murió cuando tenía su edad.

—Lo sé —dijo—. Vi las fotografías, ¿se acuerda?

—Claro.

—¿Qué le paso?

—Había otro niño —dije, recordando el día en que Padre me llevó al otro lado de la alambrada—. Un niño judío de su misma edad. Yo lo conocí en el campo. Allí había tan pocos niños que me sorprendió descubrirlo. Pero mantenían a algunos con vida, claro. Para los experimentos médicos y qué sé yo.

—Lo dice como si fuera lo más natural del mundo.

—No, no había nada natural en todo aquello. Lo encontré en un almacén. Donde guardaban los pijamas de rayas.

—¿Los qué?

Negué con la cabeza. Se me había olvidado que aquella expresión sólo la usábamos mi hermano y yo.

—Me refiero a los uniformes —dije—. El que llevaban los internos. Ya sabe a cuáles me refiero.

—Sí, claro.

—Me dijo que tenía un amigo, un niño que iba a visitarlo a la alambrada todos los días. Y yo, que conocía muy bien a mi hermano y sabía de su espíritu aventurero, tuve claro que un día entraría en el campamento con uno de aquellos uniformes. Y así fue. Más tarde, cuando encontramos su ropa amontonada junto a la alambrada, entendí lo que había pasado, aunque como es obvio no pude confesarles a mis padres mi parte de responsabilidad en su muerte. Nunca he olvidado a aquel niño. Se llamaba Shmuel. Un nombre muy bonito, ¿no le parece? Suena como el viento. Si se lo hubiera contado a mis padres, todo podría haber sido diferente. Llevo ochenta años culpándome por aquello. Es mucho tiempo para cargar con algo en la conciencia.

—Su conciencia es un territorio superpoblado —dijo él.

—En eso no se equivoca —admití; luego sonreí, me levanté y volví a la cocina, pero seguí hablando en voz alta para que él pudiese oírme—. He vivido muchos años, Alex, y he guardado muchos secretos terribles. He sido en parte responsable de la muerte de quién sabe cuántas personas y, por supuesto, me siento responsable de la muerte de mi hermano. ¿Hay alguna forma de expiar todo eso?

Abrí un cajón y saqué el cúter que compré el día que me enteré de que estaba en venta el piso del señor Richardson. Estaba muy afilado, y deslicé el botón para abrirlo. Una larga hoja salió del mango metálico que yo sujetaba con fuerza.

—No he podido salvar a nadie —dije en voz alta—. Ni una sola vez. Y quizá sea demasiado tarde para salvar a su mujer. Pero le aseguro que estoy decidida a salvar al niño. Estoy decidida a salvar a Henry. Y entonces, por fin, quizá encuentre alguna redención para mis pecados.

Lo oí reír; salí de la cocina y me acerqué a él por detrás. Ni siquiera se molestó en volver la cabeza para decirme:

—Me parece buena idea, Gretel. Pero creo que se está haciendo ilusiones. Ya hemos hablado de esto, ¿no? Si usted me denuncia a mí, yo la denuncio a usted. Destrucción mutua asegurada, ¿se acuerda? No podemos pasarnos la vida dándole vueltas.

Estaba quieta detrás del sillón.

—A lo largo de mi vida varias personas han dicho la misma frase al despedirse de mí —dije—. Yo creía que nunca llegaría ese momento, pero ahora pienso que fueron clarividentes. Lo único que puedo hacer para reparar mis crímenes, aunque sea en pequeña medida, es hacer que sus deseos se cumplan. ¿Sabe qué me decían? De hecho, usted también me lo dijo una vez.

—No. Recuérdemelo.

—Que debería morir en la cárcel.

EPÍLOGO

La boda fue sencilla pero muy entrañable. Caden estaba muy elegante con su traje y en las últimas semanas hasta había adelgazado algunos kilos para asegurarse de que cabría en él. Eleanor llevaba un vestido de color crudo sin pretensiones, un maquillaje sutil y las uñas pintadas de rosa pálido. Aunque era la tercera de las cuatro bodas de mi hijo a la que asistía, fue mi favorita con creces, seguramente porque le había cogido mucho cariño a la novia.

Se celebró en un juzgado de paz y los únicos invitados, aparte de mí, fueron los padres de Eleanor y un primo suyo que se presentó como Marcus y dijo que trabajaba en la industria de la peluquería canina, cuya existencia yo desconocía. Me aseguró que el suyo era un negocio floreciente y que ya contaba con casi una docena de furgonetas: acudían a las casas con cita concertada y subían los perros a esos vehículos, donde los bañaban, les cortaban el pelo, les hacían la pedicura y los dejaban completamente acicalados.

—Extraordinario —dije mientras me preguntaba a quién se le habría ocurrido semejante idea. Me habría ahorrado mucho tiempo y energía a lo largo de todos estos años si también se ofreciera un servicio parecido para los humanos.

En la cena posterior a la ceremonia, que tuvo lugar en un restaurante muy bonito, Marcus me presentó a otro joven a quien se refirió como su pareja, y comprendí que no se trataba de su socio profesional. Me acordé de Cait Softly y del breve período que habíamos pasado juntas en Sídney. No pensaba en Cait a menudo, pero confiaba en que Sídney se hubiese portado bien con ella y que me hubiera perdonado por marcharme sin despedirme.

—¿Qué noticias hay, Gretel? —me preguntó Eleanor cuando vino conmigo al servicio para retocarse el maquillaje.

—¿Noticias de qué?

—Chismes.

Me quedé mirándola sin saber a qué se refería.

—El vecino de abajo —concretó—. El maltratador. ¿Ha sabido algo de la policía?

—Ah, sí. Sí, me llamó el inspector... —Intenté recordar cómo se llamaba.

—Kerr —dijo Eleanor, cuya memoria, evidentemente, era mejor que la mía—. El inspector Kerr.

—Eso es. Me dijo que había hecho indagaciones, que había hablado con el señor Darcy-Witt y que todo estaba en orden.

Eleanor frunció el ceño.

—¿Y cómo es que dijo eso?

—¿Quién sabe? Me imagino que será difícil organizar un caso contra alguien como Alex Darcy-Witt. Supongo que tiene amigos poderosos y esas cosas. Me pregunto si la policía creyó que yo sólo buscaba un poco de atención.

—No me parece usted alguien que sólo busque atención, Gretel —dijo Eleanor—. Al contrario, me parece una persona que valora mucho su intimidad.

Tenía razón, por supuesto. Nada más cierto.

—En fin, las dos sabemos que mi vecino nunca habría dejado de hacer lo que estaba haciendo y que la policía no habría intervenido hasta que hubiese sido demasiado tarde, así que decidí atajar yo misma su comportamiento.

—¿Cómo?

Una parte de mí estaba deseando contarle la verdad aunque sólo fuera para ver cómo reaccionaba. «Le rebané el cuello con un cúter y luego arrastré su cadáver hasta el cuarto de invitados, la habitación donde antes dormíamos Edgar y yo. Supongo que tendré que enfrentarme a las consecuencias bastante pronto, porque en un par de días empezará a oler. Pero no quería perderme el día de hoy. Como sabes, Caden nunca me perdonó del todo el haberme saltado su boda anterior», habría podido decir.

Sin embargo, lo que dije fue:

—Con un poco de mano izquierda. Te sorprendería lo persuasiva que puedo ser cuando algo me interesa mucho.

Eleanor no parecía convencida.

—Bueno, espero que ella encuentre los recursos necesarios para dejar a ese malnacido. Si no lo hace, tarde o temprano habrá una tragedia.

—No nos preocupemos por eso hoy —propuse—. Después de todo, es el día de tu boda. Deberíamos concentrarnos únicamente en cosas positivas. Pero mira, ahora que estamos solas, aprovecharé para pedirte un pequeño favor.

—Por supuesto. ¿De qué se trata?

—Verás, es evidente que no me volveré más joven y cabe la posibilidad de que no dure mucho tiempo. Mi vecina Heidi... Creo que ya la conoces, ¿verdad?

Eleanor asintió.

—¿Te importaría vigilarla si a mí me pasa algo? Tiene días buenos y días malos, pero necesita que alguien pase a visitarla de vez en cuando. Sólo para comprobar que se apaña bien. Y creo que eres la única persona en la que puedo confiar plenamente para eso.

—Por supuesto. Tiene mi palabra.

—Gracias, querida —dije, y la besé en la mejilla—. Pero vamos, no nos quedemos aquí. Es tu banquete nupcial. Tienes que estar ahí fuera, en el restaurante, hablando con tus invitados. Hoy es un día para ser feliz y para nada más.

Volvimos a la fiesta. Caden me dio las gracias por haber ido y, cuando me cansé, me pidió un taxi para volver a casa. No era muy tarde, sólo las diez, pero ya no tengo energía para seguir levantada hasta las tantas y estaba deseando ponerme el camisón, prepararme una taza de té y ver un poco la televisión antes de acostarme.

Sin entrar en la habitación de invitados, claro está.

Cuando estaba subiendo la escalera de mi casa, se abrió la puerta del piso de Heidi y apareció Oberon. Me miró un tanto avergonzado y yo lo saludé con una inclinación de cabeza.

—¿Viene de algún sitio especial?—me preguntó al ver mi ropa.

—De la boda de mi hijo. De su última boda, espero. Bueno, al menos de la última a la que yo tendré que asistir.

—Supongo que debo decírselo —dijo—. Lo de Australia se ha cancelado.

—¡Vaya! ¿Y eso?

—Se negaban a pagarme los gastos del traslado y, francamente, no me pareció lógico aflojar casi veinte mil libras para irme a vivir a las antípodas. Y como mi abuela se negaba a vender su piso...

—Me comentó que querías obligarla a hacer una hipoteca inversa.

—No quería obligarla —dijo él ofendido—. Sólo me parecía una buena idea. En fin, cuando la empresa con la que estaba negociando cambió de idea sobre los gastos del traslado, me enfadé un poco con ellos. Nos dijimos cuatro cosas. Pensándolo bien, quizá no lo había calculado todo.

—Entiendo. —Sonreí—. Entonces, ¿vas a quedarte en Londres?

—Sí. Y seguramente es lo mejor. Me salen unas ampollas terribles con el calor.

—Me alegro de oírlo. No lo de tu piel... Bueno, ya me entiendes. Y tu abuela también se alegrará mucho.

Asintió y siguió bajando la escalera.

—Otra cosa, Oberon.

Él se detuvo y me miró.

—¿Sí?

—El piso será para ti a su debido tiempo. Sólo debes tener un poco de paciencia. Y quizá te sorprenda lo mucho que echarás de menos a tu abuela cuando ya no esté.

Me miró un momento y me pregunté si iba a decirme algo desagradable, pero no, se limitó a asentir con la cabeza.

—Lo sé —dijo—. Espero que para eso falte mucho todavía.

—Yo también.

Saqué la llave del bolso, entré en mi piso y cerré la puerta. Ciertamente, mi bisnieto era muy guapo, pero un poquito corto de entendederas.

Alex Darcy-Witt había insinuado que podía convertirme en la mujer más famosa del planeta y, si bien su muerte no me trajo ese grado de notoriedad ni mucho menos, durante un tiempo sí me convertí en una de las mujeres más conocidas de Inglaterra. Al fin y al cabo, no todos los días una anciana acomodada le rebana el cuello a un productor de cine de éxito, duerme toda la noche a pierna suelta, va a la boda de su hijo, duerme otra noche del tirón y luego, con toda la calma del mundo, llama al servicio de emergencias para confesar su crimen y entregarse a la policía.

Como es lógico, salió a la luz que Alex era un hombre cruel y violento, y hubo quien dijo que yo le había hecho un favor al mundo al acabar con él. Pero la verdad es que no lo hice por el mundo. Lo hice por un niño inocente de nueve años.

Para salvarlo.

Los periódicos le dieron mucha importancia al hecho de que yo parecía una ancianita inofensiva. Especularon que había perdido la chaveta; lo que me molestó una barbaridad. Mi abogado me aconsejó reforzar esa versión, pero me negué. Me parecía importante que la gente supiera que yo era plenamente consciente de lo que estaba haciendo: había diseñado un plan y lo había ejecutado —como a él— a la perfección. Si algo he aprendido a lo largo de estas nueve décadas es que no sirve de nada empeñarse en negar la verdad.

En cualquier caso, dadas las circunstancias atenuantes, el juez me ha hecho cumplir condena en la prisión de mujeres de mínima seguridad más laxa del país, y he de decir que, sin ser perfecta, es lo más parecido a la comunidad de jubilados a la que quería mandarme mi hijo. Caden y Eleanor me visitan a menudo, y ha sido emocionante ver evolucionar su embarazo. Como es lógico, no podré tener ninguna relación con su hijo, pero al menos él o ella crecerá sin saber nada de su terrible linaje. En cuanto a mi piso, lo puse a nombre de Caden, por supuesto. Para mi sorpresa, él todavía no lo ha puesto en venta. En realidad, se está planteando mudarse allí, lo que me haría muy feliz.

Heidi, mi hija mayor, viene a verme de vez en cuando. La acompaña Oberon, a quien siempre parece fascinarle encontrarse en una prisión y que yo haya acabado aquí. Oberon me envía libros y revistas a menudo, y la verdad es que no es mal chico. He cambiado mi testamento para dejarle algo también a él. Quizá con eso pueda marcharse a Australia algún día. (Como soy terca, he estipulado que sólo podrá recibir esa herencia una vez que haya fallecido su abuela, naturalmente.)

—Ha habido mucho jaleo en Winterville Court desde que te fuiste —me dijo Heidi durante su última visita, cuando Oberon nos dejó unos minutos solas—. ¡No te lo vas a creer, pero al vecino del piso de abajo lo han asesinado!

—Ya lo sé. Me temo que lo maté yo.

—No, no lo mataste tú —me contradijo negando con la cabeza—. Fue la mujer que vive en el piso de enfrente del mío. Pero mira, no se lo reprocho. Ese hombre era muy desagradable. Trataba fatal a su mujer y a su hijo.

No intenté corregirla. No tenía sentido explicárselo; de todos modos, no lo habría recordado.

Desde que me condenaron no he vuelto a ver ni a saber nada de Madelyn ni de Henry, y me cuesta imaginar qué me dirían si algún día viniesen a visitarme. Sospecho que ella estará mejor de lo que ha estado en mucho tiempo, pero a Henry le habrá afectado su pérdida. Quizá deseara ver muerto a su padre, tal como me dijo, pero sus sentimientos deben de ser confusos ahora que eso ha sucedido. Espero no haberle hecho aún más daño involuntariamente. Esa posibilidad me atormenta.

En cambio, la cárcel en sí no me preocupa demasiado. He hecho algunas amistades y, a causa de mi avanzada edad, en general me tratan con respeto tanto las internas como las carceleras. La comida es espantosa, por supuesto, y echo de menos una copa de vino por las noches, pero no se puede tener todo.

Mi momento favorito del día es la hora de dormir, cuando los pasillos se quedan en silencio y, tumbada en la cama, pienso en mi familia y me digo que el mío es un castigo compartido. Algunas noches rezo para que me perdonen, pero normalmente no pierdo el tiempo.

Sin embargo, me gusta decir: «Lo siento». No por la muerte de Alex —eso no me preocupó lo más mínimo—, sino por todo lo demás. Sé que es una frase muy trillada y que no le servirá de consuelo a nadie, pero la digo de corazón.

Lo siento mucho.

Y hago otra cosa antes de quedarme dormida.

Me permitieron traer algunos objetos de mi casa para decorar la celda. Una alfombra que compró Edgar para nuestro décimo aniversario de boda y que todas las mañanas pisan mis pies descalzos cuando, con bastante dificultad, me levanto de la cama. Y unos cuantos libros que me gustan mucho, entre ellos *La isla del tesoro* y *La vuelta al mundo en ochenta días*, que me llevé en el último momento del piso de abajo, donde lo había dejado Henry antes de marcharse. Los releo y me imagino en lugares remotos, en ciudades que nunca tuve la oportunidad de visitar, pero donde habría podido llevar vidas muy diferentes, con muchos apellidos más, viviendo insólitas aventuras pese a arrastrar los mismos traumas. Cuando los leo pienso en Henry.

Pero lo más importante que me traje es el joyero Seugnot antiguo que guardé en mi armario durante décadas y que no me había atrevido a abrir desde que salí de Alemania en 1946. Sólo contenía una cosa: la fotografía que Kurt Kotler me hizo aquel día soleado delante de nuestra casa de aquel otro sitio.

La primera noche que pasé en mi celda lo abrí y saqué la fotografía para pegarla en la pared junto a mi cama. Me miré: una niña de doce años, inocente y llena de deseo por el atractivo chico que estaba detrás de la cámara. Pero me llevé una sorpresa al comprobar que no estaba sola. De hecho, aparecían varias personas más en esa fotografía, personas a las que nunca había visto hasta entonces.

Al fondo, más allá de la verja, conversaban Padre y Madre. En una esquina había un hombre con aquel uniforme que parecía un pijama de rayas; empujaba una carretilla, encorvado y asustado, consciente de que tendría problemas si no se apresuraba.

En la esquina superior derecha, un pequeño hemisferio: el borde del dedo de Kurt tapando la lente.

Aun así, la mayor sorpresa fue ver quién hay a mi izquierda. Está sentado en un neumático que habían atado con una cuerda y a su vez colgado de las macizas ramas de un árbol. Está columpiándose, con las piernas extendidas. Las manos se aferran a las cuerdas. Su cara refleja pura felicidad.

Mi hermano pequeño.

Durante ochenta años he sido incapaz de pronunciar su nombre por temor a que esas dos sílabas pudieran conmigo y me derrumbase al recordar las terribles experiencias de las que ambos formamos parte.

Pero ahora su nombre es la última palabra que sale de mis labios todas las noches antes de quedarme dormida, cuando rezo para irme de este mundo del amanecer y por fin reunirme con él y lanzarme a sus brazos. Cuando pueda decirle cuánto lo siento.

Cuando pueda decirles a todos cuánto lo siento.

Lo digo ahora en voz baja cuando apagan las luces, cierro los ojos y las celdas se quedan en silencio.

El nombre del niño al que amé más que a ningún otro.

Más que a Kurt, más que a Émile, más que a David, más que a Edgar, más que a Caden.

Mi hermano.

Bruno.

Nota del autor

Concebí la idea de *Todas las piezas rotas* en 2004, poco después de terminar el borrador final de *El niño con el pijama de rayas*, e inmediatamente supe que algún día lo escribiría. Durante muchos años guardé en mi ordenador una carpeta titulada «La historia de Gretel», donde tomaba notas sobre la hermana mayor de Bruno, sobre quién podría ser más adelante y sobre las experiencias que podría tener en la edad adulta.

Mi intención siempre había sido escribir el libro hacia el final de mi vida, quizá cuando tuviera ochenta o noventa años, cuando mi motor creativo, junto con todas las otras cosas, empezara por fin a detenerse. Pero entonces llegó la pandemia, y el confinamiento, y de pronto me encontré en el jardín de mi casa listo para escribir algo nuevo; y el aislamiento de esa época me hizo pensar que había llegado el momento. Así que me lancé.

Revisar los personajes de una obra anterior puede ser una experiencia arriesgada a la par que estimulante para un novelista, sobre todo si esos personajes están sacados del libro más famoso de su carrera. Pero para mí fue fascinante regresar a Gretel después de casi veinte años y descubrir, a través de la escritura, qué habría podido ser de ella. Y también redescubrir a algunos de los otros personajes de ese libro previo y especular sobre cómo lo que habían hecho durante la guerra habría podido definir su vida en los años posteriores.

Cuando doy charlas en talleres de escritura creativa, siempre les pido esto a mis alumnos: sin hacer ninguna referencia al argumento, dime, en unas pocas frases, de qué trata tu novela. Si yo tuviera que contestar esa pregunta sobre *Todas las piezas rotas*, diría que es una novela sobre la culpa, la complicidad y el duelo, un libro que se propone analizar hasta qué punto puede ser culpable una persona joven, dados los sucesos históricos que se desarrollaban a su alrededor, y si esa persona se puede desvincular de los crímenes cometidos por sus seres queridos.

Son temas que aparecen en muchos de mis libros y sobre los que he escrito una y otra vez. Crecí en Irlanda en los años ochenta y pertenecí a una generación cuya infancia y adolescencia se vio mancillada por las personas a las que les habían confiado nuestra educación, y quizá por eso no resulte sorprendente que me interesen menos los monstruos que quienes sabían qué estaban haciendo los monstruos y miraron deliberadamente para otro lado.

El Holocausto me ha fascinado desde que tenía quince años, y ha tenido un papel muy destacado en mis lecturas y en mi obra. Desde mi primer encuentro con *La noche*, de Elie Wiesel, en 1986 (el libro que despertó mi interés por el tema), y a lo largo de décadas de novelas, libros de no ficción, películas y documentales, es un período de la historia que siempre me ha dejado con ganas de saber más. Como todos los que estudian esa época, sigo buscando respuestas en esa extensa biblioteca de literatura que se ha producido a lo largo de setenta y cinco años. No obstante, soy consciente de que mi búsqueda es una misión imposible, porque no las hay. Si quiero comprender, mi única esperanza consiste en recordar.

Aunque Gretel es el personaje central de mi novela, no quise crear un personaje simpático. Gretel está repleta de defectos y contradicciones, igual que la mayoría de los seres humanos. Es capaz de tener momentos de gran bondad y de realizar actos de una crueldad asombrosa, y espero que los lectores sigan pensando en ella mucho después de terminar de leer el libro y que se cuestionen, quizá, qué habrían hecho ellos si se hubieran encontrado en su lugar. Al fin y al cabo, cuando uno está muy alejado de un episodio histórico es fácil afirmar que jamás habría actuado como lo hicieron otros, pero es mucho más difícil mostrar esa humanidad elemental in situ.

Aparte del presente, escogí tres momentos históricos en los que revisitar a Gretel. El primero es el París de 1946, y estoy completamente en deuda con el erudito *París después de la liberación, 1944-1949*, de Antony Beevor y Artemis Cooper por la información que el libro da sobre ese período. El segundo es Sídney, Australia, a principios de los años cincuenta. Como australófilo apasionado que ha visitado el país en numerosas ocasiones, escogí Sídney no sólo porque es una ciudad que adoro, sino porque realmente está en el país más alejado de Europa; pensé que eso era algo que habría atraído a Gretel, que intentaba por todos los medios borrar su pasado. Y por último, Londres en 1953, con una nueva reina en el trono, una mujer de una edad similar a la de Gretel, cuyo padre también ha desempeñado un papel importante, aunque más humano, en la guerra. Aquí, la paz ha traído una generación de jóvenes judíos cuyas familias han muerto de forma espantosa y que acarrean cicatrices terribles. Quería explorar qué haría Gretel cuando se enfrentase a ese trauma, cómo reaccionaría al dolor de esas personas y si se responsabilizaría de él.

Escribir sobre el Holocausto es delicado y cualquier novelista que lo haga acepta una enorme responsabilidad. No la de la educación, que es la tarea de la no ficción, sino la de explorar las emociones reales y las experiencias humanas auténticas sin olvidar que la historia de cada una de las personas que perecieron en el Holocausto es una historia que merece ser contada.

Pese a todos los errores que cometió en la vida, pese a su complicidad con el mal y pese a su arrepentimiento, creo que la historia de Gretel también merece ser contada.

Le corresponde al lector decidir si merece ser leída.

JOHN BOYNE
Dublín, 2022